U0905479

北京汉阅传播
Beijing Han-read Culture

纪念乔治·亨利克·冯·莱特

牛津西方哲学史

A NEW HISTORY OF WESTERN PHILOSOPHY

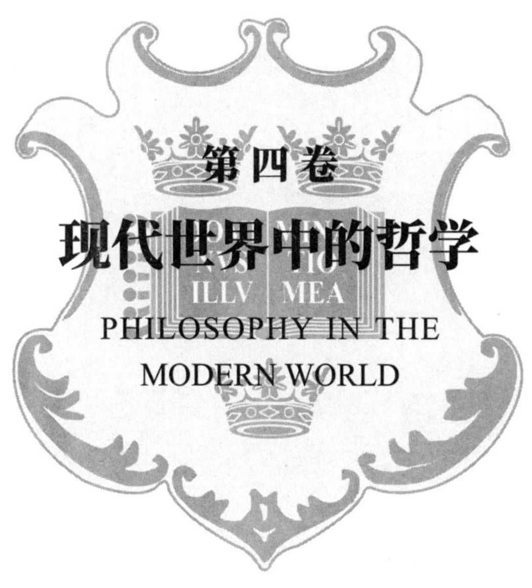

第四卷

现代世界中的哲学

PHILOSOPHY IN THE MODERN WORLD

[英] 安东尼 · 肯尼 — 著

梁展 — 译

吉林出版集团股份有限公司

内容提要

第三章　从弗洛伊德到德里达

第四章　逻辑

第五章　语言

第六章　认识论

第九章　伦理学

第十章　美学

第十一章　政治哲学

第十二章　上帝

导言

摆在读者面前的这本书是四卷本《牛津西方哲学史》的最后一卷，这部哲学史从哲学的起源一直叙述到了其在最近一个时期的发展状况。本书的第一卷在2004年问世，讲述的是古代哲学的历史，第二卷发表于2005年，内容涵盖自圣奥古斯丁至文艺复兴时期的中世纪哲学。第三卷题为《近代哲学的兴起》，主要讨论16、17和18世纪的大哲学家，结束于黑格尔在19世纪初的离世。本书将延续这一叙述，直至20世纪的最后数年。

阅读哲学史的人往往出于两种不同的原因。一些读者阅读它，是因为想在老一代哲学家那里就他们当下感兴趣的哲学话题寻求帮助和启发。另一些读者则对遥远或刚刚过去的人和社会更感兴趣，想了解他们所处的思想氛围如何。在前面三卷里，我安排篇章的方式同时满足了上述两类读者的不同需求。这本书以三个概述性的章节为开端，它们各自按照编年顺序加以排列；接下来的九个章节分别处理从逻辑学到自然神学一个个特殊的哲学领域。那些兴趣首先在历史方面的读者,可以集中阅读按时代顺序展开的描述,如果愿意的话,还可以参考冠有主题的小节,以扩大了解的范围。那些兴趣首先在哲学方面的读者,则可以首先关注后面几个章节,同时也可以回过头来参考一下按时代编排的章节,以便把个别的课题放置到具体的历史语境当中加以理解。

一些主题贯穿在这部四卷本哲学史的每一卷当中:认识论、形而上学、心灵哲学、伦理学和宗教哲学。另一些话题的重要性则随时代的不同而有所变化,因此主题章节的编排模式也相应有所不同。前两卷设置的主题章节均以逻辑和语言为开端,第三卷则没有这样的章节,因为逻辑在文艺复兴时期陷入了停滞状态。在本卷涵盖的时期,形式逻辑和语言哲学占据了如此核心的位
xiv 置,以至于每个话题都应当另立专章。在前卷当中,有一章专门用来讨论物理学,人们通常把它归为“自然哲学”的一个分支;不过,自牛顿以降,物理学摆脱了哲学的束缚成为一门独立的学科,所以在这一卷中没有另列专章来讨论物理学。本书的第三卷首次包含了专门讨论政治哲学的章节,因为在摩尔和马基雅维利之前,欧洲的政治制度与我们生活的时代如此迥异,以致哲学家们的洞见与时下的讨论无法发生关联。本卷第一次也是唯一一次设立了一个专门讨论美学的章节:其内容与前卷有轻微的重叠,因为这个主题直到 18 世纪时才形成了一门独立的学科。

与前三卷不同的是,在本卷当中,导论性的章节不单独按编年顺序排列。第一章遵循从边沁到尼采这条独立的线索,然而,鉴于英语哲学与大陆哲学在 20 世纪产生了分歧,因此我们在这里的叙述就拆分为第二章和第三章。第二章始于皮尔士,这位美国哲学家中的元老人物是分析哲学公认的奠基者。第三章讨论一系列有影响的大陆哲学家,首先是不愿被人视为哲学家的西格蒙德·弗洛伊德。

我发现,决定我的哲学史究竟应该在哪里结束、如何结束并不容易。在 20

世纪下半叶依然从事哲学思考的人们当中，有许多都是我本人所熟知的面孔，其中还不乏与我过从甚密的同事和友人。这使我很难就他们的重要性，与占据前三卷以及本卷较前篇幅的那些哲学家们相比，做一个客观的判断。要把哪些人收入书中，又省略掉哪些人，我的选择对于另一些并不比我缺少资格做出判断的人们来说，似乎有些武断。

1998 年，我发表了《牛津哲学简史》一书。早在那时，我就决定不把任何一位尚健在的人士收入书中。这意味着我可以从容地在维特根斯坦那里结束本书，因为无论是过去和现在，在我看来，他都是 20 世纪最重要的哲学家。但令人痛心的是，自 1998 年以来，那些人们期待着可以在哲学史上占有一席之地的哲人们相继离世，例如，奎因、安斯康姆、戴维森、斯特劳森、罗尔斯等等。于是，我不得不采取另一种方式来勾画事情最后到来的日子（*terminus ante quem*）。 xv

就在我 75 岁生日即将来临之际，我突然想到要舍弃所有比我年轻的作家。然而，这看来是一个以自我为中心的想法。所以，我最终选择制定了一个以 30 年为期的规则，放弃 1975 年之后撰写的那些著作。

必须提请读者注意，这是一部始于泰勒斯的《西方哲学史》的最后一卷。因此，其写法自然和一部独立的当代哲学史的写法有所不同。比如说，我没有就 20 世纪新经院哲学或新康德主义者做任何讨论，对好几代新黑格尔主义者也着墨不多。在这部以最后两个世纪的哲学发展为描述对象的书中略去它们，便意味着将会在历史上留下巨大的鸿沟。然而，这些学派的重要性，会提醒现在的人们记取过往伟大哲学家们的重要性。一部已经为阿奎那、康德和黑格尔开辟了大量篇幅的历史无须再次重复这样的提醒。

在撰写前面几卷时，我心中的理想读者是二至三年级的大学生。鉴于许多对哲学史感兴趣的本科生本身并不以哲学为业，我尽量不去假定他们会熟悉那些哲学技巧或术语。同时，我也不开列英文之外的参考文献，除非作者的写作语言本身就是其他语言。鉴于许多阅读哲学的人并非基于完成学业的目的,而是为了自我启蒙和消遣,因此,我尽量避免使用哲学行话,除了内容自身具有的难度之外,不给读者设置任何理解方面的障碍。但是,无论一个人如何努力,也不可能使哲学阅读成为一个轻松的任务。正如人们常常说的,哲学没有肤浅的结局。

感谢牛津大学出版社的彼德 · 孟奇勒夫妇及其同事,以及两位为出版社工作的匿名评审人,他们去除了本书的许多瑕疵。还应当特别感谢帕特里西亚 · 威廉姆斯和达格芬 · 弗莱思达尔,他们协助我一起讨论了 20 世纪的大陆哲学家们。

第一章

从边沁到尼采

边沁的功利主义

英国躲过了18世纪晚期和19世纪初期席卷欧洲大 1
多数国家的猛烈的宪政风暴。然而，就在法国大革命爆发的1789年，在英格兰问世的一本著作将会对拿破仑死后长时间里的道德和政治思想产生一种革命性的影响。这便是耶利米·边沁(Jeremy Bentham)的《道德与立法原则导论》(*An introduction to the principle of morals and legislation*)，它后来成了以功利主义为人们所知的思想学派的基本宪章。

边沁生于1748年，父亲是伦敦一位颇有前景的律师。身材瘦弱、热衷读书和心智早熟的他，7岁时就被送入威斯敏斯特学校就读，15岁时毕业于牛津大学王后学院。他注定要从事法律事业，21岁时就受邀出庭辩护，然而当时的法律实践令他感到厌烦。早在牛津大学聆听著名法学家威廉·布莱克斯通(William Blackstone)的讲座之时,他就已经对当时的法学理论有所排斥。在他看来,英国的法律体系笨拙、机械,而且前后并不一致:它应当在以合理的司法原则为指导的基础上加以重建。

根据他自己的说法,他所发现的这些基本原则来自于休谟。他告诉我们,在研读休谟的《人性论》(*Treatise of Human Nature*)时,眼前的天平相继倒塌,他慢慢相信有用性才是衡量所有美德的试金石和标尺,是唯一的正义之源。在持异议的化学家约瑟夫·普里斯特莱(Joseph Priestley)所写的一篇文章的基础之上,边沁把有用性解释为大多数公民的幸福,后者应当成为判断一个国
2 家种种事务的标准。宽泛地说,道德的实际标准和立法的真正目标是最大多数人的最大幸福。

1770 年代,边沁就布莱克斯通的《英格兰法律释义》(*Commentaries on the Laws of England*)做了一个批评。其部分内容以《政府片论》(*A Fragment on Government*)为题发表于 1776 年,书中对一种社会契约观念发起了攻击。与此同时,他还借鉴意大利刑法学家西萨尔·贝卡利亚(Cesare Beccaria,1738—1794)的思想,撰写了一篇讨论惩罚的论文。对惩罚目的和界限的一种分析,与功利原则的表述一起构成了《道德与立法原则导论》一书的实质内容,这本书写成于 1780 年,离其正式发表的时间尚有 9 年。

《政府片论》是边沁对"最大多数人的最大幸福是判断正确和错误的尺度"这一原则的第一次公开表述。此书虽以匿名方式发表,却赢得了一些有影响力的读者,其中包括谢尔伯恩伯爵(Earl of Shelburne),这位辉格党领袖不久当上了首相。当谢尔伯恩了解到本书的作者是边沁之后,便把后者置于自己的保护之下,并将其介绍给英国和法国的政治社交圈。边沁在英国新结交的朋友中最重要的莫过于卡洛琳娜·福克斯(Caroline Fox),她是查尔斯·詹姆士·福克斯(Charles James Fox)的侄女,经过长时间松散的恋爱之后,边沁在 1805 年向她求婚,然而却没有成功。其法国友人中最重要的是埃蒂扬纳·杜

蒙(Étienne Dumont),他是谢尔伯恩儿子的教师,后来发表了相当数量的边沁著作的翻译。一段时间以来,边沁在法国的名声要大于其在英国的名声。

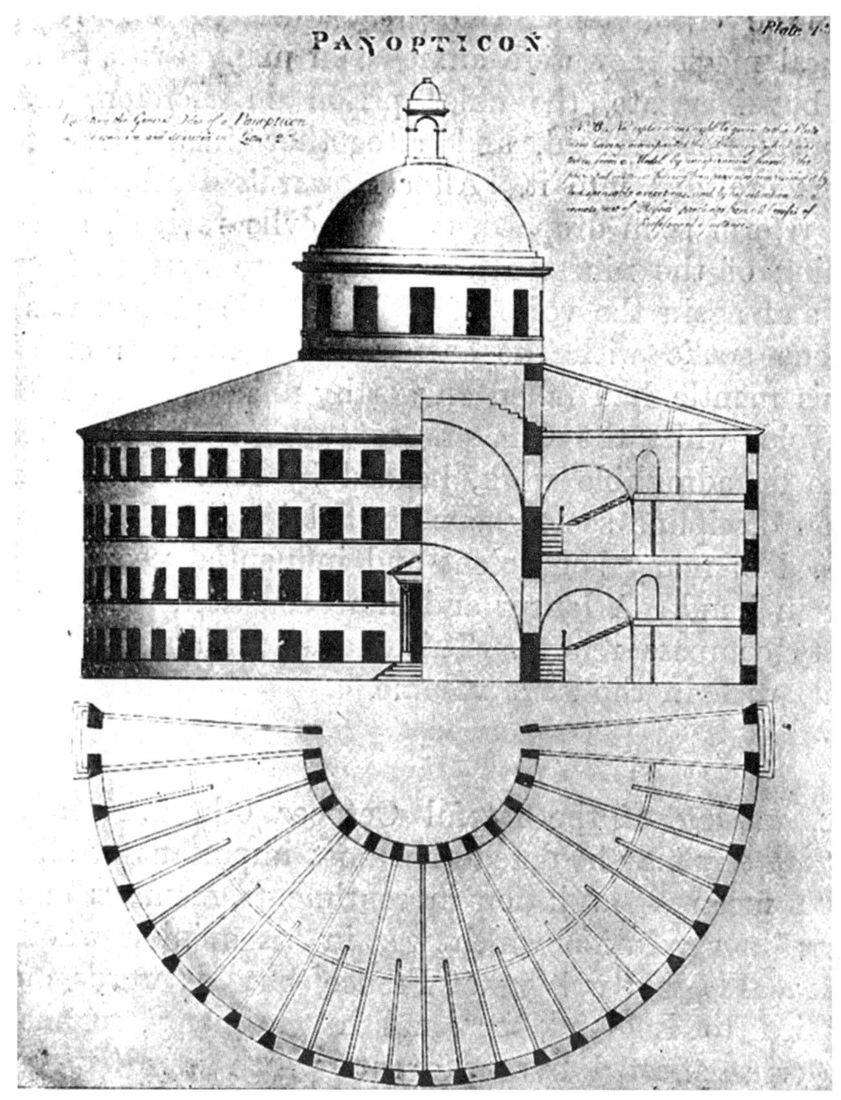

3

边沁的完美监狱图纸,全景监控监狱。

1785 到 1787 年,边沁生活在国外,期间他周游了欧洲各国,并与弟弟萨缪尔生活在一起,后者当时正在白俄罗斯的克里切夫经营着国王波将金(Potemkin)的庄园。在那里,他构想了一种新型的、能够进行全景监控的监狱,这个圆形的建筑拥有一个中央观察点,以便让狱卒们能够对犯人实施永久性地监视。边沁满怀改革监狱的热情从俄罗斯返回之后,便极力劝说英国和法国政府兴建一所模范监狱。威廉·皮特政府曾通过一项议会法案,授权完成这一设计,然而却因有公爵头衔的领主们不愿监狱建在他们庄园附近,以及国王乔治三世的亲自干预(边沁似乎相信如此)而归于失败。法国国民议会虽然没有接纳由边沁来监督建造这样一所全景监控监狱的建议,但确曾授予他共和国荣誉公民的身份。

4 边沁对法学理论与实践的兴趣远远延伸到了其最初的刑法专业之外。由于对民法混乱状态的失望,他撰写了一部长篇论文《论一般法》(*Of law in General*),和他的许多著作一样,这本书直到他去世之后很久仍未出版。在反思《济贫法》的基础之上,边沁提出,应当建立一个由国家联合控股公司来经营的全景监控监狱网络,作为“令人棘手的穷人”的工厂,当犯人的劳动能够维持他们生存时,他可以从中分红。然而,全景监控监狱从来也没有得以建造,无论它是服务于刑法目的还是被投入商业用途。不过,议会曾经在 1813 年通过投票方式决定支付给边沁 23000 英镑,以补偿他的设计工作。

1808 年,边沁结识了一位苏格兰哲学家,詹姆士·密尔(James Mill),后者刚刚开始撰写《印度史》(*History of India*)一书。密尔有个两岁的儿子,天资出众,名叫约翰·斯图亚特(John Stuart),边沁帮助他的父亲一起完成了对这个天才的教育。部分由于密尔带来的影响,多来年在法庭从事证据原则工作的边沁,开始投身政治与宪法的改革,而不是对法律程序与实践的批评。他撰写了《议会改革问答》(*Catechism of Parliamentary Reform*),这本于 1809 年写成的著作尽管直到 1817 年才出版,但在此一两年之后,一个激进的改革法案就出现了。他花费许多年的精力来起草一部宪法法典，直到死时尚未完成。步入晚年，边沁越发相信现行的英国宪法是一块幕布，其背后隐藏着富人反对穷人的阴谋。于是，他倡导取缔君主制和上议院，设立经由全民选举而产生的年度议会，以及摧毁英格兰教会。

边沁在宪政和自由方面的主张远远超越了英国事务之外。1811 年，他建议詹姆士·麦迪逊（James Madison），应当由他来为美国起草一部宪法法典。边沁积极参与了伦敦希腊委员会的工作，就在这个委员会发起的远征当中，拜伦爵士于 1813 年在密索隆基（Missolonghi）死去。一段时期以来，边沁曾经希望他的宪法法典能够在拉丁美洲由哥伦比亚总统西蒙·玻利瓦尔（Simón Bolívar）加以实施。

1823 年，接受边沁思想的“哲学激进派”小组创立了《威斯敏斯特评论》（*Westminster Review*），以期推进功利主义的进程。他们热衷于推行教育改革。边沁设计了一套继续教育课程，强调以技术来代替希腊和拉丁语的学习。他 5
还与同事们积极投身于伦敦大学学院（University College London）的建立工作，后者于 1828 年开始授课。这是英国第一所在入学时不对学生进行宗教考核的大学一级的学院。遵照本人的意愿，1832 年，边沁的遗体从头到脚被包裹着一层蜡质安放在那里一直到今天，正如他本人所说，这是他的“自我形象”。而大改革法案（即“大宪章”——译者注）则是对边沁一生不懈努力的一种更为恰当的纪念，它大大降低了议会的门槛，并在他去世前的几个星期成为了法律。

熟知边沁的人，甚至包括其最伟大的崇拜者们都一致认为他是一个性情非常单一之人，他的思想精深，却在情感方面存有缺陷。约翰·斯图亚特·密尔则将他描述为一个在思维上精确严谨，而对人类最自然和最强烈的情感缺乏同情的人。卡尔·马克思（Karl Marx）曾说，他将英国的小商贩当成了人类的典型。“无论在哪个时代，在哪个国家里”，马克思说，“粗鄙的平庸都不曾以如此自我满足的方式得以膨胀”（*C* 488）。边沁对于人性的了解实在是太有限了。“这完全是出自经验”，密尔说，“而且是一个没有什么经验之人的经验主义”。按照密尔的看法，他从来没有成熟过，“他到最后都是一个孩子”（*U* 78）。

约翰·斯图亚特·密尔的思想发展

密尔从来都不容许自己只做一个孩子。他没有上过学，也不曾与别的孩子有任何瓜葛，他的教育是由严苛的父亲在家里完成的。他三岁便开始学习希腊文，十二岁时就已经读过柏拉图的许多原文著作。在同一个年龄，他开始从亚里士多德的文本入手学习逻辑，同时帮助父亲校读《印度史》。在随后的几年里，他转入政治经济学的研究之中。他从不休假，“唯恐工作习惯被打断，反而追求一种闲适的情趣”。不过，他十四岁时曾经在法国边沁的弟弟萨缪尔家里住过一年，这使他有机会在蒙波利埃（Montpellier）聆听科学方面的讲座。除此之外，他未经过任何的大学教育，然而，比起多数人文大师来说，他十六岁
6 时的阅读面就已经相当广泛了。

回顾以往，密尔在他非比寻常的教育经历当中，最看重的莫过于父亲赋予他的独立思考能力。“任何能够通过思索获得的东西，直到我穷尽所有的努力去发现它之前，从来没有人告诉过我。”（*A* 20）与同时代那些受过公立学校和大学教育的人们相比，密尔觉得自己拥有先他们25 年就开始进入成年生活的优势。然而，按照他自己的说法，他的教育使他变成了“一架仅仅在从事推理的机器”。在与《威斯敏斯特评论》的同事们一起为自由事业奋斗数年后，在东印度公司做书记员工作的密尔经历了一场心理崩溃，由此堕入一种深度的忧郁当中，即使最为有效的改革工作也显得没有丝毫意义。

密尔事后解释道，1828 年秋阅读华兹华斯的诗使他摆脱了这场心理危机。诗歌使他不仅意识到了自然的美妙，而且还意识到了边沁体系中所缺乏的人类生活的诸多方面。

> 它们看来正是我所要追求的情感陶冶。我从中领略到了一种人们共有的心灵愉悦的源泉、一种感同身受的和想象的快乐源泉；它们与斗争或缺憾没有任何牵连，却能够因人类的自然和社会条件改善而变得日益丰富。我好像明白了，排除了生活的一切大恶之后，幸福的永恒源泉将会是什么。在此影响之下，我顿时感到情绪有所好转并渐渐快乐起来。(*A* 89)

在危机过后，密尔一直对边沁表示出崇敬，认为他的著述超越了此前所有的道德主义者；不过，他也认为边沁的体系无论在人格还是在社会方面都有待修正和完善。

在人格层面，密尔的思想发展受到了英国诗人的影响，柯勒律治后来居上超越华兹华斯成了他心目中突出的形象。到了成熟的年月，他愿意将柯勒律治与边沁并称为“英格兰在他们那个时代里拥有的两颗处在萌芽状态的伟大心灵”。在社会层面，密尔接受的新影响来自法国本土——刚刚兴起的孔德·德·圣—西门(Comte de Saint-Simon，1760—1825)的社会主义思想与尚处在襁褓状态中的奥古斯特·孔德(Auguste Comte，1789—1857)的实证主义思想。

英国功利主义者满足于把私有制与继承财产看做是既定的和不可剥夺的， 7
圣西蒙主义者则认为，一个社会的资本与劳动应当被视为服务集体公共福利的整体加以管理，每个公民均有义务根据自身的能力为集体作出贡献，并有权按照贡献的多少取得报酬。尽管密尔不能信服社会主义计划，然而这使他意识到，私有制与自由市场需要一种合理化的辩护。他对圣西门的唯心主义表示倾慕，受到了其中诸多原则的启发——特别是其对两性完全平权的坚持。

孔德是以一个圣西门主义者的身份开始其哲学生涯的,他形成了自己的一套体系,自称为“实证哲学”。给密尔带来一种持久印象的是上述体系的特征,即人类知识和人类社会经历神学、形而上学和实证三个历史阶段的理论。依据圣西门的术语,这些阶段是“有机的”或者相互包含的。在第一个阶段,社会为不同的现象提出种种超自然的解释,并努力通过神秘的和宗教的实践来影响这个世界。这个历史阶段,按照孔德的说法,从封建体系开始一直持续到宗教改革时期。在形而上学阶段,人们用本质和力量来解释各种不同的现象,实质上,其神秘程度不亚于在神学阶段运作的超自然因素。正是法国大革命终止了这一阶段,世界大约由此开始进入到了实证的,或真正科学的阶段,这就是科学与社会的阶段。

密尔从圣西门和孔德那里汲取了进步的思想。按照密尔的理解,在各个有机阶段交替之间,均存在着一个批判和争论时期,密尔认为自己正处在这样一个时期当中。到如今,他展望着

> 一个未来,它将把批判的最佳品质与有机时期的最佳品质结合起来;不加阻碍的思想自由,所有种种在不损害他人的前提下无拘无束的个人行为自由模式;以及有关正确与错误、有益与有害的信念,它们深深地镌刻在由早期教育而来的个人情感与人类情感的共通之上。(*A* 100)

一旦达至上述状态,下一过程便不再是必要的:道德信念将如此稳固地建立在理性与必要性之上,以至于不再像过去和现在的那些信条一样需要时时
8 加以更新。

尽管密尔自早年起就是一位多产的专栏作家,但直到他生命的最后三十年之前还没有发表过任何著作。然而发表于 1843 的第一本著作就迅速为他赢得了持久的声誉。这就是拥有六卷篇幅的《逻辑体系》(*A System of Logic*),密尔曾

花费数年时间从事本书的撰写工作,此书仅在作者生前就印行了八版。

这本书涵盖的话题范围非常广泛,其中贯穿了密尔想要以19世纪的风格来更新英国经验主义传统的愿望。他提出了贝克莱(George Berkeley)神学现象主义的一个通俗版本:物质无非是知觉的一种永久可能性,而外在世界是“由诸多可能的知觉按照规则相继构成的世界”。他同意休谟的意见,认为我们没有一个与在我们身体中有意识地显现出来的心灵相区别的心灵本身的概念。他认为,一个哲学家要想在自己之外建立心灵的存在是一个非常困难的问题。但是,与其他经验主义者不同,密尔对形式逻辑和科学方法论葆有严肃的兴趣。

《逻辑体系》开篇便是针对语言展开的一种分析,以及就不同类型的名称所进行的一种解释(其中包括专用名词、代词、摹态词、一般性的术语以及抽象的表达方式)。按照密尔的看法,所有名称均指称不同的事物:专有名称指称它所命名的事物;一般性的术语指称所指事物的真实状况。然而它们不仅有外延,而且还有内涵:比如说,“人”这个词既指称(众人当中的)苏格拉底,又内含理性和灵性这样的属性。

密尔给出了一套详尽的推理理论,他把后者划分为实在的推理与言词的推理。三段论推理是言词的而非实在的推理,因为它不能为我们提供新的知识。“彼德是有死的,詹姆士是有死的,约翰是有死的,因此一切人都是有死的”,当我们做如此推理之时,实在的推理并非是演绎性的,而是归纳性的。这样的归纳,如某些逻辑学家所说,不能将我们由个别的规则引向普遍的规则。规则只是由已知的个别推理未知的个别的公式。密尔举出5项实验规则或典则,用于引导归纳性的科学研究。密尔坚持并使经验性的探索能够在不求助于任何先验真理的情况下进行。① 9

①密尔的逻辑学说将在第四章详加讨论。

《逻辑体系》远远超出了有关语言和推理的讨论范围。例如,第六卷的题目便是《论道德科学的逻辑》。这里的科学主要是指心理学、社会学和被密尔称为“人种学”的科学,即对性格形成的研究。社会科学包括政治科学和经济学研究,密尔就这些话题所做的最详尽的研究则出现在1848年出版的另一本著作中,这就是《政治经济学原理》(*Principles of Political Economy*)一书。

对经验主义所做的近代化改造,让密尔迈出了前所未有的,因而也是重要的一步。数学的真理性使彻底的经验主义者们感到为难,因为它们似乎是我们的所有知识当中最确定的对象,仿佛它们是先于经验的东西,而不是经验的结果。密尔主张,算术与几何在由出自经验的假设所构成这一方面不亚于物理学,而这些假设非常漂亮地与经验相吻合,但它们亦可由后来的经验加以校正。

这一主张尽管似乎不能令后世的多数哲学家们感到信服,但它却是为实现密尔《逻辑体系》之主要目标所必不可少的东西,这个目标便是拒斥一种外在于心灵的真理可以由独立于经验之外的直觉来获取的观念,在密尔看来,后者“为错误的学说和糟糕的直觉提供了最大的思想支持”。密尔的确把这一课题视为所有哲学当中最重要的部分。“重视直觉和经验,与重视联想的两大哲学流派之间的差异,不只是出自抽象思辨方面的问题;它还充满着实践的后果,基于在一个进步的时代当中各种不同的实践观之间的一切最大差异”(A 162)。

在这场思想论战当中,密尔最具攻击性的战役是由其晚期的著作之一所发起的,这本书就是《威廉·汉密尔顿爵士哲学的考查》(*An Examination of Sir William Hamilton's Philosophy*)(1865)。威廉·汉密尔顿爵士是一位苏格兰哲学家和改革者,他曾于1838年到1856年间在爱丁堡任逻辑和形而上学教授。在讲座中,他试图为里德(Reid)的常识哲学创造一个新的改进版,正如同密尔试图为休谟的经验主义创造一个新改进版一样。当这些讲演发表之际,密尔从中看到了一个理想的靶子,他可以借此向所有形式的直觉主义发起猛烈的抨击。

《考查》为密尔赢得的名声要超出他所考查的文本本身，但今天的人们却很少研究它。密尔著作中为人们广泛阅读的，诚如他自己所说，不完全是他自己的著作。 10

哈利特·泰勒，密尔的启发者、合作者和晚年的伴侣。

1851 年,他与哈利特(Harriet)成婚,她是一位名叫约翰·泰勒(John Taylor)的伦敦商人的遗孀,密尔同这位才女保持了长达约 20 年亲密而纯洁的关系。这桩婚姻仅仅持续了 7 年,直到哈利特在阿维尼翁去世。根据密尔本人的说法,她应当被算作是《论自由》(*On liberty*)(1859 年发表)这本小册子和《妇女的屈从》(*The Subjection of Women*)(写于 1861 年,1869 年发表)的合作者。

11 《论自由》寻求为政治对个人自由的干预设定界限。其核心原则如下:

> 在干涉任一社会成员的行为自由时,无论这种干涉是以个人的还是集体的方式进行的,人类所要保障的唯一目标在于自我保护。违背任一文明社会成员的意志,对其合法实施权力的唯一目的在于不妨害他人。其本身的善,无论是身体的还是道德的,均不能构成一种充足的保障。

密尔说,个人对其自身,即对其身体和心灵享有主权。论文将这个原则应用到各个方面,其中最为突出的莫过于被作为支撑舆论自由和表达自由的依据。

《妇女的屈从》的发表是密尔长期以来为巩固女性的权力、改善妇女命运而奋斗的积累。在《政府论》(*Essays on Government*)中,詹姆士·密尔肯定妇女不需要参与选举,因为她们的利益同男人们相一致,但受边沁支持的青年约翰·斯图亚特则持有异议。在 1859 年发表的《关于议会改革的思考》(*Thoughts on Parliamentary Reform*)一书中,密尔提议,每位受过教育的操持家务者,无论男女均有资格参加选举,"为什么唱票的人要做区分,而税务员却从来就不呢?"(*CW* xix.328)。1866 年,密尔提交了一份要求赋予妇女选举权的请愿书,并且在就第二个改革方案进行辩论期间提出了一项修正案,强调严格限制男性入选议会的条件,此修正案赢得了 73 张赞成票。然而,《妇女的屈从》涉及的论题远比选举权更为广泛,它抨击了按照维多利亚时代的法律和道德解释的整个婚姻制度。鉴于这种不合理的结构,密尔认为婚姻义务只是家庭压迫的一种方式而已。

1865 年到 1868 年间,密尔担任了威斯敏斯特议会议员。除女权事务之外,爱尔兰事务和选举改革激发了他的兴趣。他对英国在爱尔兰实行的压制政策持批评态度,并就此发表了一个小册子,倡导彻底的土地所有制改革。他倡导在议会选举中按比例分配代表名额,以保护少数人免于多数人的暴政。他对这些事务的思考出现在 1861 年发表的《代议制政府》(*Considerations on Representative Government*)一书当中。

晚年的密尔与他的继女海伦·泰勒一起蛰居在阿维尔翁。他于 1873 年在那里去世,被葬在妻子的墓旁。他的《自传》(*Autobiography*)和《宗教三论》 12
(*Three Essays on Religion*)在他死后由其继女以匿名的方式发表。

尽管密尔的自由主义从来都不乏崇拜者,但他作为一位构造体系的哲学家的声誉在其死后却被人们迅速地遗忘了。现代形式逻辑学说的创立者们对其逻辑学著作不以为然。他的经验主义也受到了在 19 世纪最后几十年席卷整个英国的唯心主义大潮的吞噬。直到 19 世纪 30 年代,当经验主义再度复兴之时,密尔的著作才再一次得到广泛阅读。尽管如此,功利主义的传统却被亨利·西季威克(Henry Sidgwick,1838—1900)保留了下来而没有中断,在密尔去世一年之后,他发表了代表作《伦理学的方法》(*Methods of Ethics*)。

西季威克受雇于剑桥大学三一学院,1869 年出于良心不忍辞去了研究工作。1883 年,他成为剑桥大学的哲学教授。西季威克起初是密尔虔诚的崇拜者,并且心悦诚服地接纳了他的思想体系,后者把他从伴随自己成长的独断的道德法则中解脱出来。然而,他渐渐领会到密尔体系中两条伟大的法则之间存在着某种不一致处,即心理学的享乐主义(每个人都在追求属于自己的幸福)和伦理享乐主义(每个人都应当追求公众的幸福)之间的不一致之处。在

《伦理学方法》一书中，他给自己提出的主要任务便是要解决这个被他称为“实践理性的二元论”问题。

在为之思索的过程当中，西季威克放弃了心理学的享乐主义，代之以一种理性利己主义的伦理原则，即每个人都拥有一种追求自身幸福的义务。他坚信这个原则从直觉看是显而易见的。他断定伦理享乐主义也只能建立在基本的伦理直觉之上。由此，他的体系将功利主义与直觉主义两者结合起来，这被他看做是从常识的角度对道德的论证。不过，许多典型的常识直觉，在他看来，过于狭隘和具体；其中一个这样的直觉就是，将来的善如同现在的善一样重要，而另一个则是，从普适的角度看，任何单个人的善不比其他人的善更为重要。

接下来的困难是如何将功利主义的直觉与理性的利己主义融合起来。西季威克的结论是，在世俗经验的基础上，在化解个人幸福与公众幸福的冲突方面没有任何完善的方案（*ME*, p. xix）。他承认，对于多数人来说，个人利益与
13 其职责之间的联系是由上帝与个人灵魂不朽的信念达成的。当他自己不愿把上帝引入这一语境时，他得出了悲观的结论，“长久以来，人类的思想为创制一种完善的理性行为理想而付出的努力，注定要不可避免地归于失败”（*ME*，结尾）。于是，他转而在为 1882 年建立的心理研究学会的工作中，借寻求个体死后灵魂存活的经验性证据来安慰自己。

叔本华的意志哲学

在设置功利原则时，边沁把它与禁欲主义的原则加以比照，后者对行为的看重使它倾向于摧毁幸福。边沁的目标是基督教的道德，但没有任何一个基督徒彻底奉行过禁欲主义的原则。在所有哲学家当中，最接近于承认这一原

则的无神论者是阿图尔·叔本华(Arthur Schopenhauer),当边沁的《导论》发表之时,他才刚刚一岁。

叔本华是但泽(Danzig)一位商人的儿子,直到父亲1803年去世之前,他都是被当做未来的商人加以培养的。后来他恢复了学习生活,在经历了最初错误的医学选择之后,他于1810年开始在哥廷根大学学习哲学。他所喜爱的哲学家是柏拉图和康德,但对康德的学生费希特却不以为然,1811年,他曾在柏林听过后者的讲座。他尤其厌恶费希特的民族主义,不愿参加普鲁士反抗拿破仑的斗争,毋宁退而撰写《论充足理由律的四重根》(*On the Fourfold Root of the Principle of Sufficient Reason*)一书,并在1813年将其作为博士论文提交给了耶拿大学。

1814年到1818年之间,他撰写了其主要著作《作为意志和表象的世界》(*The World as Will and Idea*)。这本书分为四卷,第一和第四卷论述作为表象的世界,第二和第四卷论述作为意志的世界。叔本华的"表象"(idea)(*Vorstellung*,有时译为"表现")并非是一个概念,而是一种具体的经验——洛克和贝克莱称为"理念"(idea)的那种东西。按照叔本华的看法,世界仅仅作为理念而存在,它仅仅与意识相关:"世界是我的表象"。对于我们其中的任何人而言,我们的身体是我们感知世界的起点,其他的对象则是因为其相互的影响而 14
为人所知的。

叔本华把世界解释为表象的做法与康德的思想体系没有什么显著的不同。但本书第二卷对呈现为意志的世界的论述则富有高度的原创性。叔本华说,科学按照惰性(inertia)和引力之类的规则来解释世界。然而,科学并没有为这些力量的内在本质提供任何解释。实际上,如果人无非只是一个认识主体的话,那么我们从来就不会做出任何此类的解释。但是,我自己根植于这个世界,我的身体并不只是众多事物当中的一个,我还拥有为我所意识到的一种积极的力量。这种力量,也只有这种力量才能使我们穿透万物的本质。"这个谜语的答案被给予了认识主体,他显现为一个个体,这个答案就是意志。这个意志,也只有这个意志才是打开人存在之谜的钥匙,揭示给他以意义,向他展现生存、行为和运动的内在机制”(*WWI* 100)。我们每个人都知道自己既是一个对象,同时又是一个意志,这为我们理解自然界中的每一个现象开启了大门。一切对象的内在本质必然与在这里被我们称为意志的东西相同。但是,意志有着许多不同的级别,一直下行到重力和引力,其中只有较高的级别才伴有知识和自决的能力。意志正是康德曾经徒劳地加以找寻的真正的物自身(thing-in-itself)。

既然认定无生命的对象不能按照理性或动机行事,那么,叔本华何以不将它们的天然倾向如亚里士多德那样称为“愿望”(appetite),或者像牛顿那样称为“力”(force),而是称为“意志”呢?叔本华回答说,如果我们以意志来解释力量,那么我们就是在用为我们所熟知的事情来解释鲜为人知的事情。我们对世界内在本质的、仅仅是直接的知识,是由我们自己的意志通过我们的意识给予我们的。

然而,什么是意志自身呢?所有的欲望,叔本华告诉我们,都基于需要,因为有匮乏才会有痛苦。如果一个愿望得到了满足,那么接着就会产生另一个愿望;我们往往有着许许多多不能得到满足的愿望。如果我们的意识充满着我们的意志,我们将永远不能得到幸福与平和;我们最好的希望莫过于痛苦与厌倦的交替。

在这部杰作的第三和第四卷,叔本华提出了摆脱奴役走向意志的两条不同途径。第一条供我们逃脱的途径是经由艺术,经由对美之纯粹的、无功利的
15 冥思;另一条则是断念(renunciation)。只有通过断念,生存意志才能彻底摆脱意志的暴力统治。不能通过自杀来达到放弃生存意志的目的,而是要奉行禁欲主义。为了在道德上取得真正的进步,我们不仅必须要远离邪恶(乐于看到他人的痛苦)和阴坏(把他人当做实现目的的手段),而且要远离单纯的正义

(同等对待他人),甚至善良(意愿为他人牺牲自己),我们必须超越美德走向禁欲主义。我必须接受这个悲惨世界的恐怖,以至于我不再觉得只是像爱自己一样热爱邻人,或者当我的快乐妨碍了他人的幸福时就主动放弃自己的快乐这样做就足够了。为了达到理想的状态,我必须保持纯洁、清贫和节制,迎接死亡的到来就如同是从邪恶中解脱出来一样。

在基督徒、印度教徒和佛教圣人身上,叔本华看到了自我克制的多种模式。然而,他的禁欲主义并没有停留在任何宗教前提那里,他认为大多数圣人的生活中充满了迷信。在他看来,宗教信仰是为未受教育的人们所无法知道的、披着神秘外衣的真理。而他的体系明显接纳了印度哲学中幻境学说的影响,这个学说认为个别的主体和客体都只不过是表象,是幻境的面纱而已。

《作为意志和表象的世界》发表之后并没有立刻产生影响。1820 年,叔本华来到柏林,在那里的大学中占统治地位的哲学家是黑格尔,对于他,叔本华并没有表示什么敬意,而是讥笑这样"历经长久孕育而无任何思想出现的时期所具有的麻痹效应"。他故意告知大家他的讲座与黑格尔的在同一个时间,然而,他却未能把学生们从黑格尔的课堂上吸引开来。学生们对其讲座的抵制进一步加深了叔本华对黑格尔体系的厌恶,在他看来,黑格尔的思想大多没有意义,正如他所说,"是拙劣的和极端令人生厌的赝品"(*WWI* 26)。

叔本华的天分一直没有得到公众的认可,直到 1839 年他因《论意志自由》(*On the Freedom of Will*)一文获得挪威奖之前。这篇文章与另外一篇讨论伦理学基础的文章一起,以《伦理学的两个基本问题》(*The Two Fundamental Problems of Ethics*)为题出版于 1841 年。1844 年,他发表了《作为意志和表象的世界》的扩充本,1851 年又出版了文集《附录与补遗》(*Parerga and Paralipomena*)。这些著作的相继推出使其思想的睿智、文字的清晰赢得了广大公众的赞赏,人们怀着或是高兴的或是厌恶的心情品味起他的那些令人感到不敬的、政治上错误的观点。 16

1848 年,正当欧洲大陆上那场失败的革命发生的时候,叔本华刚刚度过了他的 60 岁生日。60 岁的叔本华受到了失望于通过政治手段来改变世界的那一代人的欢迎。他受到了其曾经在写作中予以抨击的德意志学术机构的礼遇。他能够享受这个被他贬斥为一个堕落幻象的世界给他带来的舒适。如果人们抱怨他的生活与他所标榜的禁欲理想并不相符的话,叔本华会说,“让一个道德主义者仅仅宣扬他自己所拥有的美德,这是一种怪异的苛求”。他死于 1860 年。

克尔凯郭尔的伦理学与宗教思想

当叔本华在法兰克福宣扬《作为意志和表象的世界》之时,一位居住在哥本哈根的丹麦哲学家发表了一系列论文,这一系列论文在一个非常不同的形而上学基础上提出了相似的禁欲主义。这就是索伦·克尔凯郭尔(Søren Kierkegaard),1830 年,他出生在一个命运悲惨的家庭当中。其母亲和她 6 个孩子中的 5 个均在他成年之前相继死去,他的父亲自信受到了亵渎神灵之语的诅咒,那还是多年前当他还是一位牧童时所说的话。1830 年,克尔凯郭尔被送入哥本哈根大学学习神学,同叔本华一样,在那里他熟悉并痛恨上了黑格尔的哲学。尽管他厌恶神学,但在 1838 年他却经历了一场宗教转化,期间伴随着“一种无法描述的快乐”的神秘经验。1840 年,他与里基娜·奥尔森(Regine Olsen)订婚,然而一年后他觉得自己和家庭经历不适合结婚,因此又取消了婚约。自此之后,他把自己看成一个以哲学为业的人。

1841 年,在完成了以苏格拉底的反讽为题的博士论文之后,克尔凯郭尔来到柏林,聆听了谢林的讲座。他厌恶与日俱增的德国唯心主义,不过与叔本华不同,他认为德国唯心主义的错误在于低估了具体的个人。尽管如此,和叔本华一样,他为读者描绘了一种以断念为终点的精神事业。然而,在他的这个版本当中,精神事业当中的每个上升阶段,远非是个体化程度的降低,而是肯定一个人唯一人格的阶段。 17

克尔凯郭尔的体系以化名的形式发表于1843—1846年间的一系列著作得以展开。1843年发表的《非此即彼》(*Either/or*)提出了审美的与伦理的两种不同的人生观。以作为人群中当然一员的个人为出发点,审美的人生是通向自我实现的一个阶段。审美的人追求快乐,然而他是以讲究趣味和优雅的方式来追求的。其品格的本质特征在于他避免介入任何事情,无论这种事情是个人的、社会的,还是官方的,这将使他的选择局限在抓取任何直接吸引他的东西方面。随着日月的推移,他会认识到,对一时之自由的要求实际上是对其力量的一种限制。鉴于此,他转向了伦理阶段,立于社会制度之中,接受了由此而来的义务。然而,无论他如何努力去满足道德法则的要求,他都会发现自身的力量无法与之等同。在上帝面前,他总是处于错误的境地。

无论审美的,还是伦理的人生,都必须在宗教领域的上升中得到超越。这个思想以多种方式在后来以化名发表的著作中传达出来:1843年的《恐惧与颤栗》(*Fear and Trembling*)、1844年的《焦虑的概念》(*The Concept of Anxiety*)和1845年的《人生道路诸阶段》(*Stages on the life's Way*)。随着鸿篇巨制《总结性的非科学性附笔》(*Concluding Scientific Postscript*)在1846年的发表,这个系列达到了高潮,它们所传达的信息是,信仰并不是黑格尔所宣称的客观推理的结果。

《恐惧与颤栗》一书生动地描绘了由伦理向宗教领域的过渡,它选择《圣经》中上帝命亚伯拉罕杀死他的儿子依萨克作为祭品的故事作为文本加以解释。一位道德英雄,如苏格拉底一样穷其一生来追求一种普遍的道德法则;但亚伯拉罕则冲破了道德法则来遵从上帝个人发出的命令。这就是被克尔凯郭尔称为"伦理的目的论悬置"(*the teleological suspension of the ethical*)的东西——亚伯拉罕的行为违背了伦理秩序,以追求外在于伦理的更高的目的(*te-*

los)。但是,假设一个人受到感召,去违背道德法则,没有人能够告诉他这是出于纯粹的诱惑还是出自于上帝的真实命令。他甚至无法知道,或者无法向自己证明:他不得不在盲目的信仰中做出抉择。

1848 年,在经历了第二次神秘体验之后,克尔凯郭尔采取了一种更为明晰的写作方法,他以自己的名字发表了一些对基督教的论述和作品,如《心灵的纯洁就是意愿做一件事情》(*Purity of Heart is to Will One Thing*,1847)和《爱的作品》(*Works of Love*,1847)。然而,在重新改用化名发表的《致命的疾病》
18 (*Sickness unto Death*)中,他指出信仰是绝望唯一的替代,是完满实现一个人的真实存在或自我的必要条件。

克尔凯郭尔晚年的大部分时间是在与当时的丹麦教会的冲突当中度过的,他认为后者只不过是名义的基督教而已。他对明斯特主教(J. P. Mynster)持激烈的批评态度,1854 年在其死后,克尔凯郭尔对他发起了猛烈的攻击。他出资创办了一份名为《时刻》(*The Moment*)的反教会报纸,总共出了 9 期,随后他便栽倒在街头,在经受了数周的病痛后,死于 1855 年 11 月。人们违背了他的意愿,不顾其侄儿的反对为他举办了宗教葬礼。

辩证唯物主义

叔本华和克尔凯郭尔两人都从对黑格尔体系的一种反叛中汲取了哲学动力。然而,对黑格尔的最猛烈和最有影响的拒斥则来自于卡尔·马克思(Karl Marx),后者把自己的哲学使命描述为"从头到脚把黑格尔颠倒过来"。在他的构想当中,黑格尔的辩证唯心主义将为辩证唯物主义所取代。

马克思的父亲是一位没有信仰的犹太人,在儿子刚刚降生不久的 1816 年,他改宗新教。青年马克思在特立尔度过了中学时光,在波恩大学学过一

19

克尔凯郭尔的遗像，维尔海姆·马尔斯特朗作。

年法律，过着不安分的生活。随后，他在柏林大学学习了五年，在那里，他终于冷静下来，开始写诗，并由法律转而学习哲学。当马克思来到柏林之时，黑格尔已经去世，不过他跟随黑格尔左翼小组，即为人们所知的青年黑格尔派学习黑格尔哲学，这个派别包括路德维希·费尔巴哈（Ludwig Feuerbach），由布鲁诺·鲍威尔（Bruno Bauer）领导。从黑格尔到鲍威尔，马克思学会了把历史看做是一个辩证的进程。每个历史阶段的进展都依据基本的逻辑和形而上学原则，取决于这一进程的前一个阶段，这个进程与几何学上的一种证明拥有严格的相似之处。

青年马克思非常看重黑格尔的异化概念，即人们把本来属于其自身内在因素的事情看做是外在于自身的因素这种状态。黑格尔本人所强调的异化形式是那些原本为一个唯一精神（Spirit）之多重显现的个体们彼此把对方看做是怀有敌意的竞争者，而非一个支撑其同一体的诸多因素。鲍威尔、费尔巴哈更是如此，把宗教看成是异化的最高形式，借助于它，人们作为存在的最高形式把自己的生活和意识投射到一个虚假的天国之中。“宗教就是人与自身的分离”，费尔巴哈写道；“他（人——译者）将上帝置于作为一个受压迫的存在
20 的自身之前”（*W* vi.41）。

对黑格尔和费尔巴哈来说，宗教是虚假意识的一种形式。对黑格尔来说，这有待从宗教神话向唯心主义形而上学的转换中得到救治。对费尔巴哈来说，黑格尔本身就是异化的一种形式。宗教应当被取消，而不是被转换和替代为对社会当中的人类日常生活所做的一种自然主义和实证主义的理解。马克思承认宗教是一种虚假意识，但他认为无论是黑格尔还是费尔巴哈都只是为异化提供了不充分的治疗。黑格尔的形而上学只是把人作为一个过程的旁观者，对这个过程，他实际上应当予以控制。另一方面，费尔巴哈没有看到上帝不止是人们唯一膜拜的外在本质。更重要的是货币，它代表着人类劳动的异化。就私有财产是国家的基础而言，马克思在对黑格尔的政治哲学批判中写道，国家也是人真实本质的一种异化。哲学反思并不能够消除异化：我们所需要的东西只能是社会的颠覆。“哲学家们只是用不同的方式解释世界，问题在于改变世界”（*TF* 11）。

在耶拿大学通过以德谟克里特和伊壁鸠鲁为题的论文获得博士学位之后，马克思在1842年与青年黑格尔派决裂了，之后他居住在科隆，开始了一名政治记者的生涯。他创办了一份激进的报纸《莱茵报》(*Rheinische Zeitung*)。1843年，他与儿时的伙伴、来自威斯特法伦的燕妮结婚，她是一位供职于普鲁士政府的男爵的女儿。尽管马克思性情易怒和独断，但是在燕妮1881年去世之前，他一直过着幸福美满的婚姻生活，这在伟大的哲学家们中间并不常见。就在他结婚之后不久，普鲁士政府就迫于俄国沙皇的压力下查封了《莱茵报》。

马克思自此移居巴黎，在那里继续从事记者工作，他阅读了英国的政治经
济学经典著作，结识了不少思想激进的朋友。其中最重要的莫过于弗里德里
希·恩格斯(Friedrich Engels)，他刚刚结束在父亲位于曼彻斯特的棉纺厂的工
作返回到那里，他撰写了一部研究英国工人阶级的著作。马克思和恩格斯自
从在摄政咖啡馆相识之后，就共同开始了“共产主义”的理论建设工作，“共产
主义”就是说消灭私有财产以求公有。两人合作的主要著作是《德意志意识形 21
态》(*The German Ideology*)，后者完成于布鲁塞尔，由于从事颠覆性的新闻工
作，马克思从巴黎被驱逐到了那里。

在这部著作当中，马克思和恩格斯提出了历史唯物主义的概念。存在决定意识，而不是意识决定存在。历史的基本现实是经济生产的过程，要理解它就必须理解从事生产的物质条件。多种生产方式形成了社会阶级以及社会阶级之间的斗争，最终形成了多种形式的政治生活、法律和伦理准则。手工磨坊产生了由封建主控制的社会，而蒸汽磨坊则形成了由工业资本家统治的社会。一种辩证过程引导着世界走过这些不同的阶段，走向一种无产阶级革命和共产主义社会。

马克思去世之后，《德意志意识形态》才得以出版，但其中的思想却在1847年发表的《哲学的贫困》(*The Poverty of Philosophy*)[一篇回应P. J.普鲁东《贫困的哲学》(*The Philosophy of Poverty*)的论文]中得到了简要的表述。对

历史唯物主义概念的著名表述是《共产党宣言》(*The Communist Manifesto*),它是马克思以恩格斯的草稿为基础于1848年2月完成的。《宣言》旨在成为刚刚建立的共产主义同盟的原则和思想典范。《宣言》传达的思想后来由恩格斯在随后版本的前言中做了如下总结:

> 人类的全部历史(从土地公有的原始氏族社会解体以来)都是阶级斗争的历史,即剥削阶级和被剥削阶级之间、统治阶级和被统治阶级之间斗争的历史。这个阶级斗争的历史包括一系列发展阶段,现在已经达到这样一个阶段,即被剥削被压迫的阶级(无产阶级),如果不同时使整个社会一劳永逸地摆脱一切剥削、压迫以及阶级差别和阶级斗争,就不能使自己从进行剥削和统治的那个阶级(资产阶级)的奴役下解放出来。(*CM* 48)

《宣言》最著名的语句出现在结尾部分:“让统治阶级在共产主义革命面前发抖吧。无产者在这个革命中失去的只是锁链,他们获得的将是整个世界。全世界无产者,联合起来!”

就在《宣言》发表的当年,许多城市都发生了武装暴动,特别是巴黎、柏林、
22 米兰和罗马。马克思和恩格斯迅速返回了德国,敦促革命者建立一套自由的国家教育体系,将交通和银行国有化,征收累进式的所得税。革命失败之后,马克思在科隆受到两次审判,一次面临污辱检察官的指控,另一次则面临策划暴动的指控。马克思虽然解脱了两次指控,但被驱逐出了普鲁士领土。他返回了巴黎,但不久又遭到了驱逐。他的余生在伦敦度过,常常陷于悲惨的贫困之中,他的6个孩子中的3个便因饥饿而死。

在伦敦,马克思不知疲倦地为发展辩证唯物主义而工作,他常常每天都要在大英博物馆的图书馆里伏案工作长达10小时之久。1857年至1858年间,他在一系列笔记当中总结了其此前数十年的经济思想:这些笔记直到1953年

才以德文题目"*Grundrisse*"(《原理》)为世人所知。1859 年发表的《政治经济学批判》(*Contribution to a Critique of Political Economy*)就是以此为底稿写成的。这本书的前言包含了对历史唯物主义理论的一个简要和权威的表述。

马克思一生都在努力使共产主义理论与共产主义实践相结合。1864 年,在他的帮助下,国际产业工人联合会得以成立,这就是人们所悉知的第一国际。这个组织在 9 年间召集了 6 次会议,但它饱受内部反对势力的困扰,后者是由无政府主义者米哈伊·巴库宁(Mikhail Bakunin)领导的。在 1870 年代,它因支持在巴黎爆发的野蛮和无果而终的起义而遭到外部的恶议。它最终在 1876 年解散。

马克思的写作生涯在庞大的《资本论》中臻于高峰,它试图详细地解释历史进程是如何由生产力和生产关系所支配的。这本书的第一卷于 1867 年在汉堡出版;第二卷和第三卷直至马克思在 1883 年去世时尚未出版,它后来是由恩格斯代为发表的。马克思被埋葬在伦敦海哥特公墓妻子的身旁。

马克思这部伟大著作的主题是,资本主义体系处于最终的危机状态当中。资本主义就其本质来说,包含着对工人阶级的剥削。因为,任何产品的真实价值取决于为之付出的劳动数量。但是,资本家占有了部分价值,付给劳动者以少于产品真实价值的报酬。随着技术的发展和劳动者生产力的不断提高,越来越多由劳动产生的财富流入了资本家的钱包。① 资本家的剥削注定要达到 23
无产阶级无法忍受和起而反抗的程度。资本主义体系将会为无产阶级专政所取代,后者将消灭私有财产,建立一种将生产方式完全置于政府控制之下的社会主义国家。不过,社会主义国家反过来也会日渐衰落,它将为共产主义社会所取代,到了那个时候,个人利益与集体利益将会完全趋于一致。

令人感到遗憾的是,马克思的预言,即在无产阶级革命之后将会出现普遍的社会主义和共产主义,被他身后的历史进程证明为错误的。但是,无论他自

---

①马克思的剩余价值理论将在第十一章中详加讨论。

己怎么看，他的理论从本质上来说是哲学性和政治性的，而非科学性的；以这个观点来判断，这些理论既可以取得成功亦可以落于失败。马克思的错误在于认为历史事件完全受制于经济因素。即便是在经历了马克思式的社会主义革命的国家里，由诸如列宁、斯大林和毛泽东这样的个人所掌握的权力也能够证明，所谓非人格力量塑造历史的理论是错误的。然而，另一方面，今天，没有一位历史学家，甚至没有一位哲学史家敢于否认经济因素对政治和文化的影响。

如果我们在一个半世纪之后再回过头来看，基于《共产党宣言》的建议，我们就会发现一种混合的现象，它由只有经过专政才能加以强化的轻率而有力的措施（比如，取消继承权和强迫性农业劳动）、发达国家而今觉得自然而然的制度（累进税和普及教育），以及各个时期和地方所采取的收效不一的实验（铁路和银行的国有化）构成。作为一位预言家，马克思不能令人信服；其有关意识形态只是现实状况的烟幕的主张也同样如此。但是，对意识无力决定存在这一论断最有力的反驳则是由马克思本人的哲学所提出的。① 因为，在他身后的世界历史，无论好与坏，均受到了其思想体系的巨大影响，如果后者不被看成是一种科学的理论，而是被看成是一种启发政治主动性的灵感和一个
24 政治制度的指导原则的话。

达尔文与自然选择

在去世前10年，马克思把《资本论》第一卷第二版寄给了查尔斯·达尔文（Charles Darwin），后者的《物种起源》（*On the Origin of Species*）一书早在14年前就已经发表了。他从达尔文那里获得了对“这部伟大著作”所表现出的天才

①前一段和此段仅代表作者的观点。——译者注

的一种礼貌性的认可，但是，像其他许多读者一样，达尔文看了这本书的前几页就再也无法继续读下去了。在马克思的悼词中，恩格斯把历史唯物主义概念描述为一种科学上的突破，说它堪与发现自然选择的进化论相比肩。尽管这种说法不乏夸张的成分，但马克思和达尔文终究是19世纪两位最富影响力的思想家，同时，这两位思想家无论在过去还是现在都受到过最严厉的批评。

达尔文于1809年生于舒兹伯利，从1818年至1825年，他寄宿在舒兹伯利学校。1825年，他在爱丁堡大学注册学医，但没有在那里完成学业；他转而进入剑桥的基督学院，并于1831年获得了学士文凭。随后，植物学教授把他推荐给了贝格尔号船长费茨罗伊（Fitzroy），后者任命他为随船的博物学家。在南半球长达5年的航行中，达尔文搜集了大量的地理学、植物学、动物学和人类学资料。起初，他对地理学要比对动物学更感兴趣，在火山岛的性质和珊瑚礁的形成方面多有发现。1839年，他发表了一卷有关其海洋研究工作的通俗记述，这就是广为人知的《贝格尔号航海记》（*The Voyage of Beagle*）。同年，他与艾玛·维季武德（Emma Wedgwood）结婚，被选为皇家学会会员。

1840年代和1850年代，在对其位于肯特郡的庄园的动植物群落进行研究的过程中，他形成了自然选择的理论，1844年，他把自己的想法写成小册子在熟人之间流传。他计划在1860年代撰成一部巨著，提出这个理论。不过，1858年，当另一位生物学家阿尔弗雷德·鲁塞尔·华莱士（Alfred Russell Wallace）将与其相似的"适者生存"理论提交给学会之时，达尔文决心建立自身理论的独立性和优先性，于是匆忙间把自己的思想"摘要"付印出来，这就是《物种起源》一书。1860年，在英国科学研究促进协会的一次会议上，托马斯·亨利·赫胥黎（Thomas Henry Huxley）在与牛津大主教萨缪尔·维尔贝弗思（Samuel Wilberforce）展开的一场著名的辩论中成功地捍卫了达尔文的学说。 25

晚年的达尔文发表了大量补充性的论文，内容涉及同一物种内部和不同物种之间的繁衍，以及结构和行为的多样性。后期著作最闻名于世的是发表于1871年的《人类的由来及性关系中的选择》(*The Descent of Man and Selection in Relation to Sex*)一书。这本书除了提出作为自然选择理论一个重要补充的性选择理论之外,还为人类与类人猿、黑猩猩和大猩猩拥有一个共同祖先的主张进行了辩护。他死于1882年,被安葬在威斯敏斯特修道院里。

达尔文并不是第一个提出进化论的人。他承认,早在古代世界,西西里的哲学家恩培多克勒(Empedocles)就已经"模模糊糊地提出了自然选择的原理"。① 但恩培多克勒遭到了亚里士多德的攻击,后者认为动物的种类是由上帝在伊甸园里创造给亚当的。伟大的瑞典博物学家林奈(Linnaeus, 1707—1778),其植物分类工作为达尔文理论的建立提供了平台,林奈主张每个物种均是被单独创造出来的,而且物种之间的相似性和差异揭示了造物主的设计。

林奈和其他分类学家把植物和动物王国划分为属和种,并分别以拉丁文命名它们。例如,所有的狮子都是同一个种的成员,即狮(*felis leo*)。狮这个种是猫属(*felis*)的一个成员,后者包括虎(*felis tigris*)和豹子(*felis pardus*)这样的成员。在给定的物种之内,个体特征或许有很大的变化,但一个物种的规定性标志是其成员能够通过交配生出同一种的后代。另一方面,不同种之间的结合通常不能生育。

一些博物学家不去探寻造物主不可察觉的目的,转而提出,同一属内不同种间的相似性或许能够从一个遥远的共同祖先的繁衍中得到解释。这个想法已经被达尔文的祖父伊拉谟斯·达尔文(Erasmus Darwin, 1731—1802)提出,法国动物学家拉马克(J. B. Lamarck)也是如此,他在1815年时就主张同一物种的任何一代均可获得一种优势特征,后者将延续至子孙后代那里。长颈鹿为了能够伸
26 展躯体触及高处的树叶,颈部于是变长,并生出了具有长颈的后代。

通过复活古代的自然选择思想,达尔文能够给出三种解释同种间的相似

①参看本书第一卷,21页(即边码——译者注,下同)。

与差异的方法来。其理论的基石有三：首先，有机体能够随着其对所生活环境的适应程度产生巨大的变化。其次，所有种均能够以一种将使其成员一代比一代数量更加繁多的速率繁衍：即使一对繁殖缓慢的大象在500年之内，亦可以繁衍15000000个子孙。第三，种不以上述速率增加和繁衍的原因是，在每一代中仅有为数很少的子孙能够存活下来繁殖后代。每一个种的成员均为求得生存而与气候和其他个体以及与其竞争的不同种之间展开斗争，从而使它们自身能够获取食物而避免成为他者的食物。上述推动选择的第三种因素正是进化的机制。

> 归因于生存的斗争，任何变化，无论它是多少微小、无论是出于何种原因，假如它在任何程度上能够使任何物种的一个个体在其与其他有机物和外部自然的关系当中取得优势，那么这种变化将倾向于保存这一个体，并普遍地为其后代所继承。其后代也因此拥有一个更好的生存机遇，因为，在定期繁衍的任一物种的许多个体中间，仅有少数可以生存下来。(*OS* 52)

达尔文区分了三种不同类型的选择。人工选择长期以来由育种工人所实践，他们选择培植那些最符合其目标的样本，无论它们是马铃薯还是赛马。自然选择与人工选择不同，它不具有目的性。优势变化只是通过在同一物种的个体上所施加的生存和再生产的自然压力才得以保存和扩展。在自然选择的内部，达尔文做了进一步的区分：即狭义上的自然选择，它决定一个个体存在得是否足够长久以进行繁衍活动，而性别选择则决定这样一个存活的个体选择哪个个体与其交配。与拉马克不同，达尔文不认为基于适应而产生的变化是在父母存活期间获得的：它们所传递的变化正是它们自身所继承的变化。尽管我们有可能建立某种变化的规律，但一个特定优势变化的根源则很可能出于一种机遇。 27

在单一物种的内部特征之中，自然选择很容易解释和察觉。假定有一定数量的飞蛾，其中一些凑巧是黑色的，另一些凑巧是灰色的，它们生活在白桦树上被鸟捕食。当树木保持着银灰色时，隐藏较好的灰色蛾子就拥有了较好的生存机遇，它们将占据蛾子中的大多数。假如树木因为烟熏而变黑，生存的机遇就会向黑色的蛾子倾斜。当它们存活的数量超过了平均数，那么从外部看来，蛾子的种就改变了颜色，从典型的灰色变成了典型的黑色。

达尔文认为经历了一个长时期之后，自然选择就会进行得更为深远，从而创造出全新的动植物种类。这的确是一个行进如此缓慢的过程，以至于我们正常的感觉无法予以察觉；但近期的地理发现使人们相信了这样的看法，即地球已经存在得足够长久，使得物种能够以这种方式产生和消亡。这样一来，进化不仅可以解释现存物种之间的相似和差异，而且也可以解释现存的物种与早年已经消亡的物种之间的差异，从世界各地的化石中人们发现了这种差异。达尔文主张，即使是最为复杂的机体和本能也可解释为无数微小变化的积累，其中每一变化都会有益于个体的生存。

> 眼睛能够用其所有无以模仿的装置针对不同的距离来调节焦点、允许不同数量的亮光进入、校正视域和对色彩的偏差，假定这一切可由自然选择形成，坦诚地讲，这看起来是最荒诞的事情。但是理性告诉我，假如从一只完美和复杂的眼睛到一个非常不完美的和简单的眼睛之间拥有无数的级差，每一个级差均有益于其所有者，其存在均可被证明；再进一步假定这只眼睛的变化非常微小，而这些变化是遗传而来的，后者是确切的事实；假定有机体的任何改变有益于一种生活在不断发生变化的状况之下的动物，那么，认为一只完美和复杂的眼睛是由自然选择所塑造的困难，也几乎不被人们信以为真，尽管这超乎我们的想象。（*OS* 152）

是在宗教的语境当中。

纽曼提出的一般性哲学问题是:在没有充分证据或论证的情况下,同意一个命题是否往往是错误的?洛克认定,没有任何命题能够比为建立在其上的证据所证实的命题更为可靠。作为对洛克的回应,纽曼指出下列事实,即我们内心中最牢不可破的信念往往超出了我们能够为之提供的微薄证据之上。我们都相信大不列颠是一个岛屿;然而究竟有多少人周游过它,或者说有多少人见过周游过它的人呢?假如我们曾经拒绝在没有充分证据的前提下认可过某种命题,那么这个世界将不再运行,科学本身也不能取得进步。

因此,宗教信仰不能被简单地诅咒为非理性的东西,仅仅因为它建立在无非
是猜测的基础之上。事实上,纽曼认为,基督教真理的强有力证据应在犹太教历 30
史当中去寻找。不过,他承认只有那些准备接纳它的人们才看重这一证据,他们
相信上帝的存在和启示的可能性。如果有人问为什么首先要相信上帝的话,
纽曼的回答则会求助于对神圣力量的内在体验,它存在于良心的声音当中。

鲜有不信神者能够服膺于纽曼由良心出发的论证或他对历史见证的援引。然而,嵌入其护教之论当中的普遍认识论解释,则为那些远远不能分享其宗教信仰的哲学家们所崇敬。应该说,它是在休谟和维特根斯坦之间对信仰和确定性论题最好的处理方式。①

尼采

当纽曼为宗教信仰的合理化辩护之时,一个年轻人被任命为巴塞尔大学教授,其上帝之死的宣告在20世纪产生了反响。弗里德里希·尼采于1844年诞生在萨赫森州一个虔诚的路德宗家庭当中。他先后在波恩和莱比锡大学

①参看后面的第六章。

学习;其学术训练不是在哲学方面,而是在古典语文学方面,在后一方面表现出的卓越天分使他在年仅 24 岁时,也就是在其尚未完成博士学业之前就获得了教授的席位。除了曾经于 1870 年间爆发的普法战争中在救护营中服过短役之外,从 1869 年至 1879 年,他一直在巴塞尔大学任教。

尼采曾深受发生在其就任教职前夕的两个事件的影响。其一是阅读叔本华的《作为意志和表象的世界》一书,另一件事情便是与理查 · 瓦格纳(Richard Wagner)的结识,当 16 岁的尼采听到他的歌剧《特里斯坦和伊索尔德》(*Tristan und Isolde*)时,就为之倾倒。尼采的第一部著作,也就是发表于 1872 年的《悲剧的诞生》(*The Birth of Tragedy*)一书就表现出上述两人对他的影响。在这本书中,他描绘了古代希腊人心灵当中两个方面的比照:体现在狄俄尼索斯身上的野蛮和非理性的激情,它通过音乐和悲剧得到抒发,以及阿波罗所代
31 表的严整的而和谐的美,它通过史诗和造型艺术得到表达。希腊文化的胜利达到了两种因素的完全综合,它因苏格拉底的理性主义侵入而被打断。击溃了古代希腊人的颓废如今感染了当代的德国,德国只有顺应瓦格纳的领导才能得到拯救,这本书正是敬献给这位音乐家的。

在 1873 年到 1876 年之间 ,尼采发表了四篇论文,《不合时宜的沉思》(*Untimely Meditation*)[另一英文版本被译成 *Song out of Season* (《不合时节的歌》)]。其中有两篇文章是否定性的,一篇是对大卫 · 施特劳斯(David Strauss)的批评,他是著名的耶稣传作者,另一篇则是对科学史所发狂言的攻击。余下的两篇是肯定性的:一篇在称颂叔本华,另一篇是对瓦格纳的赞歌。然而,尼采在 1878 年就与瓦格纳决裂了[他的《帕西法尔》(*Parsifal*)令尼采感到厌恶],同时对叔本华也失去了热情(其悲观主义如今让他感到窒息)。在《人性的,太人性的》(*Human, All too Human*!)一书中,他对功利主义的道德表现出了非凡的同情,并一度认为科学的价值高于艺术。但其持久的根本信念,即艺术是生活的最高任务则表现在这部作品的形式之中,它采用的是诗歌体

和格言体,而非论证性和推理式的文体。

1879 年,由于受到精神疾病的困扰,尼采早早从巴塞尔的教职上退休,从而结束了他的学术生涯。在接下来的 10 年间,为了谋求身体健康,他先后居住在意大利和瑞士的许多地方,在恩加丁地区的西里斯—马里亚度过了许多个夏季。他发表了一系列作品,希望以对生命的一种乐观主义的肯定来代替叔本华的悲观主义。在诸如《朝霞》(*Daybreak*,1881)、《快乐的知识》(*The Gay Science*,1882)(或译为 *Joyful Wisdom*),他拒斥了基督教敌视生命的自我克制、利他主义伦理学、民主政治和科学实证论。他把"树立一种新的自由精神形式和理念"视为己任。

作为其精神自由的实践性表达,尼采在 1882 年联合了由德国唯物主义者保罗·里(Paul Rée)和俄国女性主义者路易丝·冯·莎乐美(Louise von Salomé)组成了同居一处的"三位一体"。不过,这个恋爱的三角并没有持续多久,从 1883 年到 1885 年,尼采投身于撰写其最有名的著作当中,这就是预言之作《查拉图斯特拉如是说》(*Thus Spake Zarathustra*)。与莎乐美的不幸结局或许是他写出这本书中最有名的格言的原因,"你要到女人那里去吗? 不要忘记带上鞭子!"但这本书包含了三个更为重要的思想,它们在尼采生命的晚期有着非凡的意义。其一是现今的人类将会为超人的种族所超越:"崇高、强壮、气宇轩昂、快乐的人种,身心健康。"第二个思想是价值的重估:传统价值,尤其是对基督教道德优先性的全面翻转。第三个思想是永劫复归:在无限的时间当中存在着时间上的循环,曾经发生过的事情将会重新来临。

在从哲学上来说更为重要的尼采著作,即《超越善恶》(*Beyond Good and Evil*,1886)和《道德系谱学》(*The Genealogy of Morals*,1887)中,上述思想的表达方式讨论性多于预言性。这些文本在看重高贵、勇敢和真诚等等贵族的主人道德,与看重诸如谦恭、同情和仁慈这样的屈从特征的奴隶道德或畜群道德

32

莎乐美、里和尼采组成的三位一体，摄于 1882 年。

之间建立了一个比照。尼采把这些著作看成是通往其哲学系统论述的导言，33
为此他不懈地工作着，但从未能完成它们。尼采笔记选有数个版本在其死后得以行世，但唯有这部著作的第一部分是在其生前出版的，这就是名为《敌基督》(*Antichrist*)(发表于1895年)的书。

1888年是尼采疯狂写作的年代之一。除了《敌基督》之外，尼采还发表了一部猛烈攻击瓦格纳的书[《瓦格纳事件》(*The Case of Wagner*)]，撰写了《偶像的黄昏》(*The Twilight of the Idols*)(发表于1889年)。他还撰写了一本半自传体的作品，《瞧啊，这个人!》(*Ecco Homo*)，其中可以看到作者心理错乱的先兆(可能源于梅毒)，这导致他在1889年被送入了精神病院。他随后即陷入精神失常当中，先是由其母亲，后来在移居魏玛后由妹妹伊丽莎白照顾，后者在那里建立了尼采档案馆。尼采死于1900年，其妹妹掌握了他的遗著，并对尼采的出版物实施了某种程度的保护性控制。

在20世纪里，尼采在欧洲大陆，尤其是对俄罗斯文学和德国文学产生了巨大的影响。他对屈从道德和民主社会主义的反对使他在纳粹那里受到欢迎，他们自认为发展出了一种超人的种族。部分地基于这个原因，他长期为英语世界的哲学家们所忽视；然而，在这个世纪的后半叶，居于分析传统的伦理学家们开始认识到，他对传统道德的攻击需要予以回应而不是忽视。①

---

①尼采的道德著作将在第九章中详细讨论。

第二章

从皮尔士到斯特劳森

皮尔士与实用主义

本书各卷至此论及的思想家均来自欧洲、北非和中 34
东。现如今已成为许多最具影响力的哲学家们的故乡的美洲大陆，直到19世纪后期以前几乎是哲学的荒漠。18世纪的美洲，在哲学诸领域作出突出贡献的是加尔文教派的神学家乔纳森·爱德华(Jonathan Edwards，1703—1758）和致力于启蒙思想的、博学的本杰明·富兰克林(Benjamin Franklin，1706—1790)。19世纪初期，散文家拉尔夫·瓦尔多·爱默生(Ralph Waldo Emerson，1803—1882)提出了唯心主义的一种形式，名为“超验主义”(Transcendentalism)，它迅速在美国流行起来。然而，直到查尔斯·桑德尔斯·皮尔士(Charles Sanders Peirce)的著作出现之后，美国哲学才真正走向了成熟。

皮尔士是哈佛大学一位了不起的数学教授的儿子，

1863 年他在同一所大学取得了化学专业的最高荣誉(*summa cum laude*)学位。他在美国海岸警备队服役 30 多年,也在哈佛实验室做过研究工作。他发表的唯一著作是《测光学研究》(*Photometric Researches*),这是一部天文学著作。1872 年,他联合威廉·詹姆士、乔西莱·莱特(Chauncey Wright)、奥利弗·温德尔·霍姆斯(Oliver Wendell Holmes)和其他人成立了一个名为“形而上学俱乐部”的讨论小组。他曾在哈佛大学做过多次有关科学史和科学逻辑的讲演,从 1879 年到 1884 年,他担任了新建立的研究型大学,即设在巴尔的摩的约翰·霍普金大学的逻辑学讲师。然而,他却是一位难于相处的同事,对学术常规缺乏耐心,并与一位先锋的女权主义者梅鲁西娜·法依(Melusina Fay)在 1883 年破裂。他没有能够得到终生教席,而且自此之后再也没有获得过学术
35 职位和全职工作。晚年的他和忠实的妻子朱丽特(Juliette)在宾夕法尼亚过着贫困的生活。

皮尔士是一位具有高度创造性的思想家。与 19 世纪其他哲学家们一样,皮尔士把康德哲学当做起点,对于《纯粹理性批判》,他自称烂熟于心。然而,他却认为康德对逻辑的理解停留在业余水平上。当他致力于修补这一缺陷时,他发现有必要重塑康德体系的基本组成部分,如范畴理论。与同时代人不同,他熟悉和倾慕中世纪的经院哲学,尤其是邓斯·司各脱(Duns Scotus) 的著作。经院哲学家们(正如在哥特式建筑中一样)最让他为之称颂的是在前者的著作中全然没有自欺的成分。他自视很高,在逻辑学方面,只有亚里士多德和莱布尼茨(Leibniz)堪与之比肩。其著作论及的范围非常广泛,不止于狭义的逻辑学,而且还涵盖了贯穿语言、认识论和心灵哲学的理论。他是美国最具影响力的哲学流派之一即实用主义的奠基者。

皮尔士的哲学在其生前只是通过一系列发表在杂志上的学术论文为人们所知。1868 年,他在《思辨哲学月刊》(*Journal of Speculative Philosophy*)上发表了两篇题为《有关人之某些能力的问题》(*Questions Concerning of Certain Facul-*

ties Claimed for Man)的论文:这两篇论文构成了皮尔士认识论的一个早期版本。其结论主要是负面的:我们没有能力自省,没有能力不借助符号来进行思考。总之,我们没有直觉能力:每一认识都逻辑地取决于前一认识。

36

皮尔士和他的第二任妻子朱丽特。

其最具影响的论文是1877年到1878年之间发表在《大众科学月刊》(*Popular Science Monthly*)上的一系列题为《科学逻辑说明》(*Illustrations of the Logic of Science*)的论文。在这些论文中,他提出了易谬论(fallibilism)原则,即任何可以被称为人类知识的东西,最终均会被证明是错误的。他坚持认为,这并不意味着不存在诸如客观真理之类的东西。绝对真理是科学探索的目标,但我们尽最大限度所获得的东西,仅仅是需要不断加以改进的趋近值。发表于1878年的一篇论文第一次包含了对后来被称为"实用主义原则"的描述。这从大体上来说就是,为了求得就某一对象所进行的思考的清晰性,我们只需要考虑这一对象所包含的实用的、可以设想的效果(*EWP* 300)。

1884年,皮尔士主编了一套"约翰·霍普金斯逻辑研究"丛书。他撰写了一篇论关系逻辑的文章,而他的量化逻辑体系则是由其一个学生提出的。这套体系包含了一个表述关系句法的新记号:例如,复合符号"Lij"表示伊萨克爱杰西卡,而符号"Gijk"则可表示伊萨克将杰西卡让予了科尔。它同样包含
37 两个量词符号,"Σ"对应于"某些"(Some),而"Π"与"一切"对应。皮尔士称为"逻辑的普通代数"的句法,与并不为他所知的戈特勒布·弗雷格(Gottlob Frege)数年前在德国提出的逻辑体系相对等。

在1891年到1892年出版的《一元论者》(*The Monist*)上的一篇题为《对谜团的猜测》(*A Guess at Riddle*)的论文中,皮尔士在全面进化宇宙观的背景上提出了他的形而上学和心灵哲学。其实用主义[如今他更倾向于使用"实效主义"(Pragmaticism)这个术语,以撇清他的某些实用主义信徒们附加其上的东西]的确定性陈述,出现在1903年的哈佛讲演和1905年发表在《一元论者》上的一系列对此加以深入探讨的论文当中。

晚年的皮尔士更加勤奋地致力于创建一套有关符号的理论——他称为"符号学"(Semiotic)——作为思维与语言哲学的框架。他的许多被视为对哲学作出了最重要贡献的思想是在1903年到1912年间与一位英格兰妇女维多

利亚・维尔比(Victoria Welby)的通信中形成的。

皮尔士从来也没有能够完成其多年来所致力的哲学的全面综合工作,他死后留下了大量的草稿,其中许多部分是随着19世纪人们对其著作的兴趣激增而在其死后才得以出版的。他对其他哲学家们产生的影响与其禀赋不成比例。皮尔士的逻辑著作从来没有以一种严格的形式被提出,而正是弗雷格通过罗素的解释把他们两人独立思索出来的逻辑体系展示给了世人。皮尔士精致的实用主义版本,并没有像他的倾慕者威廉・詹姆士的更为通俗的版本那样抓住了世人们的想象。因此,现在就让我们转入弗雷格和詹姆士的著作。

弗雷格的逻辑主义

戈特勒布・弗雷格(Gottlob Frege, 1848—1925)生前默默无闻,但死后却在哲学史占有了独特的地位。他是现代数理逻辑的创立者,一位杰出的数学
哲学家。他被许多人视为长期在英语国家大学中占据着支配地位的哲学流 38
派,即分析哲学一派的奠基者,这个哲学流派集中在对语言的意义展开分析。正是他的影响——通过英国哲学家伯特兰・罗素和欧洲大陆的埃德蒙・胡塞尔(Edmund Husserl)——赋予了20世纪哲学以语言学转向的特征。

弗雷格出生在一个路德教派的中学教师家庭,他们生活在德国波罗的海沿岸的魏斯玛。父亲在他10岁时便去世了,他靠着母亲的支持读过了中学和大学,她当时是由丈夫创立的女子学校的校长。1869年,他进入耶拿大学,过了四学期之后,他转入了哥廷根大学,1873年,他以一篇几何学论文在那里取得了博士学位。1874年,他作为私人讲师(*Privatdozent*),即不付薪酬的讲师返回耶拿,在数学系从教长达44年,1879年被聘为教授。除了学术活动之外,他的一生是平静和隐逸的。很少有同事费力去读他的著作和论文,而他也难以

为其最重要的著作觅得一个出版商。

弗雷格的创作事业开始于1879年发表的一部名为“*Begriffschrift*”,即《概念文字》的小册子。作为书名的概念文字是一套崭新的符号体系,以揭示被日常语言遮蔽的逻辑关系。弗雷格用它来构建一套在现代逻辑的核心占据着突出地位的体系:命题演算(propositional calculus)。这是逻辑学的一个分支,它处理依靠应用于整个句子的否定、合取(conjunction)、析取(disjunction)等力量来做出的推论。其基本原则是,处理含有诸如“和”、“如果”和“或者”此类连词的句子的真值(一个句子或是真的或是假的),而后者仅仅取决于由连词联结的分句的真值。按照逻辑学家的技术术语来说,复合句,如“雪是白的和草是绿的”,被视为组成该句的简单命题“雪是白的”和“草是绿的”二者的真值函项(*truth-functions*)加以处理。

在古代世界,命题逻辑曾经在斯多亚派、中世纪的奥卡姆(Ockham)与其他人那里得到研究;①然而弗雷格第一次对之进行了系统的表述。概念文字
39 以一种轴心的方式提出了命题演算,一切命题逻辑的规则均通过一种特定的推理方法,由一定数量的初始命题而来。弗雷格基于这一目的所发明的真实符号体系难以付之印刷,因而在演算的展示中被长期取代,但是它所表述出来的操作方法却依然是数理逻辑的基本内容。

弗雷格对逻辑的最大贡献则在于谓词演算(predicate calculus),而不是命题演算。前者是逻辑学的一个分支,它所处理的是命题的内在结构,而非被视为原子单位的命题。弗雷格发明了一套量化的记号,即一种用来标记和精确展示推理的方法而这些推理的有效性依赖于诸如“一切”、“某些”、“不”或“都不”此类的表达式。借助这套记号,他提出的谓词演算极大地推进了亚里士多德的三段论,后者历来被认为是逻辑学的起点和终结(be-all and end-all)。弗

①参看本书第一卷,141页;第二卷,148—150页。

雷格的演算第一次使形式逻辑与含有量词的句子联结起来，如“没有人知道任何事情”和“每个男孩都喜欢某些女孩”。

尽管《概念文字》是逻辑史上一篇经典文本，然而弗雷格撰写此文时所关注的并非是逻辑而是数学。他想提出一套算术形式体系和一套逻辑形式体系，而更重要的是，他想表明两套体系密切相连。他宣称，一切算术真理均可以被证明来自于逻辑真理，而不需要任何额外的支持。至于如何证明上述论点(以“逻辑主义”之名为人所知)，《概念文字》一书做了简述，随后的两部著作则有了充分的说明，它们分别是 1884 年出版的《算术基础》(*Grundlagen der Arithmetik*)和 1893 年、1903 年出版的《算术原理》(*Die Grundgesetze der Arithmetik*)。

弗雷格逻辑主义程序最重要的步骤是以纯粹逻辑观念，如类别观念，来定义算术观念，如数字观念。弗雷格通过将基数词看做等价类别的类别方式达到了上述步骤，即将基数词看成是拥有相同数目成员的类别。因此，数字“二”
是“成双”的类别，数字“三”是“成三”的类别。这样一种证明看似循环，实则 40
不然，因为类别之间的等价观念可以不援引数的观念而被定义。两个类别如果能够彼此映射没有余数，那么它们彼此是等价的。因此，用弗雷格的例子来说，一位侍者或许知道每张餐桌上拥有同样多的餐刀和盘子，而不需要知道每张桌上餐刀和盘子数量是多少。他所要做的一切在于观察到每个盘子右侧摆放着一把餐刀，而每把餐刀的左边摆放着一个盘子而已。

这样一来，我们可以将四定义为一切与四位福音书传递者的类别相等价的类别。然而这样一种定义并不能满足逻辑学家的目的，因为有四位福音书传递者这个事实并不属于逻辑的一部分。于是，弗雷格不得不为每一个数字不但找到一个大小合适的类别，而且其大小还要由逻辑来保证。他从“零”作为数字序列的第一个成员开始。这个数字可以用纯粹的逻辑术语来定义，即一切与那些不等同于自身的对象之类别相等价的类别：一个明显没有成员的类别（'零类'）。我们可以继续把数字“一”定义为一切与其唯一成员为“零”的类别相等价的类别。为了从这些定义推导出其他自然数的定义，弗雷格需要定义如为“二”的后面是“三”，“三”的后面是“四”所需要的一个“后继”（Succeeding）观念。他把“n 紧接 m”定义为：“有一个概念 F，与之相应的对象是 x，数字 Fs 是 n，而与 x 不同的数字 Fs 就是 m”。借助于这个定义，其他的数字可以在只援引逻辑观念的情况下得到定义，如“同一”、“类别”和“类别等价”。

《概念文字》是一部非常严格和形式化的著作。而《算术基础》则将逻辑论方案论述得不但更加完善，而且也更加非形式化。书中少见符号，弗雷格尽力将自己的著作与其他哲学家的著作联系起来。根据康德的学说，我们有关数学和几何的知识都依赖于直觉：在《纯粹理性批判》中，他坚持认为数学真理是先天综合，这就是说，尽管它们确实能够增进知识，但是已先于经验为人们所知。① 我们已经知道，约翰·斯图亚特·密尔主张数学命题是经验的普遍
41 化，它们是被广为应用和广为认可的，然而却是得自后天的东西。

弗雷格与康德共同反对密尔，主张数学是先天知识，和康德一样认为几何学建立在直觉之上。但是他将算术看做是逻辑学分支的观点则意味着算术并不是康德所宣称的综合性的，而是分析性的知识。假如弗雷格正确的话，那么数学仅仅是以在每一个知识领域中发挥操纵作用的普遍规律为基础，它不需要经验事实的支持。算术除了逻辑之外，没有任何独立的内容。

在《算术基础》中，弗雷格认为两个观点是重要的。其一是每个单独的数字都是自足的对象。另一个则是一个命题赋予某一数字的内容是关于某个概念的一种断定。从表面上看，这两个命题似乎是相互矛盾的，然而一旦我们理解了弗雷格的“概念”和“对象”含义，我们就会看到它们并不矛盾。

①参看第三卷，103页。

说某个数字是一个对象，弗雷格并不是指刷子和盒子之类可以触摸到的东西。相反，他拒绝两件事情。第一，拒绝认同某个数字是任意物体的一种属性：在三只盲鼠中，“三”并不像“盲”一样是任何一只老鼠的属性。第二，拒绝认为数字是主观的东西，是任何心理事项的一个意象、意念或任意的属性。

对弗雷格来说，概念是不依赖心灵的，所以说数字是客观的和说数字命题是关于概念的命题两者之间并不矛盾。弗雷格的第二个主张意思是说像“地球只有一个月亮”这个命题，将数字“一”分配给了“地球的月亮”这个概念。同样，“金星上没有月亮”把数字“零”分配给了“金星上的月亮”。在后一例中，很明显不存在任何的月亮是以某个数字作为其属性的。但所有的数字命题都会得到同等的对待。

然而，假如此类数字命题是有关概念的命题，那么哪种对象才是某个数字自身呢？弗雷格的回答是，一个数字是一个概念的延伸。他说，属于概念 F 的数字是“被计入概念 F 之中”的概念的延伸。这就等于说是一切像我们前面所说的拥有相同数目成员的 Fs 类别的类别。因此，弗雷格关于数字即对象的理论依赖于将类别视为对象的可能性。

在《算术基础》出版之后，弗雷格发表了一定数量论述语言哲学的开创性文
章。有三篇在1891年至1892年之间问世，它们分别是《函项与概念》(*Function* 42
and Concept)、《意义与指称》(*Sense and Reference*)、和《概念与对象》(*Concept*
and Object)。其中每一篇都以令人惊奇的简洁和清晰的方式提出了重要的原
创性哲学思想。弗雷格本人毫无疑问地把这些论文看做是对其有关数学本质
的思考的支持，而今它们被看成是为现代符号学奠基的经典之作。①

在1884年至1893年之间，弗雷格致力于日后将成为其思想事业顶点的著述，即《算术原理》(*Grundgesetze der Arithmetik*)，它以完美的和形式化的方

①弗雷格对语言哲学的贡献将在第五章详细讨论。

式论述了从逻辑角度出发的逻辑论建构。本书的任务在于理出一套其公理即将获得认可的逻辑真理，提出一套不容怀疑的可靠的推理规则，然后从上述公理出发，通过上述规则一个又一个地推导算术的标准真理。推导的过程将占四卷的篇幅，但只有两卷得以完成，第一卷处理的是自然数字，第二卷处理的是负数、分数、非理数和复数。

弗雷格的宏伟方案在其未完成之前即已宣告流产。就在 1893 年第一卷出版到 1903 年第二卷出版之间，弗雷格接到了一位英国哲学家伯特兰·罗素的来信，后者指出最初一套公理中的第五个公理使整个体系出现了不一致。实际上，这个公理是说，假设每个 *F* 都是一个 *G*，而每个 *G* 都是一个 *F*，那么 *F*s 类别就与 *G*s 相同，相反亦如是。用弗雷格的话说，假如数字即逻辑对象的说法成立，那么公理就容许概念向其延伸过渡、容许概念向基本的类别过渡。

罗素提出的问题是，体系借助公理毫无限制地容许形成类别的类别、类别之类别的类别等。类别自身必须可以被分类。那么，类别是否可以成为自身的一个成员？许多类别可以（男人们这个类别就不是一个男人），而一些类别则明显不能（如，类别之类别确实是一个类别）。于是，我们似乎拥有两种类别：那些是自身成员的类别与那些不是其自身成员的类别。然而，一切非自身成员之类别的类别会导致悖论：假如它是自身的一个成员，那么它就不是自身的成员，而假如它不是自身的一个成员，那么它就是自身的一个成员。一个导
43 致如此悖论的体系在逻辑上是不正确的。

当罗素的信到来之时，《原则》的第二卷已经付印。完全被打垮了的弗雷格在后记中描述了这个悖论，并试图通过弱化有瑕疵的公理来修补这一体系。但经过修改的体系反过来又引起了新的不一致。从耶拿大学退休之后，弗雷格似乎不再相信算术可由逻辑推导出来，转而返回到了康德的立场，认为像几何学一样，算术也是先天综合的知识。

我们如今已经知道逻辑论方案永远也不可能成为现实。从逻辑公理通向

算术定理的路径在两点上被堵塞了。第一，如罗素所示，构成弗雷格逻辑基础之一部分的朴素的集合理论自身是不一致的。第二，当后人[1913 年，库尔特·哥德尔(Kurt Gödel)] 证明不可能给算术提供一种完善和一致的公理化方案之时，“算术公理”的观念本身也成了问题。

然而，弗雷格的哲学遗产是非凡的。他经常把数学家比之于勾画新大陆的地理学家。他的事业好比是探索者克里斯托弗·哥伦布的事业一样。正如哥伦布没有发现通向印度的道路却让欧洲人获得了整个新大陆一样，弗雷格虽然没有从逻辑中推导出算术，但他在逻辑学上的创新和哲学上的领先却改变了两个专业的整体图景。像哥伦布一样，弗雷格因失望和忧郁而崩溃；他或许永远也不知道他就是一场声势浩大的哲学运动的奠基人。但他没有放弃对自己的著作所寄予的希望，相信它们会有它们的价值。1925 年，就在临终之际，他把自己的论文交给了他的儿子，并对他说：“不要鄙视我所写的这些文章。假如说它们不全都是黄金，那么也会有黄金在里面。”

威廉·詹姆士的心理学与实用主义

威廉·詹姆士(William James ，1842—1910)尽管比弗雷格年长 6 岁，但很晚才开始其哲学事业。他出生于纽约，是一位斯维登堡派神学家的儿子和著名小说家亨利·詹姆士的哥哥。他的教育一半是在美国，一半是在欧洲完成的，在欧洲，他先后上过法国和德国的学校。在究竟以绘画还是以医学为业
上经历了短暂的犹豫之后，他于 1864 年进入哈佛大学医学院学习。在获得学 44
位后，他的健康曾一度不佳，患上了抑郁症，病愈[他将之归功于对法国哲学家查尔斯·雷诺维叶(Charles Renouvier)著作的阅读]之后，他在 1873 年被任命为哈佛大学解剖学和生理学讲师。其兴趣也由之转向了经验心理学，1876 年，

他建立了全美第一所心理实验室。他的学生中就有小说家葛尔图德·施泰因(Gertrude Stein)。出版于 1890 年的两卷本《心理学原理》(*Principles of Psychology*) 便是对儿童教育结果的一个生动的考察。在詹姆士看来,心理学的任务就是把头脑状况与意识流多变的现象关联起来。

这本书成了一部标准的教材,然而就在它出版的时候,詹姆士已经离开了心理学,成了一名哲学教授,自从 1872 年与皮尔士以及其他人一起参加了形而上学俱乐部之后,这个专业便令他着迷。与父亲一样,詹姆士深深地关注于宗教问题,急切地把科学世界观与对上帝、自由和不朽的信仰融合起来。其作为一位哲学作家的职业生涯,开始于 1897 年问世的《信仰意志》(*The Will to Believe*)一书,书中对我们在缺乏可信的理论证据的情况下不得不做出决断的情形展开了讨论。他论道,在上述情形当中,应当给予相信真理的职责以与规避错误的职责同等的重视。他由此迅速赢得了国际声誉,并于 1901—1902 年在爱丁堡发表讲演,这就是后来出版的《宗教经验种种》(*Varieties of Religious Experience*)一书。在这本书里,詹姆士考察了“处在孤独状态中的个人在发现自己与任何被认为是神圣的东西保持关联时的种种情感、行为与经验。”他将神秘主义与其他形式的宗教情感置于经验性的考察之下,希望建立其真诚性和有效性。

1907 年《实用主义》(*Pragmatism*) 的出版,将詹姆士推上了美国哲学领袖的位置。无论是书的题目还是主题都是詹姆士从皮尔士那里承袭而来的,在实用原则的构建方面,他对皮尔士的借鉴尤为明显。

> 为了使我们对对象的思维获得完美的清晰性,我们只需要考虑对象可能
> 45 包含的可供思考的实用性效果——我们将在它那里所期待的感性和我们
> 必须准备的反应。因此,我们关于这些效果的概念,无论是直接的还是遥
> 远的,对我们来说,正是我们关于对象的全部概念,仅就这一概念所具有
> 的积极意义而言。(*P* 47)

然而,皮尔士的实用主义是一种意义论,詹姆士的则是一种真理论,皮尔士的实用主义是非人格化的和客观性的,而詹姆士的则是个人主义的和主观性的。由于这个原因,皮尔士不承认詹姆士的理论,并把自己的学说重新命名为“实效主义”(pragmaticism)。

按照詹姆士的实用主义,只要相信一个想法有益于我们的生活,那它便是真的:“真是以令人信服的方式证实自身是任何善的事物的名称”(*P* 42)。他及其信徒们有时会把它总结为一个口号,“真实的东西就是起作用的东西”。批评者反驳说,相信虚假的东西或许能让人们生活得比相信真实的东西更好,这意味着真实并不能够被等同于长时间的满足。无论是信神者还是不信神者都为詹姆士的命题感到震惊:“如果上帝的假设在这个词最宽泛的意义上起着令人满足的作用,那么它便是真的”(*P* 143)

詹姆士坚持认为他的理论并不排斥任何客观的现实。现实与真实各不相同。事物拥有现实,而思想和信仰才是真实的。“现实并非是真实的,但它们存在;信仰则是它们的真实”(*T* 196)。我们并非是通过辨别信仰的后果是否为善,才了解到它是真还是假;但正是后果赋予了上述差异以“仅仅供人们认识的实践意义,后者存在于我们称为真或者假的习惯所包含的信仰之中”(*T* 273)。

人们往往说能够使信仰成为真实的东西就是它与现实的对应。詹姆士愿意接受这个观点,但他要追问对应观念的具体所指究竟是什么。当我们说一个思想观念“指向”现实,或“与之相适应”,或“相对应”,或“相一致”时,其实我们想说的是证实或确认的过程,它引导我们从思想走到了现实。这样一种中介性的事件,詹姆士说,就是使思想成为真实的东西。

在一系列论文[收入《真理的意义》(*The Meaning of Truth*,1909)一书]中,詹姆士为他的实用主义进行了辩护、修正和细化。然而,依旧存在疑虑的地方在于,在他的体系当中,一种现实的真正存在是否构成一种信仰的必要条件,

而这种信仰能够使人满足(在此,他承认对应是构成真理的一个因素),或者一
46 种关于对象的信仰是否可以在对象实际上并不存在的情况下能够给人带来满足(在此,他面临着倾向一厢情愿地空想而不愿做实际调查的指责)。

在《真理的意义》发表的同一年,詹姆士出版了《多元的宇宙》(*A Pluralistic Universe*)一书,实用主义被用来作为对一种宗教世界观的支持。他谈到了我们对"拯救的体验由此入怀的一个宽广的自我"和对一个"意识的母亲海洋"的清醒认识。但是,他认为世界上的苦难阻碍着我们对一种无限的和绝对的神性的信仰:超人的意识不是在力量上,就是在知识上或是在两个方面都受到了限制。即使上帝也无法决定和预见未来;世界究竟变得更好还是更坏,这取决于人类在与上帝的合作中做出的选择。

晚年的詹姆士睿智、健谈,是一位伟大的沟通者,受到了美国国内外人士们的崇敬。另一方面,皮尔士则遭到了孤立和遗弃,在1907年的时候,他被詹姆士的一个学生在坎布里奇一所出租房里发现,当时他已濒临饿死。詹姆士筹措基金以供皮尔士日常之用,直到后者在1914年死于癌症。詹姆士自己则在1910年死于心脏病;在坎布里奇的病床上,他请求弟弟亨利接近他的坟墓6个星期,以便接收他发自墓穴上方的任何信息,然而却没有任何信息被记录下来。

詹姆士死时并没有完成他的形而上学体系,但是他的实用主义方案在其死后由其他人继承了下来。约翰·杜威(John Dewey,1859—1952)在他先后于安阿伯、芝加哥和位于纽约的哥伦比亚大学度过的漫长学术生涯中,把它最突出地应用到了美国教育方面,他也撰写过许多涉及社会和政治话题的具有影响的著作。其一贯的目标在于,探索在物理学和技术上应用如此成功的研究方法究竟在多大程度上能够延伸到人类行为的其他方面。

在英格兰,F. C. S. 席勒(F. C. S. Schiller, 1864—1937)阐发了被他称为"人文主义"的实用主义的另一版本。席勒是牛津大学贝里奥尔学院的毕业

生,在纽约州北部的康奈尔大学经历了一段短暂的教学生活之后,在那里他结
识了詹姆士,他返回到了牛津大学基督圣体学院担任教职。在 19 世纪晚期的
他在牛津是一个孤独之人,因为那时英国绝大多数大学的哲学系是由黑格尔 47
派的英国唯心主义所占据的。

英国唯心主义及其批评者

在约翰·斯图亚特·密尔去世之后,英国兴起了一场反对以他为杰出代表的英国经验主义传统的运动。1874 年,也就是密尔去世之后的第一年,一位名叫 T. H. 格林(T. H. Green,1836—1882)的贝里奥尔学院导师,推出了大卫·休谟《人性论》(*Treatise of Human Nature*)的一个版本,在序言中,经验主义的预设遭到了毁灭性的批评。同年,黑格尔著作系列英译本中的第一本问世,黑格尔的学说是由格林学院院长本杰明·周伊特(Benjamin Jowett,1817—1893)在 1840 年代首先引入英国的。两年之后,莫顿学院的 F. H. 布拉德利(F. H. Bradley)发表了《伦理研究》(*Ethical Studies*)一书,它成了为英国唯心主义奠基的经典之作。1893 年,布拉德利完成了《表象与现实》(*Appearance and Reality*),这是英国唯心主义最完美和最辉煌的著作。稍后在剑桥大学,黑格尔《逻辑学》(*Logic*)中的方法和某些学说在三一学院哲学家 J. M. E. 麦克塔戈特(J. M. E. McTaggart)的一系列论文中得到了表述。

格林的唯心主义,正如詹姆士的实用主义一样,部分地受到了宗教关怀的推动。“只存在一个精神的和为自我所意识到的存在,一切真实的东西都是它的运动和表现”,他在 1882 年去世一年后出版的《伦理学导论》(*Prolegomena to Ethics*)一书中写道,“我们都与这个精神存在有着关联,不仅是作为其所表达的世界的一部分,在某种自我意识尺度上,我们还是这个世界的参与者,通

过上述自我意识，这个精神存在即刻构成了自身并与世界上的其他存在分离开来。”他主张，这种参与是道德与宗教的源泉。然而，布拉德利和麦克塔戈特却从唯心主义中剔除了任何与此不相干的基督教内容，作者甚至走到了否认除了一个由有限的自我组成的共同体之外存在任何绝对者(absolute)的地步。

英国唯心主义家们的共同根基在于，现实的性质在本质上是精神性的；他们拒绝将心灵和物质划为两个相等且各自独立的王国的二元论思想。但是，布拉德利的“一元论”则有着另外一种本质的面貌：即主张现实有待于被看做
48 是整体。真理不属于个别的、原子论的命题，它只属于将存在作为一个整体而做出的判断。在《表象与现实》中，布拉德利努力向我们证明，假如我们试图把全域看成是一个由独立的物质组成的复合体，区别于它们彼此之间的关系，那么我们就会陷入矛盾之中。全域中的每个单项都与其他的单项相互关联，而这种关联是内在的、本质性的关联。日常生活的对象、它们寄居的空间和时间，以及实际经验生活的各个内容、个体化的自我，所有这些均是表象，它们虽然有助于满足我们的实用目的，但非常容易误导我们对现实本质的认识。

唯心主义的统治在世纪之交受到了来自剑桥的两位哲学家 G. E. 摩尔(G. E. Moore，1873—1958) 和伯特兰·罗素(1872—1970)的致命挑战。他们两位均是麦克塔戈特的学生，而且都是以黑格尔为哲学起点的。但罗素对黑格尔比麦克塔戈特少有崇敬，而且黑格尔对数学的漠视让他感到厌恶。摩尔在《判断的性质》(*The Nature of Jugement*)一文中，拒绝了现实是心灵的创造这个基本观点，代之以柏拉图的实在论：概念是客观的、独立的现实，而世界就是由这样的概念相互结合构成的真实命题组成的。在攻击了形而上学的唯心主义之后，又经过了四年，摩尔又对经验论的唯心主义发起了攻击。在《反驳唯心主义》(*The Refutation of Idealism*)一文中，摩尔拒斥了存在即被感知(*esse is percipi*)的主张；存在与被感知是完全不同的东西，我们认识的对象独立于我们对于它们的知识。此外，物质对象是我们能够直接加以感知的东西。

49

剑桥大学三一学院大厅，G. E. 摩尔、伯特兰·罗素和路德维希·维特根斯坦的精神家园。

摩尔对唯心主义的反对给罗素造成了巨大的影响。罗素后来回忆道,“在认定了感觉世界是不真实的之后,能够重新相信确实会有桌子和凳子这样的东西存在是巨大的振奋”(*A* 135)。与洛克及其追随者不同,他从小草的确是绿色的这一想法中获得了巨大的解放意义。像摩尔一样,他把对唯心主义的拒斥与柏拉图主义信仰结合在一起:每一个词汇,无论就其特殊的还是一般意义而言,均代表一个客观的实体。与布拉德利相反,他特别赋予关系的独立现实性以非常重要的意义。1899 年,在对莱布尼茨的一项杰出的研究中,他甚至指出单子形而上学的复杂和不可思议的结构缘于一个思想错误,即认为一切命题必须具有主谓形式,而没有认识到关系命题不可化约为这一模型。

罗素论数学、逻辑和语言

50 关系是罗素此时的特殊兴趣所在,因为其思想的焦点集中在数学的本质问题,其中,诸如“*n* 是 *m* 的后续数”之类的关系命题起着重要的作用。在独立于弗雷格的研究和事先并不了解其著作的情况下,罗素在从事一项由纯粹逻辑来推导数学逻辑论方案的工作。实际上,他的努力比弗雷格的工作更有抱负,他希望证明,不仅是算术,就连几何和分析也都是由普遍的逻辑公理推导而来的。在 1900 年和 1903 年之间,部分地出于意大利数学家吉斯普·皮亚诺(Giuseppe Peano)的影响,罗素把他的想法集中收入一本内容充实的著作中,这就是《数学原理》(*The Principles of Mathematics*)一书。在撰写这本书的过程中,他遇到了一个后来以其名字来命名的悖论,这产生自所有不属于自身的成员之类别的类别。正如我们上文所看到的,他把自己的发现告诉了弗雷格,后者则是皮亚诺指引给他的。罗素在《数学原理》的附录中把弗雷格的著作介绍给了英国的学术界。鉴于这一悖论,两位伟大的逻辑学家看到如果他们的方案想要获得成功,就需要大幅度地加以修正。

罗素采取了一种类型论的形式来尝试规避这一悖论。根据上述理论,把类别当做是可以任意加以分类的对象是错误的。个体与类别属于不同的逻辑类型,对其中一个类型因素可做断言的东西,并不能有意义地断言另一个类型。“狗类不是狗”既非真也非假,只是没有意义。同样,可以就类别进行有意义的谈论的东西,并不能用来谈论类别之类别,以及经由逻辑类型的等级以此类推。要想规避这一悖论,我们必须在不同的等级水平上观察类型之间的差别。

然而现在另一个困难出现了。我们曾经记得,弗雷格实际上把“二”定义为一切成双的类别,并以同样的方式来定义自然数。成双只是一个拥有两个成员的类别,于是数字“二”按照这样的解释就是一个类别的类别。假如对类别之类别的形式加以限制,那么我们如何来定义一系列自然数呢?罗素保留了把“零”定义为其成员仅为零类别的做法,但是他如今将数字“一”视为所有等价于其成员是下述两种情况之和的类别之类别加以处理,即(a)零类别的成员,加上(b)任何不属于此类别成员的对象。 51

数字“二”则依照顺序被视为所有与其成员是下述两种情况之和的类别之类别加以处理,即(a)用来定义数字“一”的类别的成员,加上(b)任何不属于此类别成员的对象。通过上述方法,数字一个个得到了定义,而每个数字就是由个体组成的类别之类别。

然而,只要全域中的对象数目自身是无限的,那么自然数序列就可以这样被无限地继续下去。因为假如只有 n 个个体,那么就不会存在有 $n+1$ 个成员的类别,也就不会存在基数 $n+1$。罗素接受了这个结果,而且又给自己的公理附加了一个无限性公理,即全域中的对象数目不是有限的这样一个假设。无论这个假设是真是假,它肯定不是一个纯粹逻辑的真理,那么需要预先设定它,显然使仅从逻辑来推导算术的逻辑论方案化归乌有。

罗素后期的数学哲学通过两部杰出的著作呈现给世人。第一次较为技术化的呈现是他与先前的导师 A. N. 怀特海(A. N. Whitehead)合著、在 1910 年到 1913 年之间出版的三卷本《数学原理》(*Principia Mathematica*)一书。第二次则是较为通俗的著作《数理哲学导论》(*Introduction to Mathematical Philosophy*),这是他在 1917 年因其反战行为被判入狱时撰写的。

此时,罗素在数学哲学之外、日后成为英国哲学家们主要关注的领域里赢得了声誉。他的早期著作与摩尔的著作一起,常常被认为是开启了英国哲学的一个新时代,即一个“分析哲学”的时代。尽管分析思想风格的动力,正如罗素本人乐于承认的那样,可以被追溯到弗雷格的著作,然而是摩尔在 19 世纪首先使“分析”这个术语作为一种特殊的哲学方式流行起来。

“分析”首先是一个反唯心主义的口号:在接受理解一个整体的必要性之前,人们可以先理解其构成部分,摩尔和罗素主张通往理解的正确道路在于通过把整体分割为部分来分析它们。那么,什么是将要被分割成部分的东西,是事物还是符号? 起初,摩尔和罗素认为他们在分析概念,而非语言,因为概念是独立于心灵的客观事实。“心灵在哪里能够区分因素”,罗素在 1903 年写
52 道,“哪里就必定会有不同的因素等待分析”(*PM* 466)。分析将揭开概念的复杂性,展示其构成成分。这些成分或许是可供将来分析的内容,或者可能是简单的和不可分析的东西。在《伦理学原理》(1903)一书中,摩尔声称,善便是这样一个简单的、不可分析的属性。

在撰写《数学原理》的时候,罗素认为,为了挽救概念和判断的客观性,有必要接受那些独立于其语言表述的命题的存在。不仅是概念、关系和数字拥有存在,而且他认为就连妖魔鬼怪和荷马的神灵也拥有存在。假如它们不存在,那么就不可能对之做出命题。“因此,存在是每个事物的普遍特征,提及某事就表明它是存在的”(*PM* 449)。

罗素在 1905 年撰写的开创性论文《论指称》(*On Denoting*),为分析哲学

带来了一种语言学的转向。在这篇论文中,罗素表明了如何理解包含“圆方”和“在位的法兰西国王”之类表达式的命题,而无须认为这些表达式所指称的是世界上哪怕是再虚假的实体。这篇论文长期以来被看做是分析论的范型,但是它当然没有包含任何有关对圆方和子虚乌有的国王的分析。相反,他表明了如何重写这样的命题,保留他们的意思,而去除明显地把存在的特征归为非存在的做法。罗素的方法显然是语言学的方法:它基于区分指称某物和世界的符号(如专有名词)与其他被他称为“不完善的符号”,例如“在位的法兰西国王”这样的限定性摹状词(definite description)。这些符号本身没有意义,并不指称什么,然而它位居其中的命题则拥有一个意义,这就是说,它们表达了一个或真或假的命题。①

这样,在《论指称》中予以应用的逻辑分析,是以一种逻辑清晰的词语形式来代替某种程度上容易误导人们的形式的一种技巧。然而,在罗素的心目中,逻辑分析不仅仅是一种用来给命题分类的语言学工具。他最终相信,逻辑一旦被塑造成一种清晰的形式,那么它将会揭示整个世界的结构。 53

命题包含了个体变项和命题函项:与之相应,罗素认为世界包含着特称命题和全称命题。在逻辑上,复合命题被当做简单命题的真值函项建立起来。同样,罗素最终认为世界上存在着与简单命题相对应的独立的原子事实。原子事实要么为拥有某个特征的一个特称命题所占有,要么存在于两个或多个特称命题的一种联系之中。罗素的这一理论由此获得了“逻辑原子论”之称。

追随上述理论的阐发而来的是罗素写于第一次世界大战前夕的著作:《哲学问题》(*The Problems of Philosophy*,1912),这是一部流传久远的通俗哲学导论,更为专业化的一本书是在1918年问世的《我们对外部世界的知识》(*Our Knowledge of External World*)。罗素思想最为生动的表述则出现在1918年所做

①罗素的限定性摹状词理论,我们将在第五章详细介绍。

的一系列讲演当中，它们以《逻辑原子论哲学》(*The Philosophy of Logical Atomism*)为题很晚才刊载于《逻辑与知识》(*Logic and Knowledge*)一书当中。罗素最终确信，我们能理解的每一命题必定完全都是由我们已经习知的东西组成的。“习知”(Acquaintance)是他对直接呈现的称呼：比如说我们习知，它所凭借的是我们的感性资料，后者等同于休谟的“印象”(impression)和笛卡尔的“思”。然而，直接习知亦可通过一种位于经过革新的逻辑语言的谓词背后的全称命题成为可能；罗素早年的柏拉图主义在如此大的程度上被保留了下来。但是，习知不能由在空间和时间上相去甚远的对象而成为可能：我们不能习知维多利亚女王，甚至是我们过去的感觉材料。不能通过习知被认识的事物是通过描述而为人们所知的，因此，这就是摹状词理论在逻辑原子论中的重要性。

至此，罗素不仅把摹状词理论应用于圆方和虚构的对象上，而且还应用在许多从常识上来看是完全真实的事物，例如袭利斯·凯撒、凳子和卷心菜之类。他主张，这些东西是自感觉材料而来的逻辑建构。在“凯撒越过卢比孔河”这个命题当中，假如它在今天的英格兰被说出来，那么我们有关它的命题中没有任何一个个别成分是为我们所习知的。为了说明我们是如何理解这个命题的，罗素分析了作为限定性摹状词的“凯撒”和“卢比孔河”，假如把二者
54 全部拼写出来，它们并不包括任何指称命题中得到明显命名的对象的术语。

因此，普通专有名词是伪装起来的摹状词。一个得到充分分析的命题将仅仅包括逻辑意义上的专有名词(指我们由此获知的特称命题的词汇)和全称项(指特征和关系的词汇)。罗素针对什么可以算作是逻辑意义上的专有名词所做的说明不时有所变化。在最严格的理论版本中，似乎只有纯粹的指示词才可以算作名称，以至于一个原子命题将会是像“(这个)红色”或“(这个)在(那个)的旁边”之类的东西。

逻辑原子论哲学还远非罗素在哲学上的最后言说。1921 年，罗素撰写了

《心的分析》(*The Analysis of Mind*)一书,为威廉·詹姆士提出的一种中立一元论进行辩护,这个理论认为心灵和物质是由一种中立的物质组成的,对于一切实用目的而言,它无外乎是内在和外在的感觉材料而已。在 1930 年代和 1940 年代,罗素撰写了许多讨论社会与政治问题的著作,并因其非正统的道德观点而闻名,亦因其接连不断的婚姻失败而名声扫地。1940 年,他获得了纽约城市学院短期教授的任命,却被国家高等法院宣布为不适于从教。1945 年,他发表了一部尽管常常有失精准,却是以辉煌的风格写就的《西方哲学史》(*History of Western Philosophy*),这本书使他赢得了诺贝尔文学奖。

罗素的最后一部哲学著作是于 1948 年问世的《人类知识的范围与界限》(*Human Knowledge: Its Scope and Limits*),在这本书中,他尝试为科学方法提供一种经验论的合理性。令他感到失望的是,这本书很少有人关注。实际上,尽管他在晚年广为人知,特别是在继承了伯爵头衔之后,作为活跃在社会和政治领域,尤其是作为在核裁军事务上的一位言论耆宿,他在专业哲学家们中的声誉却从来没能赶上他的著作在 1920 以前所达到的水平。至于逻辑原子论自身呢,正如罗素本人承认,在很大程度上要归功于他的一位学生路德维希·维特根斯坦的思想,接下来,我们将转向他的故事。

维特根斯坦的《逻辑—哲学论》

维特根斯坦 1889 年生于奥地利一个犹太家庭。这是一个富足的大家庭。
父亲是一位显赫的钢铁百万富翁,信仰天主教的妻子为他生下了 9 个孩子,他
们均受洗成为天主教徒。这个家庭还拥有高雅的艺术氛围;约翰纳斯·勃拉 55
姆斯(Johannes Brahms)是家里的常客,路德维希的弟弟保罗是一位能上演奏
会的钢琴家,并赢得过国际声誉,尽管他在 1914—1918 年的战争中失去了一

条胳膊。路德维希在家中接受教育直到他 14 岁为止,之后在林茨的实用中学(*Realschule*)就读过三年。阿道夫·希特勒是他的同龄校友。

在中学时期,部分地出于叔本华的影响,维特根斯坦放弃了宗教信仰。他先是在柏林学习工程,后来转到曼彻斯特,在那里,他曾为飞机设计过一种喷气反应发动机。他阅读了罗素的《数学原理》一书,通过它熟悉了弗雷格的著作,1911 年,他在耶拿拜访了后者。在弗雷格的建议下,他在剑桥大学三一学院度过了 5 个春秋,在罗素门下从事研究,前者迅速发现并培育了这个天才。

1913 年,维特根斯坦离开了剑桥,作为一名士兵来到挪威,住在自己搭建的小屋里。在这个时期,他所写下的笔记和书信展露了贯穿其一生的哲学观萌芽。他写道,哲学不是一门推理学科;它不能被放置在与自然科学相同的基础之上。"哲学无法为现实提供图像,它既不能肯定也不能反驳科学研究"(*NB* 93)。

1914 年,当战争爆发之后,维特根斯坦作为一名志愿者加入了奥地利炮兵,并以突出的勇气奋战在东部和意大利前线。1918 年 11 月,他在南部的蒂罗尔州遭意大利士兵俘虏,被送到位于蒙特卡西诺附近的战俘营中。在服军役期间,他把自己的哲学思想写进了日记里,在入狱期间,又把它们写成唯一一部在他生前出版的哲学著作,《逻辑—哲学论》(*Tractatus Logico-Philosophicus*)。他从战俘营把这本书寄给了罗素,后来他能够就此与罗素在荷兰进行讨论。这本书以德文出版于 1921 年,不久之后,在英格兰就出现了由 C. K. 奥格登(C. K. Ogden)翻译、罗素撰写导论的英文版。

《逻辑—哲学论》篇幅短小、行文潇洒、富于神秘色彩。它由一系列加以编号的、常常是短小的段落组成。第一段是"世界是一切真实的东西。"最后一段是"对于不可言说的东西,我们必须保持沉默"。这本书的核心主题是意义的图像理论。我们被告知,语言是由描绘世界的命题组成的。命题是能够理解的思想表达,思想是事实的逻辑图像,世界是事实的整体。

“火车在 11 点 15 分离开伦敦”或“血浓于水”，这样一个英文句子似乎不是一个图像。但是，维特根斯坦认为，命题和思想是字面意义上的图像；假如它们看起来不像图像，那是因为语言给思想涂上了浓妆。但是即便是在日常语言当中，他也坚持认为，亦存在着能够理解的图像因素。以“我的叉子在我的刀子左边”这个命题为例。这种对某物的谈论完全不同于另外一种准确包含有相同词汇的命题，即“我的刀子在我的叉子左边”。使得第一个命题确实拥有意义的是这一事实，即在本命题中词语“我的叉子”出现在词语“我的刀子”的左边，这不同于第二个命题所言。于是，在这里，词语间的空间关系描绘了事物之间的空间关系（*TLP* 4.102）。

鲜有如此简单的情形出现。假如命题是被言说出来而不是被书写出来，那么声音之间就会是一种时间关系，而不是写在纸上、代表着桌上物件间相互关系的空间关系。但是，这反过来是因为言谈次序与空间安排有着某种共同的抽象结构。按照《逻辑—哲学论》的说法，任何图像必然与它所描绘的东西拥有共同之处。这些被共享的最小值，维特根斯坦称之为它们的逻辑形式。大多数命题不像我们所举的非典型的例子那样，与它们所描绘的情形不具有共同的空间形式；但任何命题都必须与它所描绘的东西拥有共同的逻辑形式。

维特根斯坦认为，如果要揭示隐藏在日常语言包装背后的思想的图像结构，我们不得不沿着罗素指示的线路进行逻辑分析。在这一分析当中，他主张，我们最终会来到那些指称根本就不复杂的对象的符号那里。一个经过充分分析的命题，将由原子命题的结合构成，其中每一个原子命题均包含简单的对象以及与其他对象以一种正确或错误的描绘方式联系起来的名称及其代表的对象之间的关系。这样一种分析或许会超出人的能力，但在人的内心当中，命题所代表的思想已经具有一种被充分分析的命题的复杂性。

我们通过极为复杂的规则的无意识运作，以平实的德文或英文把这一思
想表达了出来。语言与世界的关系是由深居内心之中的这些思想的终极因素 57

与组成世界本质的原子事实间的关联所制造的。至于这些关联是如何被制造出来的,我们没有被告知:这是一个神秘的过程,似乎我们每一个人都必须自行管理它,以创造出一套私人语言来。

在阐述了命题的图像理论和伴随它而来的世界结构之后,维特根斯坦说明了各种类型的命题如何才能被分析到原子图像的结合这一步骤。科学是由那些其真值取决于建造它们的原子命题之真值的命题组成的。逻辑是由语义重复组成的,也就是说是由复杂的命题组成的,无论构成它们的命题的真值如何,这些命题总是真实的。不是所有的命题都可以被分析到原子命题:属于后一种情况的是伦理和神学命题,包括《逻辑—哲学论》自身的命题在内。

《逻辑—哲学论》与其他的形而上学论著一样,试图描述世界的逻辑形式;但这是不能做到的事情。一幅图像必须独立于它所描绘的东西;它必须容许自身是一个错误的图像,如同容许自身是一个正确的图像一样。形而上学家们想要说的,往往无法说出来,而只能把它表示出来。《逻辑—哲学论》中的段落就好比是一副梯子,如果我们想要直观地观察这个世界,我们就必须攀登它,然后踢掉它。哲学不是一种理论,而是一种活动,即一项澄清非哲学命题的活动。一旦澄清,命题将会映照出世界的逻辑形式,因此就会表明哲学家想要说而不能说的东西。

无论是科学还是哲学,都不能给我们指明人生的意义。但这并不是说这个问题没有得到解决。

> 疑问只有在问题出现的地方才存在,一个问题只有当一个答案存在时才会出现,而一个答案只有当某件事情可以被言说时才能够存在。我们感到,甚至是当所有可能的科学问题都得到解决时,人生的许多问题还根本没有被触及。当然,没有问题被遗留了下来,而这本身就是答案。人生问题的答案就在于这个问题的消失当中。(*TLP* 6.5—6.512)

即使人们可以相信不朽,它也不能给予人生以意义;没有任何事情会因永
世长存而得到解决。一个永恒的人生将会与不朽一样是个谜。"上帝并不在 58
这个世界里揭示自身",维特根斯坦写道,"不是这个神秘的事物在这个世界里如何,而是它存在着"(*TLP* 6.432—6.44)。

哲学能为我们做的事情很少。然而,它所能做的,已经被《逻辑—哲学论》一劳永逸地做过了——或者说,维特根斯坦认为是这样。在这本书出版之后,维特根斯坦就以一种完美的方式放弃了哲学,转而去做一些琐碎而单调的工作。在卡尔·维特根斯坦于1912年去世之后,维特根斯坦和他的同胞兄弟继承了一大笔财富,但是从战场上归来之后,他却放弃了自己应得的份额,反而以给一家寺院做守门人或者在乡村学校做校长作为谋生的手段。1926年,他的一位学生指控他对其进行性施虐狂式的惩罚,尽管他被免于指控,但这却使他的中学教师生涯就此宣告结束。

逻辑实证主义

维特根斯坦回到了维也纳,为妹妹设计了一所新居。由妹妹介绍,他结识了自1922年就在维也纳大学担任科学哲学教授的莫里茨·石里克(Moritz Schlick),后者使维特根斯坦恢复了哲学研究。1927年和1928年之间,两人在每星期一晚上会面,其他一些人也加入了他们的行列,其中包括鲁道夫·卡尔纳普(Rudolf Carnap)和弗里德里希·魏斯曼(Friedrich Waismann)。1929年,维特根斯坦去剑桥从事一部哲学手稿的撰写工作[这部书在他死后以《哲学评注》(*Philosophische Bemerkungen*)为题出版]。就在他离开维也纳期间,这个讨论小组发起了一场有意识的哲学运动,并发布了一篇宣言,即《维也纳小组的科学世界观》(*Wissenschaftlische Weltauffassung der Wiener Kreis*),它掀起了一场反

对形而上学的运动,认为后者作为一种落后的体系必须让位于一种科学的世界观。

这场反形而上学的运动采用了维特根斯坦《逻辑—哲学论》中的某些思想,宣称必要的真理之所以是必要的,乃是因为它们是语义重复。这使他们在接受数学真理是必要的同时,不承认它们能告诉我们有关世界的任何事情。有关世界的知识只能得自经验,命题只有当其能够被经验证实或证伪时才有意义。认为一个命题的意义是证实它的模式的看法,即证实原则是用来攻击
59 形而上学的有力武器。假如两位形而上学家就绝对者的本质,或宇宙的目的发生争论,那么,一个问题就足以使他们归于沉默,这个问题就是:“哪一个可能的经验能够解决你们之间的问题?”

有关证实原则的地位和表述的争论旋即爆发。它本身是一种语义重复吗?它能被经验证实吗?两种答案似乎都不能令人满意。此外,科学的普遍规律,如同是形而上学的教条一样,似乎不能得到完全证实。再者,假如它们能够被证伪,这将足以赋予它们以意义。那么,我们将用证伪原则来代替证实原则吗?如果我们这样去做,就很难看到关于存在的断言如何才能拥有意义,因为只有穷尽全域才能证伪之。明智的办法是以一种弱化形式来表述意义的标准,设立一个命题只有在某些与其真假相关的观察存在时才有意义这个原则。维特根斯坦只是给予证实原则以一种有限度的认可,但是,此时维特根斯坦往往把前者定义为先验的对等式(a priori analogue),数学命题的意义是验证它的方法。

实证主义者认为,哲学的真实任务并不在于设立普遍的哲学命题以澄清非哲学的命题,在这一点上,他们和维特根斯坦是一致的。他们为这样的澄清工作所选择的方法是,阐明经验的命题如何才能从基本的或者“原始记录”,即那些出自直接经验记录的命题那里按照取真值(truth-functionally)的方式被建立起来。出现在经验命题当中的词汇,其意义是由实指定义(ostensive definition）推导而来的，也就是说，它来自于将指向词汇所代表的经验特征的一种动作（gesture）。

这个设想碰到了许多障碍。由原始记录得来的经验似乎只是每个人所私有的。假如意义有赖于证实，我们每个人都借助于一种不为他人所知的程序进行证实，那么一个人究竟如何才能理解另一个人的意思呢？石里克试图通过区分内容与形式的办法来解决这个问题。我的经验内容是我所享受或经历过的，例如，我看见某个东西是红的，或者我看见某个东西是绿的。这种经验是私人的，它不可传达。然而，形式或者说经验的结构或许为许多人所共有。当我看到一棵树木和一个日出场景，我无法知道其他人是否会拥有相同的经验——或许会有，他们在我看日出的时候正在看一棵树，看到了我所看到的东 60
西。但是，当我们所有人都同意把树说成是绿色的，将日出说成是红色的时候，我们便能够彼此相互交流，并建立关于语言的科学。

维特根斯坦并不满意这个方案，他尽力给出一种意义的解释，不使它面临一种来自唯我论的威胁。他远离了维也纳小组，永远返回了剑桥。在提交《逻辑—哲学论》作为博士论文之后，他成为三一学院的教师。维也纳小组则在继续着反对形而上学的方案，特别是在《认识》（*Erkenntnis*）这份与柏林的汉斯·莱辛巴赫（Hans Reichenbach）合作出版的杂志上。在英国，他们的思想随着艾耶尔（A. J. Ayer）于1936年出版的《语言、真理与逻辑》（*Language, Truth and Logic*）一书变得广为人知。就在这一年末，石里克因遭到一位优秀学生的枪杀而身亡，到了1939年时，这个小组已不复存在，其中一些著名的成员被迫移民于国外。这个学派最杰出的遗产便是1935年由卡尔·波普尔（Karl Popper）撰写的《科学发现的逻辑》（*The Logic of Scientific Discovery*）一书的出版，但他从来就没有能够成为这个小组的全职成员。

维特根斯坦的后期哲学

在1930年代,维特根斯坦成了英国最有影响的哲学教师。在这个时期,他彻底颠覆了认识论和心灵哲学。在此之前的哲学家们,从笛卡尔到石里克,都在努力阐明关于外部开放世界的知识——无论是科学的,还是常识性的——如何才能建立在终极的、直接的和私己的直觉或经验资料之上。这些年来,维特根斯坦表明,私己的经验远非是知识和信仰赖以建立的基石,相反,它本身预设了一个人人共享的公共世界。即使用来表达我们最神秘和最内在的思想的词语,也只能从它们在我们共同使用的外部话语的应用中获取意义。哲学的问题并不在于从私人的经验出发建构公共世界,而是在社会语境中公正地对待私人。

61

A. J. 艾耶尔使逻辑实证主义流行于1930年代的英国。

在重返哲学研究之后，维特根斯坦放弃了《逻辑—哲学论》中的许多观点。他不再相信逻辑原子的存在，不再去寻求包裹在共同言说之中的一种逻辑有声语言。一种确定的逻辑原子论学说曾经认为，每一个基本命题都独立于另一个基本命题。这显然与逻辑实证主义者的原初记录不符："这是块红色碎片"的真值并不独立于"这是块绿色碎片"的真值。这一反思促使维特根斯坦对基本与非基本命题的区分产生了怀疑，进而放弃了语言的终极成分是指称简单对象的名称这个思想。

维特根斯坦最终认识到，在《逻辑—哲学论》当中，他大大地过度简化了语言与世界之间的关系。两者之间的关系只存在于两个方面：名称与对象的关联和命题与事实的匹配与否。他此时认为这是个巨大的错误。词语彼此相似，如同一个离合器像一个脚刹闸一样，词语互不相同，而它们的不同之处在功能方面，犹如由两只脚踏板操纵的机关一样。维特根斯坦此时强调语言是以许多不同的方式被编织在世界之中：为了指出这种联系，他创造了一种表达法，这就是"语言—游戏"（Language-game）。

作为语言—游戏的例子，维特根斯坦列举了遵守和制定秩序、描述对象的 62
表象、表达感觉、给予尺度、由描述出发建构一个对象、报告一个事件、思考未来、编造故事、演戏、猜谜、开玩笑、辱骂、打招呼、祈祷等。如果我们要理解语言，每一个这样的语言—游戏，还有其他的语言—游戏均需要予以检查。我们可以说，一个词语的意义就是它在一个语言—游戏中的用法——但这并不是一种普遍的意义理论，而只是在提醒我们，如果想要给出一种有关意义的说明，那么，我们就必须寻找它参与到我们生活当中的那个部分。"游戏"一词的用法不是说语言是某种轻佻之事；之所以选用这个词，是因为游戏展示出了语言学行为所呈现的相同种类的多样性。没有共同的特征来标志作为游戏的一切游戏，因此也就不存在一种语言的本质特征——有的只是无数语言—游戏之间的家族相似（family likenesses）而已。

维特根斯坦始终没有放弃哲学是一种活动而非理论的观点。哲学并不能发现任何新的真理,哲学问题的解决不是依靠新信息的获得,而是依靠对我们已经知道的东西所进行的重新安排。维特根斯坦曾经说过,哲学的功能在于把我们思想中的节点连接起来。这意味着哲学家们发起的运动尽管复杂,但其结果就如同是一根平平常常的细线一样简单。

我们需要哲学来避免语言对我们的欺骗。在语言的表层语法之下深嵌着让我们迷惑的哲学,它面对我们,掩盖了作为社会性和非人格化活动的语言的多种作用方式。假如我们把自身限定在日常事务当中,在语言—游戏的范围,即语言最初的家园之内运用语言,哲学上的误解并非会有害于我们。但是,假如我们从抽象的研究,比如说,从数学、心理学或神学入手,那么,我们的思想就会受到阻碍和扭曲,除非我们能够摆脱哲学上的混淆不清。思想探索将会被数字、心灵和灵魂的神秘观念所腐蚀。

与实证主义者们一样,维特根斯坦对形而上学怀有敌意。但是,他对形而上学的攻击并没有采用如证实原则这样的钝器,而是小心翼翼地去勾画那些
63 差异,后者能够使他从形而上学内部的真知与废话的混合中摆脱出来。

"当哲学选用一个词语——如'知识'、'存在'、'对象'、'我'、'命题'、'名称'——并试图把握事物的本质之时,人们必须回过头来问问自己:这个词在语言,即其原初的家园之中的确曾以这种方式被使用过吗?我们要做的是把词语从其形而上学的形式返回到其日常的应用当中"(*PI* I,116)。

两次大战之间,在剑桥任教的维特根斯坦没有发表什么东西。他写下了大量的东西,用完多个笔记本,起草和重新改写手稿、把大量的字条散发给学生们,他们也记录和保存了详尽的课堂笔记。然而,这些材料直到他去世时无一得以发表。他的思想常常大量地通过口语以断章取义的形式流传在人们中间。

当奥地利在1939年被并入纳粹德国时,维特根斯坦成了一名英国公民。

战争期间，他是一名伞降医生。1947 年，他辞去了剑桥教席，继任他的是其芬兰籍学生乔治·亨利克·冯·莱特（Georg Henrik von Wright）。维特根斯坦继续从事哲学，把他的哲学思想传授给亲密的朋友和学生。在爱尔兰度过了一段孤独的生活之后，他寄居在牛津和剑桥多处朋友的家里，直到他在 1951 年以 65 岁的年龄离开了人世。

维特根斯坦之后的分析哲学

1949 年，牛津大学形而上学教授吉尔伯特·赖尔（Gilbert Ryle）发表了一部名为《心的概念》（*The Concept of Mind*）的著作。这本书表述的内容与维特根斯坦的思想非常相似。莱尔是一位激进的反笛卡尔主义者，实际上这本书的第一章就被冠以《笛卡尔的神话》之名。莱尔强调在“知道如何”和“知道什么”二者之间做出区分，这个想法或许来自于海德格尔（Martin Heidegger）。他对意志和情感的讨论，摧毁了哲学家们从英国经验主义者那里继承来的内在印象观念。在题为《性情与事件》（*Dispositions and Occurrences*）的一章中，他把现代哲学家们的注意力引向了亚里士多德就现实性与可能性（actuallity and potentiality）所做的区分中具有的重要性方面。他对感觉、想象和知性（intellect）的讨论因过度倾斜于行为主义方向而没有得到普遍的接受。即便是如 64
此，这本书依然是心灵分析哲学的一部经典。

然而，当维特根斯坦的《哲学研究》（*Philosophical Investigations*）在他死后的 1953 年出版之时，人们或许会看到，莱尔曾经生动和粗略地展示过的那些思想，现在却被表述得远为细致和深刻。至于莱尔在阐发他的思想时，究竟在多大程度上受益于与维特根斯坦的谈话和对后者在剑桥的讲座道听途说式的重述，究竟在多大程度上是他通过独立的反思得到了相同的结论，无论是在过去,还是在现在,这都是一件有争议的事情。

维特根斯坦把他的著作版权留给了他以前的三个学生:乔治·亨利克·冯·莱特、伊里莎白·安斯康姆(Elizabeth Anscombe)和拉什·里斯(Rush Rhees)。这三个哲学家分别对应于维特根斯坦的人格和工作的三个方面。冯·赖特从1948年到1951年接任了维特根斯坦在剑桥的教席,随后返回到自己的祖国芬兰,他好比是撰写《逻辑—哲学论》时的逻辑学家维特根斯坦;最初为他赢得声誉的书是有关归纳、可能性和模态逻辑的著作。安斯考伯,这位牛津导师反过来执掌剑桥教席直至本世纪末,推进了后期维特根斯坦在心灵哲学方面的工作,她以《意向》(*Intention*)一书揭开了有关实用推理和行为理论的广泛讨论。三位哲学家当中的里斯最同情维特根斯坦性情当中的神秘和信仰主义一面,在威尔士,他的思想启发了一个具有鲜明特色的宗教哲学流派。

在20世纪最后的几十年里,遗著执行者们主持了维特根斯坦遗作(*Nachlass*)的出版事宜。许多卷帙得以面世,其中最重要的莫过于选自战前手稿的《哲学语法》(*Philosophical Grammar*,1974)和《哲学评论》(*Philosophical Remarks*,1975),以及选自晚期直至去世时所做笔记的《数学基础评论》(*Remarks on the Foundations of Mathemetics*,1978)和《心理哲学评论》(*Remarks on the Philosophy of Psychology*,1980),再加上《论确定性》(*On Certainty*,1969)。全部遗作于1998年以打字稿和摹本形式由牛津大学出版社出版,电子版正由贝尔根大学筹备当中。

在维特根斯坦死后,许多人把奎因(W. V. O. Quine,1908—2000)看做是英语哲学的领袖人物。在最早赢得了形式逻辑学家的声誉之后,奎因与维也纳小组展开合作,先后旅居于布拉格和华沙。在1936年返回美国之后,奎因
65 加入了哈佛大学,除去战争期间在海军服役数年之外,其余下的职业生涯一直是在此度过的。他最重要的著作是《从逻辑的观点看》(*From a Logical Point of*

View, 1953)［其中包含两篇著名的论文，《论有什么》(*On What there is*)和《经验主义的两个教条》(*Two Dogmas of Empiricism*)］和《词语与对象》(*Word and Object*)，后者是阐述其体系的权威之作，后来这本书又被补充以一定数量影响不太大的研究论文。

奎因的哲学目标在于，为以科学特别是物理学的方式对世界所做的自然主义解释提供一个框架。他试图通过既是经验主义又是行为主义的语言分析来达到上述目的。我们用来解释世界的所有理论，无论是随意的还是科学的，都建立在我们的感觉接受器(sense-receptors)的录入之上。一切出现在理论中的术语和句子，都有待于从运用它们的言说者和倾听者方面加以定义。一个言语(utterence)意义的基本形式是刺激义(sitmulus meaning)，即一切将会激发语言运用者认可这个言语的刺激类别。

尽管奎因追求一种激进的经验主义方案，但在哲学方面首先取得主要影响的却是其《经验主义的两个教条》(写于1951年)一文。他以下述方式表述了其两个攻击目标：

> 其一是崇信横亘在那些分析的真理，或者说建立在独立于事实的意义之上的真理和那些综合的真理，或者说建立在事实之上的真理二者之间的某些根本界线；另一个教条则是还原论，即崇信每个有意义的命题均等价于建立在指称直接经验的术语之上的某些逻辑建构。(*FLPV* 20)

奎因并不否认有逻辑上为真的命题，即无论以其任何非逻辑术语来解释都为真的命题——例如，“没有未婚男人是已婚的”。然而，我们不能由这样一个逻辑上为真的命题走向所谓分析性的命题，如“没有单身汉是已婚的”，因为这取决于将“未婚的男人”和“单身汉”视为同义的表达。但是，什么才是同义词呢？假如两者可以互换而不影响其真值，我们是否就可以说两个表达式是同义的呢？但是，“长有心脏的动物”与“长有肾脏的动物”可以以上述方式互换，而没有人会假定“一切长有心脏的生物都会长有肾脏”是分析性的命题。我们也不能求助于必要性的概念来定义分析性；解释必须采取另一种迂回的
66 方式。

相反，我们是否可以定义什么样的命题是综合性的，比如说，一个命题当且仅当它可以被经验证实或证伪时就是综合性的？奎因认为，这个转移建立在一个错误的证实概念上：要证实和证伪的不是单个命题，而是整个体系。“我们关于外部世界的命题不是以单独的方式，而是以整体的方式面临着感觉法庭的审判”（*FLPV* 140）。

> 我们的知识和信仰总体，从地理和历史的偶然事实到最深奥的原子物理学定律或者甚至到纯粹的数学和逻辑，都是一个人为织就的网络，它只是冲击了经验的边缘。或者换一种说法，总体的科学就像是一个力量的场域，其边界条件是经验。与经验在边缘情形中产生的冲突是场域内部的调整。真值必须再分配给我们的某些命题。重估某些命题就要重估其他的命题，因为它们之间存在着关联——逻辑定律反过来就只是体系内的某些深层的命题，只是场域中的某些深层因素而已。

由此可知，选取一个在无论任何情况发生都为真值的分析性命题类别是愚蠢的。任何命题均可能被认为是真的，假如我们对体系中的其他地方做出重大调整的话。另一方面，没有一个命题——甚至是一个逻辑定律——可以完全免于修正。科学作为一个整体的确依赖于语言和经验——然而这种二元性不可能被追溯到个别的语句那里。

假如同义词和分析性的观念无意义可言，那么整个意义的观念就是可疑的，因为不存在意义的认识标准。当然，奎因坚持认为，没有像意义这样必须

求助于如信仰或理解这样的意向性概念才能得到解释的东西。意义必须由纯粹的外延主义的术语,通过将感性刺激映射到语言行为的方式来解释。奎因想象一位从事实地调查的语言学家,他在努力转换一种完全陌生的语言,然而可供他用的只有“那些他眼看着冲击当地人表面的力量和当地人可供观察的言语或其他行为”(*WO* 28)。

奎因的思想实验目的是识别不确定性的三个层面。第一,个别指称的不确定性。语言学家会观察到,只有在兔子出现时当地人才会发出“Gavagai”的
声音。但是——即便假定这是一个观察性的陈述——它同样可以指称兔子、 67
兔子架和兔子的肢体。第二,在整体语言层面上也存在着不确定性:获取的资料同样可以支持两种不同的、不相协调的语言手册。这种不确定性是一个更为普遍的现象的一个特殊例证,即理论,不止是翻译理论,被感觉录入(sensory input)所推翻的情况。因此,与所有永远有效的资料相协调的不止是一个整体的科学体系。

我们的确应当放弃会有任何固定世界设施(fourniture of the world)存在的思想。存在的东西取决于我们所采用的理论。在早期的论文《论何物存在》中,奎因说出了一句名言:“存在就是成为一个约束变量的值”(To be is to be the value of a bound variable)。当他这样说的时候,他是在步弗雷格和罗素二人的后尘,他们坚持认为,一种科学理论中不应允许有缺乏固定指称的命名存在。当所有可疑的命名借助于罗素的摹状词理论被剔除之后,留下的是形式为“有一个这样的 x,它是……”的句子,紧跟它的则是一套标示属性的谓词,具有争议的个体由此得到认定。按照这个理论,存在的东西将是由量词定位的实体。但是因为多种不同的理论均可同时受到支持,所以也会有多种不同的本体论受到支持。可以被说成是存在的东西与某种理论相关。

维特根斯坦和奎因常常被认为是分析哲学的两位代表人物,在欧洲大陆

尤其如此。实际上，他们二者的哲学思想差别很大。① 具体来说，两人在哲学本质方面存在着分歧。奎因不相信分析—综合的区分，所以他在哲学与经验科学之间看不到明显的界线。维特根斯坦终其一生都相信他在《逻辑—哲学论》(4.111)一书中所写的："哲学并不是一门自然科学。'哲学'一词必须意味着某种高于或低于自然科学的东西，但并不与自然科学并列。"科学主义，即试图把哲学看成是一门科学的思想，是他所厌恶的东西(*bête noire*)。在《蓝皮本》(*Blue Book*)中，他写道："哲学家们总是看着眼前的科学方法，无法抵御想
68 用科学方式来解决问题的诱惑这一倾向是形而上学的真正来源，它把哲学家引向彻底的黑暗当中"(*BB* 18)。

在美国，由奎因引入的科学主义陷于停滞状态。一位最善言谈的科学主义代表便是奎因在哈佛大学的学生唐纳德·戴维森(Donald Davidson, 1917—2003)，他曾在美国多所大学任教，在伯克利度过了他生命的最后22年之后故去。戴维森选择的出版方式是短篇论文，但其许多论文被编辑成书，特别是《论行为与事件》(*Essays on Actions and Events*, 1980)和《真理和阐释研究》(*Inquiries into Truth and Interpretation*, 1984)。在心灵与行为哲学领域，戴维森的科学主义采取了一种否认哲学与心理学存在分离的形式；在语言哲学方面，它采取了一种有关意义的经验和外延理论。

戴维森写于1967年的《真理与意义》(*Truth and Meaning*)一文是这样开头的：

> 大多数的哲学家，以及某些语言学家近来也认为，一个令人满意的意义理论必须说明语句的意义是如何取决于词语意义的。除非这个说明能够被提供给某一特定的语言，否则便无法解释下面的事实：在掌握有限的词汇

①P. M. S. Hacker 详细、明确地区分了两者的差异，参看其 *Wittgenstein's Place in Twentieth Centry Analytic Philosophy* (Oxford: Blackwell, 1996), 184—227。

> 和一套得到有限表述的规则的基础之上,我们准备制造和理解任何一种语句的潜在无限性。

戴维森的意义理论被建立在一种真理理论上。一种语言 L 的真理理论设置了 L 语言所有语句的真值条件。它的实现不是通过不可能实现的排列每个语句的方法,而是通过表明语句的组成部分是如何有助于实现它们出现于其中的语句的真值条件。这样一种理论将包含一个有限的术语列表和一套有限的句法规则,但有必要由此推导出一套潜在无限的真值—语句,其形式为:“在 L 中‘S’为真当且仅当 *p*”。

与奎因相同,戴维森借考察一个实例来说明自己的理论,在这个实例当中,我们遇到了操一种完全陌生语言的一个社区。为了解释这种语言,我们不得不观察在何种语境之下他们认可何种句子,通过这种方法就他们的语言建立一种真值理论;但是,借助于假定当地人拥有真实而合理的信仰,并且能够以理性方式做出结论和决定,我们可以避免来自不确定性和怀疑主义的威胁。这就是“澄清原则”。 69

人们的现实行为是由他们的理性决定的,后者是指他们的欲望和信仰这些被戴维森建构为心理事件的东西。这些心理事件与实现它们的行为之间的关系是一种因果关系:说一个行为是意向性的(intentional),准确地说就是,它们是由恰当的信仰和需要引起的。但是,对戴维森来说,上述因果关系是间接的:我们不能形成连接行为者的信仰和欲望与它们所引起的行动的心理定律。相反,戴维森认为,每一个个别的心理事件也就是一个个别的生理事件,这一事件通过心理定律与作为相应之行动的个别生理事件发生关联。尽管某一生理事件与某一心理事件相关,但我们还是无法明确它们之间的心理生理定律。

在从来没有任何事件不是心理事件这一方面,戴维森的立场是唯物主义的。为了拔除唯物主义的刺痛,他坚持被他称为“心理的异常性”(the anomalousness of the mental)的主张。任何心理事件均与生理事件相一致,但用于心理事件的描述与用于生理事件的描述不同。作为心理事件,它不遵循因果律而是依赖于解释,因为其作为心理事件的标识取决于它在一个由其他心理事件组成的网络中所占据的位置。它是作为一个心理事件而非生理事件来接受理性化还是非理性化的规范评估的。戴维森承认,这使得心理—生理之间的因果性显得非常神秘。

在英格兰,哲学家们还继续认为在哲学与科学之间有一条鸿沟,而不仅仅是一条模糊的界线。像莱尔和维特根斯坦一样,他们主张哲学的目的不在于提供信息,而在于理解。彼德 · 斯特劳森(Peter Strawson,1919—2006)和他的导师保罗 · 格里斯(Paul Grice)在题为《为一个教条辩护》(*In Defence of a Dogma*)的论文中,反驳了奎因对区别分析—综合的做法的攻击。斯特劳森本人的思考方式绝不是教条主义的。当牛津的哲学对自身的价值过度自信,不愿向那些因时空间隔而遥远的哲学学习的时候,斯特劳森提醒他的同事们还有其他风格的哲学,他的写作在某种程度上是以康德的《纯粹理性批判》为典范的。当"形而上学"被许多人视为一个脏词时,斯特劳森将最重要的一部著作《个体》(*Individuals*, 1959)的副标题命名为《论描述形而上学》(*An Essay in*
70 *Descriptive Metaphysics*)。

描述形而上学致力于描述我们关于世界的思想的真实结构,并不声称改进这一结构(这种声称是修正形而上学的标志)。在《个体》一书中,斯特劳森勾画出了一些基本的条件,以使某种语言能够指称对象并识别它们,以及对它们做出判断。他将这一任务看做概念分析的一种,其范围则是广泛和普遍的。"形而上学家们寻求的结构",斯特劳森写道,"并不轻易显露在语言的表层,而是隐藏在它的下面"(*I* 10)。

斯特劳森寻求确立在我们的概念架构里,物体和人所占据的一个特殊位置:两个种类的特称是基本的特称。指称与描述这两种言语行为,与语言的主—谓结构相对应,它们只有当我们能识别和重新识别物质对象的时候才是可能的,这要求有一种联合在一起的时空框架。(在一个只有音高和时间频率的纯粹声音世界里,重新识别很难予以完成。)一个在时空当中、拥有属性的对象结构,先于并且是由任何能够简单记录多重地点上的特征分配情况的语言所预设的对象结构。

对斯特劳森来说,人与物质对象一样是一个基本的逻辑范畴。一个人必定不能按照笛卡尔的二元论方式来思考。假如心灵是笛卡尔式的自我,只有私人经验才能被归入,那么一个人如何把意识状态归于另一个人这个问题便无法得到解决。“一个人把意识状态和经验归于自身,这是一个必要的条件,当一个人这样做的时候,他就应当也把它们归于,或准备把它们归于那些并非是自己的外人”(*I* 99)。只有当一个人能够识别其他经验对象时,他才能够把这个状态归于他人。而当一个人只是把他人识别为经验主体和意识状态的所有者之时,他就不能识别他人。因此,首要的不是一个心灵,而是一个人格的概念:

> 我所说的一个人格的概念指的是一个实体类型的概念,无论是设定意识状态的谓词,还是设定身体特征的谓词,即设定一种生理状况等等的谓词,均可以同等地被应用于那种类型的单个人身上……一个人格的概念在逻辑上优先于一个个体意识。一个人格的概念不能被分析为一个有生气的肉身或是一个有肉身的动物。(*I* 102—103) 71

然而,斯特劳森认为,我们不可能想象在躯体死亡之后一个人自己的个体还会继续生存。但这样的生存将只能是一个个体的生存,在严格的意义上,他是孤独的,不能与他人交流,不能在世上发挥作用。当记忆力减退,身体日渐衰弱的时候,生存者关于他自身作为一个个体的概念就会相应地逐渐走向淡薄。

“在淡薄的极限处，从他作为一个个人的生存的观点来看，就没有经验的连续与停滞二者之间的区分了。这样来说，去除肉身的生存看起来并不吸引人。无疑正是基于这个原因，正统论明智地坚持肉体的复活”（*I* 116）。

斯特劳森在2006年初的去世，标志着英国哲学一个时代的结束。

第三章

从弗洛伊德到德里达

在20世纪,欧洲大陆与英语世界的哲学思想展开了 72
一场持续的交流。康德和黑格尔在英国的大学里有着巨大的影响,而英国的经验主义传统则吸引了大陆上许多激进的思想家。威廉·詹姆士的事业便表明了哲学在这个时代的世界性质。他因阅读一位法国哲学家的著作而转向哲学,在德国学习,又经常在英国发表讲演,却定居在美国。再者,伯特兰·罗素也绝不是一位身处孤岛之中的哲学家:在研究数学哲学的同时,他同德国的弗雷格和意大利的皮亚诺常常保持着通信往来。

到了20世纪中期,这一切都发生了改变。大陆与英语哲学开始分道扬镳,彼此很难说有什么共同的语言。在英国和美国,由罗素协助开创的哲学分析传统,逐渐在学术界占据了支配地位,几乎驱逐了其他的思想风格。在大陆,存在主义则成了时兴的学派,在法国由让—保罗·萨特(Jean-Paul Sartre)领导,在德国则由马丁·海德格尔(Martin Heidegger)领导。把两种不同思想风格的主张统一起来的善意尝试，只是在这个世纪的下半叶才取得了有限的成功。

弗洛伊德与心理分析

贯穿整个20世纪，在英美哲学思想中产生最大影响的大陆思想家却根本
73 不是一位哲学家，而是一个自视为科学家，实际上则是一门崭新科学的创立者。鲜有哲学家会把自己描述为弗洛伊德主义者，但所有参与教授心灵哲学、伦理学和宗教哲学的人都会被迫去解释弗洛伊德在这些领域中那些令人新奇和激动的主张。

由吉尔伯特·赖尔主持的英语与大陆哲学家在牛津大学基督教学院举行的一场聚会。

弗洛伊德于1856年出生在摩拉维亚(Moravia)一个不守犹太习俗的奥地利犹太家庭。1860年，他们举家迁往维也纳，弗洛伊德在维也纳大学接受了医学训练，并在1882年成为全科医院的职员，其最初的专业是脑解剖学。他也同神

经医学家约瑟夫·布鲁威尔（Joseph Breuer）合作在催眠状态下治疗精神病人。3 年之后，他来到巴黎，在神经医学家让—马丁·沙尔科（Jean-Martin Charcot）指导下学习，1886 年，在返回维也纳不久便开始从事私人医学实践。同年，他与玛尔莎·贝尔娜伊斯（Martha Bernays）结婚，生下了 6 个孩子，3 女 3 男。

1895 年，弗洛伊德联合布鲁威尔发表了一本论述精神病的著作，针对心理疾病提出了一种原创性的分析。他渐渐停止使用催眠作为治疗方法，并代之以一种全新形式的治疗方法，这种方法被他称为心理分析，按照他自己的说法，这无非是病人与医生之间进行话语交流而已。 74

新方法的前提是认为精神病症状是一个病人对受压抑的心理创伤的记忆结果，但它可以通过一种自由联想的程序得到恢复。躺在病床上的病人，在医生的鼓励下说出心里的任何想法。基于多次面谈的结果，弗洛伊德渐渐认为，心理创伤可以追溯到童年时期，而且具有某种性内容。其婴儿性欲理论导致了他与布鲁威尔最终走向分裂。

在与医学同事相隔绝的情况之下，弗洛伊德在维也纳继续投入实践工作。1900 年，他发表了最重要的一部著作《梦的释义》（*The Interpretation of Dreams*），指出梦境如同神经病症状一样是受压抑的性欲望被编码的表达。他主张，这里表述的理论不仅适用于正常人，还可适应于神经病人，一年之后，他在延续这一理论的基础上发表了一项题为《日常生活的心理分析》（*The Psychopathology of Everyday Life*）的研究成果。在一系列最有可读性的著作当中，这些东西是最早出版的，在这些著作当中，他时常修改和完善其心理分析理论。1902 年，弗洛伊德被任命为维也纳大学神经医学杰出讲席教授，开始招纳学生和同事。这些人当中最突出的是阿尔弗雷德·阿德勒（Alfred Adler）和卡尔·荣格（Carl Jung），他们先后与弗洛伊德分道扬镳，并且建立了各自的学派。

1923 年，弗洛伊德发表了《自我与本我》（*The Ego and the Id*）一书，提出了一种新颖和精细的无意识心理解剖学。弗洛伊德无视人们对他的非议,在《幻觉的未来》(*The Future of Illusion*)一书中就宗教的起源提出了一种令人感到沮丧的解释。他不是一位无神论者,但这没有阻止他对犹太文化的认同,没有阻止他免受反犹主义的攻击。1938 年,心理分析被纳粹禁止,当奥地利被德国吞并时,他被迫移民英格兰。在伦敦,他受到了热情的欢迎,他的著作在伦敦由布隆斯伯里小组(Bloomsbury group)的成员们翻译发表。在经历了 16 年的下颚癌病痛之后,弗洛伊德于 1939 年 9 月 23 日死于医生应其要求实施的致命的吗啡注射之下。他的心理分析工作由最小的女儿安娜(Anna)继承了下来。

在 1915 年和 1917 年所做的一系列介绍性的讲演当中,弗洛伊德把心理分析理论概括为两个基本论点。其一,我们心理生活中的绝大部分,无论是感
75 情、思想或者是意愿都是无意识的。其二,广义上的性冲动,无论是作为心理疾病还是作为艺术和文化创造的动机都极度重要。假如说艺术作品和文化中的性因素在某种程度上仍是无意识的,这是因为社会化需要人们牺牲本能。这样的本能获得了升华,也就是说,它偏离了其最初的目标并转入能够为社会所接受的行为轨道。然而,升华处于一种不稳定状态,受到阻碍和得不到满足的本能就会通过心理疾病和错乱报复性地释放出来。

弗洛伊德认为,无意识的存在通过三种方式显露出来:日常琐碎的失误、梦幻的报告,以及神经症状。梦幻与神经症状的确没有显露在表面,或者像尚未接受治疗的病人所解释的那样,它们揭示了信仰、欲望和情感,其无意识状态在弗洛伊德看来是存在的。但他认为,在分析当中进行的自由联想练习,如分析者们所解释的那样,揭示了无意识心理的基本模式。

性的发展是这一模式的关键所在。弗洛伊德解释说,婴儿的性欲始于口唇期,在此阶段,快感集中在嘴上。接下来的是肛门期,一到三岁的阶段是"生殖器"期,在此阶段,孩子的精力集中在阴茎或阴蒂上。弗洛伊德认为,此时男孩在性方面受母亲的吸引,仇恨父亲对她的占有。对父亲的敌意使他害怕父

亲借阉割来报复他。于是，男孩放弃了对母亲的性想法，渐渐与父亲认同。这就是俄狄浦斯情结，每一个男孩在情感发展史上都会碰到这个关键时期。神经病人是那些止步于较早发展阶段的人们。俄狄浦斯式愿望的恢复及其受压抑的历史，是每项分析工作的重要部分。弗洛伊德并不怀疑，俄狄浦斯情结经过必要的修改，就会在女性方面产生一个对等之物，不过后者并没有以一种令人信服的方式被完整地表述出来。

步入晚年的弗洛伊德以心灵的三重图式代替了早期的意识和无意识二重对立。在《自我与本我》一书中，他写道，"心理工具是由本能冲动的一个蓄积器'本我'（*Id*）和作为'本我'最表层的部分、一个因外界影响而被修正的自我（*ego*），以及一个自本我发展而来、支配着自我、代表对人的本能特征进行压抑 76
的超我（*superego*）所构成"（*SE* xx.266）。

弗洛伊德说，自我所有努力的目标是在灵魂的组成部分之间建立某种和解。只要自我和本我以及超我三者和谐相处，那么一切都是好的。但如果没有了上述和谐，心理疾病就会随之产生。自我与本我之间的冲突会引发神经病；本我与超我之间的冲突会导致忧郁和消沉。当自我与外在世界产生冲突之时，就会出现精神病。

弗洛伊德不愿意被我们写入哲学史当中，因为他把自己看成是一位科学家，他致力于发现激发人类自由幻象的严格决定机制。事实上，他的大部分详尽理论当被足够地精确化，以至于可以接受实验检验之时，则显出了缺乏根据的弊病。无论心理分析的技术作为治疗形式如何有效，医疗从业者并不以为然，如果上述技术果真如此，那么其有效性又来自哪里呢？当它们果真取得了成功，这似乎并不是由于发现了决定机制，而是由于扩展了自我意识与个人选择的自由。尽管他的著作会面临着所有的理论批评，但弗洛伊德却有着非凡的社会影响，例如与性习俗、与我们对心理疾病的理解和我们对艺术与文学的欣赏有关的事情，还有在多重人际关系方面。

弗洛伊德并非是第一个赋予性冲动以在人类心灵中一种基础意义地位的思想家。在他之前有数代神学家均将现实的人类状况看做是由亚当的罪恶所塑造的，这种罪恶在起源、传递和效果方面是具有性色彩的。如果19世纪的行为拘谨在竭力遮盖无处不在的性，那么这层面纱总是容易被撕开的。弗洛伊德喜欢援引叔本华的格言，性作为男人的主要关注点应当秘密地追寻，这是人生的笑谈。叔本华说，性是这个世界真正的世袭公爵，对一切禁闭它的准备，它均抱之以嘲笑。

弗洛伊德对婴儿性行为的强调令同时代人感到震惊。然而，维多利亚时期人们对孩童的多愁善感只是在近期才产生的态度。奥古斯丁的态度就不是这样，在《忏悔录》里，他这样写道："天真的东西不是婴儿的心灵，而是肢体的柔弱。我曾经观察和研究过一个怀有忌妒心的小孩子。他盯着与他一同吮吸
77 母乳的兄弟，尽管他还不会说话，却被忌妒和苦痛折磨得脸色发白。又有谁能不明白这个经验的事实呢？"许多现代社会中的性放纵不仅缘于避孕措施的切实可行，而且也缘于弗洛伊德所极力营造的整个思想气候。并不是他在自己发表的著作当中倡导性自由，而是他使一个流行的比喻传播开来，这就是把性欲望当做一种心理之流的观点，它通过一个又一个途径寻找发泄口。这个比喻说明，戒除性欲似乎是对终究会冲破一切束缚性的堤坝力量的压制，从而对心理健康造成某种灾难性的影响。

形成于近代的心理健康概念或许始自弗洛伊德、布鲁威尔和沙尔科，他们开始把精神病人当做真正残疾之人而非装病者加以治疗。正如人们常说，这更多的是一种道德选择而不是一种医学发现，但是，今天大多数人把它看成是正确的道德选择。我们可以说，弗洛伊德重新划分了道德与医疗的界线。在此之前曾经被视为出格之举而受到惩罚的种种行为方式，如今无论是在诊室，还是在咨询室，长期以来都被看做是适宜治疗的疾病。在临床诊断与道德评估之间做出一个清晰而可靠的区分，其困难之处在对同性恋行为态度的改

变中被清晰地揭示出来。这种长期以来被看做是丑恶犯罪的行为,这种在近乎一个世纪里被视为心理病理错乱征候的行为,到如今则被许多人看做是构成一种理性选择的另类生活风格的关键因素。

弗洛伊德在艺术和文学方面影响是巨大的,尽管他将艺术创造视为近乎于神经病的观点让人感到不悦。小说家对联想技巧的应用类似于分析者的临床技巧;批评家们乐于以俄狄浦斯式的术语来解读著作;历史学家们则愿意撰写心理传记,并以童年的真实或想象的逸事为基础来分析成年之后的公众人物的诸种行为。画家和雕塑家们则从梦幻的世界里析取弗洛伊德式的象征并赋之以具体的形式。

实际上,我们所有人都直接或间接地吸收了相当多的心理分析理论。在讨论我们与亲朋好友的关系之时,我们不自觉地在谈论着压抑和升华,我们在描述 78
着诸如肛门的或自恋的特征。甚至是只字未读弗洛伊德的人们也乐意挑出他们自己和其他信奉弗洛伊德学说的人们的口误。自亚里士多德以来,还没有哪位哲学家在丰富心理学和道德学说的词汇方面作出过如此重大的贡献。

诗人奥登(W. H. Auden)的评判无可挑剔,他以 28 节精美的四行诗来哀悼弗洛伊德的离世:

> 假如他常常是错误的,偶尔甚至是荒诞的,
> 对我们来说,他只不过是一个人,
> 而今他却是形成观念的整个气候。

胡塞尔的现象学

埃德蒙·胡塞尔的一生,关键之处与西格蒙特·弗洛伊德相似。胡塞尔

比弗洛伊德年轻三岁。与弗洛伊德一样,胡塞尔生于摩拉维亚一个犹太家庭,在日内瓦接受大学教育。两人都把一生中的大部分精力投入到一项个人的计划当中,都试图对人类心灵展开第一次真正的科学研究。两个人在暮年时均遭到纳粹反犹运动的迫害,弗洛伊德被逐出奥地利死于流亡之中,胡塞尔的著作则在 1939 年德军入侵布拉格时被焚毁。

然而,胡塞尔的职业生涯与弗洛伊德迥然不同。其最初的研究领域是数学和天文学,而不是医学。他在哲学方面走上了追求正统学术事业的道路,并在大学的院系中拥有职位。虽然他的博士学位得自维也纳,但他却在哈勒通过了教授资格论文,而且后来应召就任的讲席是在德国,不是在奥地利的大学里。

胡塞尔对哲学的兴趣是由弗兰兹 · 布伦塔诺(Franz Brentano)激发的,后者曾于 1884 至 1886 年间在维也纳大学执教。布伦塔诺最先是一位牧师,一位渊博的学者,在《从经验观点看心理学》(*Psychology from an Empirical Standpoint*)(1894)一书中,他试图将亚里士多德的心灵哲学与当代的实验研究联结起来,这部著作取得了广泛的影响。该书解释道,意识材料可以归为两类:即物理现象和心理现象。物理现象是诸如颜色和气味之类的东西;心理现象则是诸如思想之类的东西。它们的特征是具有内容或拥有一个内在对象。布伦
79 塔诺基于这一特征重新引入了经院哲学术语“意向性”(intentionality),这是理解心灵行为和生活的钥匙。

尽管受到布伦塔诺心理学方法的影响,胡塞尔最初还是把主要精力持续地放到了数学方面。在哈勒大学完成的教授资格论文内容是有关数字概念的,他发表于 1891 年的第一本书是《算术哲学》(*Philosophy of Arithmetic*)。这本书寻求通过识别作为其心理学起源的心理行为方式来解释我们的数字概念。例如,我们的复数概念据称是来自于一种将多种物件组合在一起的“汇集式结合”过程。由于想在实验心理学中为数学寻找一个基础,胡塞尔勉强得出

了一些不吸引人的结论。比如，他拒绝承认零和一是数字，为此他不得不在小数字的算术与大数字的算术之间做出严格的区分。我们只能用心灵的眼睛体察微小的集合，因此，只有小部分算术可以建立在直觉基础上；一旦我们要处理较大的数字，我们就从直觉转移到了一个仅仅是符号的王国。

胡塞尔著作的评论者们，尤其是弗雷格，就曾抱怨过它混淆了想象与思想。作为心理学内容的多重心理事件，因其属个人私有，不能构成一种诸如算术之类的公众科学的基础。后者只能建立在种族共同拥有的思想之上。胡塞尔接受了上述批评，放弃了早期的心理主义方法。在发表于 1900 年的《逻辑研究》(*Logical Investigations*) 第一卷中，他认为逻辑不能源于心理学，任何类似的企图必然会陷入一种恶性循环当中，因为它在归纳的过程中不得不求助于逻辑。自此之后，他像弗雷格一样严格区分了逻辑学和心理学。虽然弗雷格遵循分析传统将哲学集中于分割的逻辑方面，但跟随大陆传统的胡塞尔则把心理学一维视为哲学正当的家园。尽管如此，弗雷格和胡塞尔在这一时期均把哲学——无论是逻辑学的，还是心理学的——建立在一种明晰的柏拉图实在论之上，在这一点上两人是一致的。

吉尔伯特・赖尔曾经如此生动地描述过 20 世纪初期的普遍情境，假如这些话不太过偏颇的话，

> 在世纪的转折点上，胡塞尔面临着许许多多思想压力，如梅农(Meinong)、弗雷格、布拉德利(Bradley)、皮尔士、摩尔以及伯特兰・罗素一样。在反
> 对休谟和密尔的理念—心理学方面，他们都是相似的；他们都希望将逻辑 80
> 从心理学中解放出来；他们都在意义观念中寻求摆脱思想上的主体至上论的出路；他们中近乎所有人都在捍卫柏拉图的意义理论即柏拉图的概念与命题理论；他们都通过赋予自然科学以实在性探究、赋予哲学以概念性探究的方式将哲学从自然科学中划分出来；他们中近乎所有人的论述

> 都让人觉得仿佛这些哲学上的概念性探究会以对某些超级对象的某些超级检视为终点，仿佛概念性的探究毕竟是超级的观察性探究；然而，他们中的所有人在其概念性探究的实际操作中，都不可避免地偏离了为柏拉图化的认识论所要求的超级观察。胡塞尔对直觉本质的谈论在某种程度上相似于摩尔对检视性概念的谈论，相似于罗素对认识全域的谈论，不过，他们当然是通过思想的奋争而非通过思想的直觉来处理他们实际遇到的概念困难的。（*CP*. i. 180）

莱尔的确强调了分析传统与大陆传统的共同起点，但就胡塞尔的情况而言，思想的奋争实际上要远比这个小小的段落所说的东西更为复杂。

胡塞尔从布伦塔诺手里接过了意向性观念，这就是说，它是这样一种理念：与物理现象相反，心理现象的特征在于它们指向对象。“我想到了特洛伊城，或者我担心我的投资”：意向性是标示在“到”和“于”这些小小单词之中的特征。我的心灵所经历的事情与世界上一座被长久废弃的城市或证券交易市场之间的关系是什么？胡塞尔及其之后的许多人，花费了很多年来寻找这个问题的答案。①

有两种东西对一个思想来说是必需的：它应当有一个内容，应当有一个拥有者。假如我在思考一条龙。有两种东西构造了这一思想本身：首先，它是有关一条龙的思想；其次，它是我的思想而不是你的思想，或者说不是拿破仑的思想。胡塞尔将会以这样的方式来标示它，他会说，这是我的一个具有特殊内容（其意向对象）的行为。其他许多人也会想到龙；对胡塞尔来说，在此我们拥
81 有多个属于同一种类的个别行为。龙这个概念只不过是所有这些行为共同所属的类型而已。

①“意向性”与现代意义上的“意向”并无关系。布伦塔诺从中世纪语境当中借来了这个词，它来源于动词“intendere”，意为“张弓瞄准目标”。一个意向的对象，仿佛就是一个思想的目标。

《逻辑研究》是这样把概念定义在心理因素的基础之上的。那么,逻辑究竟是如何与做这样理解的概念联系起来的呢?道理是相通的,胡塞尔此时相信,这就如同是几何学定理与经验中的三维空间相互关联一样。于是,他可以抛弃先前所主张的心理主义,在心理学与逻辑之间做一个清晰的区分。如今,他打算走得更远,要在心理学与认识论之间划出一个界线。通过把心理学重构为"现象学"的一个崭新的分支方式,胡塞尔做到了这一点。

在20世纪头10年,现象学得到了发展。1900年,胡塞尔被任命为哥廷根大学副教授。在那里,他拥有当时已经成名的数学家大卫·希尔伯特作为同事,但在新的探索中其最为热忱的合作者则是来自慕尼黑的一个哲学家小组,是他们提出了"现象学运动"这个词语。到了1913年的时候,这一运动已经获得了相当程度的自信,以至于出版了现象学研究年鉴。年鉴的第一期刊发了胡塞尔长达一部书篇幅的论著,这就是计划当中的《纯粹现象学通论》(*Ideas Pertaining to a Pure Phenomenology*)一书的第一卷。

现象学的目标在于研究直接的意识材料,不关涉意识告诉给我们或指示给我们的心灵世界之外的东西。当我想到"凤凰"时,我的思想意向性是严格一致的,无论在现实中存在凤凰与否。早在1901年,胡塞尔就已经这样写道:"在一个呈现在意识当中和被给予意识的对象之间没有本质的差别,无论这个对象存在与否,是虚构的,还是荒诞不经的。我思考丘比特就如同是在思考俾斯麦,思考巴别塔就如同是在思考科隆大教堂,思考拥有1000条边的规则多边形就如同是在思考一个拥有1000面的规则多面体一样"(*LI* ii.99)。胡塞尔认为,同样的情况也适应于当我在思考一张真实存在的桌子之时。无论这张真实的桌子存在与否,或者是否我本人处于幻觉当中,我的经验意向性却都是相同的。现象学主义者应当对心理现象进行细致的研究,把心灵对象之外的世界放置在括号里。他对外在世界的存在所持的态度应当是搁置判断的态度,胡塞尔以希腊词语"悬置"(*epoche*)来命名它。这种方法被称作"现象学的

82 还原”。我们可以说，哲学在此收敛起了自身的傲气。

现象学不同于现象主义。一个现象主义者不相信现象之外的任何事物，就这些物质对象之类所做的陈述必须被转换为对表象的陈述。贝克莱和密尔便持这样一种现象主义观念。① 另一方面，胡塞尔在《纯粹现象学通论》中没有断定现象之外没有现实；他有意为一个非现象对象世界的存在留下了可能性。不过，这样的对象并非是哲学家所关注的东西，或者说不是其最初的关注所在。

根据胡塞尔的看法，其原因在于我们对自身意识的对象拥有无误的、直接的知识，而对外在世界，我们只有得自于推论和猜测的信息。胡塞尔区分了自明的内在感知和容易出错的超越感知。内在的感知直接得自于我的心理行为和状态。超越的感知则是我对自己过去的行为和状态、对自然对象和事件以及对其他人的内心所有的感知。

内在感知为现象学提供了主要内容。内在感知比超越感知更为根本，这不只是因为内在的感知是自明性的，而超越的感知是容易出错的，而且是因为构成超越感知的推导和猜测建立在、也必然建立在内在感知传递的基础之上。只有意识才拥有“绝对的存在”，而其他形式的存在则依赖意识取得自身的存在（*Ideas*，i. 49）。这样一来，现象学就成了一切学科中最根本的学科，因为构成其主要内容的东西为哲学与科学的其他分支提供了材料。

胡塞尔计划撰写三卷本的《通论》，但最后两卷直到他死后才出版。1916年，他移居弗莱堡，并在那里继续担任教授直到1928年退休为止，在此期间他于1923年拒绝了柏林大学的邀请。在弗莱堡时期，他的讲座吸引了大批国外的听众，培养出了包括马丁·海德格尔和艾迪什·斯泰茵（Eidth Stein）在内的
83 后来成为拥有崇高声誉的哲学家。在那些年月里，他从若干个方面发展了《通

①参看本书第二卷第203页和前引第8页。

论》中提出的体系。一方面,他扩展了现象学的方法,以期打破笛卡尔未加质疑的某些假设,以至于其“悬置”比笛卡尔的怀疑更为激进。另一方面,他努力将方法论的唯我主义与解决主体间性问题的方案结合起来,后者将使他人的心灵存在得以建立。他的最终立场是,其主张的一种超验的观念论是与现象学不可分离的结论(*CM* 42)。其晚年的反思成果发表在退休后出版的两卷本著作中,它们分别是《笛卡尔沉思》(*Cartesian Meditations*)与《超验逻辑学》(*Transcendental Logic*)。

海德格尔的存在主义

胡塞尔的一位学生海德格尔两年前就发表了一本书,就哲学影响来说,它会比胡塞尔的任何一本著作都更为显著。马丁·海德格尔在《存在与时间》中声称,现象学迄今为止还太不成熟。它意欲检视意识的材料,但其运用的概念,诸如“主体”、“对象”、“行为”以及“内容”均不是意识中的东西,而是承袭自先前哲学的概念。更为重要的是,胡塞尔接受了笛卡尔将意识和现实划分为两个领域的思想框架。但只有其中的一个,即意识才成为胡塞尔为现象学选取的主要内容。然而,海德格尔主张,现象学的首要任务在于研究存在(*Sein*)的概念,它先于意识与现实之间的分离。引导我们将二者作为对立的两极加以比照的经验是现象学首先要加以检视的东西。

因此,我们必须返回到笛卡尔的背后,弄清哲学的本质所在,把我们的出发点设定为存在而非意识。但海德格尔告诫我们,仅仅返回到柏拉图和亚里士多德的范畴那里还不够,这些范畴已经包括某种人为的复杂因素。前苏格拉底哲学家为彻底的现象主义者提供了可资模仿的最好例证,因为他们提前构造了一套专业的哲学词汇,以及这套词汇所承载的命题。海德格尔为自己

84 立下的任务是创造一套原始的词汇，可以说，它们能够使我们在赤裸的状态中进行哲学思考。

马丁·海德格尔，大陆存在主义的领袖人物。

海德格尔创造的最重要词汇是 *Dasein*（此在）。“此在”是一种能够追问哲学问题的存在，如海德格尔对“此在”所做的解释，起初听起来它就像是笛卡尔的自我。但是，笛卡尔的自我本质上是一个思维的存在，即 *res cogitans*（我思），思考只是“此在”获得自身存在的一种方式，而不是一种根本性方式。“此在”的原始因素是“在世界之中存在”（being-in-the-world），思考只是与世界打交道的一种方式而已：基于世界行动与对世界产生反应至少是其重要的因素。“此在”先于思维与意志或理论与实践之分。“此在”就是操心（*besorgen*）。“此在”不是“我思”，而是“我操心”：它不是一个思维的存在，而是一个会操心的东西。只有我有所操心，或者有利益所在，世界才愿意让我向它提出问题，并以知识—要求（knowledge-claims）的形式为这些问题做答。 85

概念和判断可以被思索为与世界打交道的工具。然而，也有更为原始的工具，如字面意义上的工具。一位木匠凭借斧头的运用与世界发生关联。他的确不用去思考如何才能更好地运用斧头；对斧头的意识的确参与了他对其专心的筹划当中，这是他与现实所打的真实交道。我们以这种透明的模式与之打交道的实体被海德格尔称为“上手状态的”。上手状态与非上手状态的区分奠定了我们对世界空间性的建构。

海德格尔强调“此在”的空间本质：我们不应当视之为一种实体，它是一个生命的展开。我们的生命不是一种自足和自发的实体；从一开始，我们就发现我们被抛入一个自然的、文化的和历史的语境当中。这一“被抛性”（*geworfenheit*）被海德格尔称为“此在”的“事实性”（facticity）。我的生命既不能为我现在所是的东西，也不能为我过去所是的东西所穷尽：我能够成为我尚未是的东西，我的潜力如同我的成就一样，对我的存在而言是必不可少的。实际上，在定义我之所是时，未来优先于过去和现在。海德格尔说，“此在”即“能够是其所是的一种能力”，我的生活目标决定着我当下的处境与能力所具有的意义。但是，无论我的成就与潜力如何，它们均将终结于死亡——尽管死亡使它们终结，但并不能完成它们。任何关于我生活的整体观点必将考虑到我将成为什么与我过去曾经是什么之间的区别：于是，罪与烦就随之而来。

如果海德格尔是对的，那么，自笛卡尔至罗素，哲学家们尝试论证外部世界的存在的做法就是荒诞的。我们并非那种试图以经验为中介的观察者，以此获取关于我们身外的现实的知识。从一开始，我们本身便是构成世界的因素，“总是已在世界中存在”。我们是其他存在者中的一员，对之施加行为并与之产生反应。我们的行为与反应丝毫也无须意识来引导。实际上,只有当我们自发的行为在某种程度上错失目标之时,我们才会意识到我们正在做的事情。这种情况发生在“上手状态”转为“非上手状态”之时。

对于海德格尔而言,“此在”的行为拥有三重基本特征。首先是他称为“调适”的东西:我们被抛入的情境自行显示出它或吸引人,或让人心生畏惧,
86 或让人厌烦等等,我们以各种不同的情绪来回应它。第二,“此在”是言说的:就是说他生活在话语的世界当中,处在由我们与他人共享的语言和文化为我们言说和解释的实体当中。第三,“此在”以某种特定的方式“领悟着”,就是说,其行为指向(并非必然是有意识地)某一目标,某种“为了”将会使处于其文化语境当中的整体生命呈现出意义。“此在”的上述三个方面分别对应于时间上的过去、现在和未来,时间是《存在与时间》一书第二卷的标题。

尽管“此在”生活在生物的、社会的和文化的语境当中,但并不存在着某种如人性之类的东西,从中生出人的个体行为。“此在”的本质,海德格尔说,在于其生存。缘此,海德格尔成了“存在主义之父”,这一哲学流派强调个人并非仅仅是某一物种的成员,并非为普遍法则所决定。我在本质上所是的东西,就是我自由地认定我所是的东西。这样一种选择的无根据性让人感到畏惧,于是我会逃避于不假思索的服从之中。然而,这是一种非本真的抉择,一种对我的“此在”的背叛。为了成为本真的我,我必须充分认识到无论是在人性当中,还是在神圣的命令当中,都没有根据,对于我所做的抉择而言,没有一个选择会为我的人生带来任何超验的意义。

《存在与时间》是一本难懂的书,任何一位想使其中的思想变得通俗易懂的阐释者都不得不以一种与海德格尔本人极为不同的风格来写作。究竟海德格尔的独特语汇和扭曲的句法是为他的写作计划所必需呢,还是一种没有必要的自我放纵之举,这还存在着争议。不容置疑的是,他的著作虽然不算是真正原创的,但也是重要的。就连海德格尔最为强劲的对手吉尔伯特·赖尔在

为此书撰写的评论的结尾也坦承,面对海德格尔就"人类灵魂的根本机制"所做的现象学分析,他只有表示敬佩。

作为一部现象学著作,《存在与时间》激发了比现象学奠基者胡塞尔的著作更为广泛的热情。这对师生的关系终结在不幸之中。1929 年,海德格尔接替胡塞尔出任了弗莱堡大学哲学教授的职位,并于 1933 年成为这所大学的校长。在同年 5 月发表的一篇臭名昭著的就职讲演中,他将纳粹作为德国民众最终能够实现其历史性精神使命的途径加以欢迎。 87

他在校长任上的头一桩举措便是将所有犹太教授的著作剔除出大学图书馆,其中也包括退休教授胡塞尔的著作,此时距胡塞尔离开人世尚有 5 年之久。战后,海德格尔不得不为其支持纳粹的行为表示忏悔,从 1945 年到 1950 年,他被取消了在大学任教的资格。尽管如此,他的思想在其 1976 年去世前后均有影响。

萨特的存在主义

与海德格尔的右翼存在主义形成比照,在法国,曾经短暂做过海德格尔的学生的让 - 保罗·萨特(Jean-Paul Sartre),将存在主义发展成为一种渐渐走向政治左翼的形式。1905 年出生在巴黎的萨特,从 1924 年到 1928 年在巴黎高等师范学院学习,在此期间的许多年里他依靠在中学教授哲学来完成学业。然而正是在 1933 年到 1935 年之间,萨特在柏林和弗莱堡开始形成了自己的哲学,后者在发表于 1936 年的两部著作中得到了表述,这两部著作分别是《自我的超验》(*The Transcendence of the Ego*)以及《想象:一个心理学的批评》(*Imagination: A Psychological Critique*)。之后,他分别在 1938 年和 1939 年发表了小说《恶心》(*Nausea*)和《情绪理论素描》(*Sketch of a Theory of the Emo-*

tions)。

萨特在战前发表的论文内容是以现象学方法对心灵哲学的细致研究。与海德格尔一样,萨特抱怨胡塞尔对现象学的还原改进并不充分。胡塞尔接受了笛卡尔的自我,即作为意识材料的思维主体,但实际上不存在这种东西:当我专注于我所看到和听到的事情之时,我不会想到自己。只有通过反思,我们才能将自身转换成对象,这样一来,如果我们想要做一个彻底的现象学者,我们就必须从位于反思之前的意识出发。自我即思维主体存在于意识之外,而且属于超验的世界,与他人的心灵世界并无二致。

在《想象》一书中,萨特攻击了哲学家们普遍拥有的、特别明显地存在于休谟那里的观念,即我们在想象中检视了一个内在心灵世界的内容。萨特向我们表明,认为理解与想象均在对图像或假象的心理呈现当中,两者之间的唯一区别在于意象在理解中要比在想象当中更加集中或生动的想法是错误的。实
88 际上,萨特主张,想象活动将我们与心灵之外的对象,而非与内在的意象关联起来。理解活动与此相差无几,只不过采取了不同的方式而已。在下述情形中,这最容易为我们所理解,即当我们去想象一个真实的但不在眼前的人时;当我们所想象的事情实际上并不存在,我们正在做的事情是为世界创造一种东西之时。

按照萨特的看法,情绪也会遭到同样的误解,假如我们认为前者只是被动的内在感觉的话。情绪是对这个世界的某种领会方式:例如,仇恨某人就是将他理解为可恨的人。然而,情绪显然也并不是对我们身处其中的环境的一种公平和公正的领会;相反,萨特走得更远,把它描绘为"对我们身处其中的环境的一种神秘转换"。比如,当我们心情忧郁之时,我们就好比向这个世界施了魔法,以至于它使我们所有与之打交道的努力都显得不得要领。

1939 年战争爆发之后,萨特应征入伍,在军队中一直战斗到 1940 年他被德军俘虏为止。停战以后,获释的他返回了巴黎,继续从事中学哲学教师工

作,同时也参与了抵抗纳粹占领的运动。1943 年,他发表了杰作《存在与虚无》(*Being and Nothingness*)。尽管战前的论文受到了胡塞尔学说的启发,但这部著作却极大地得益于海德格尔,其书名形式便承认了这一点。然而,生就是小说家和戏剧家的萨特拥有海德格尔所缺乏的天赋,即以细致而令人信服的叙述来阐明哲学观点。战后,萨特重新把这部著作的主题以更为简洁和通俗的方式表述在《存在主义与人道主义》(*Existentialism and Humanism*,1946)一书当中。

对萨特而言,"存在"(*l' être*)是先于并引发我们在意识当中所遇到的具有一切不同种类和特征的事物。我们按照自己的兴趣把事物分门别类,把它们看做是能够让我们达到目的的工具。假设去除掉意识设立的种种区别,留给我们的东西便只有纯粹的物,即"自在"(*l' en-soi*)。它不透明、巨大而简单,然而首先是偶然的东西。它"没有理性、没有原因、没有必然性"(*BN* 619)。说它没有原因并非是说它以自身为原因,即自因(*causa sui*);它只是在那里,萨特称为"无根据的",它往往显得"多余"(*de trop*)。

"自在"是《存在与虚无》一书中的两个核心概念之一。另一个核心概念是"自为"(*le pour-soi*),就是人类的意识。它如何与书名当中的"虚无"发生关联?萨特的答案是,人是虚无借以来到世间的存在。否定是使"自为"与"自在"产生区别的因素。 89

在此,萨特扩展了海德格尔的一个主题。尽管在英语哲学家们看来,海德格尔的格言"虚无虚无化"(Das Nichts nichtet)荒诞至极,但萨特却接受了虚无的客体化,试图赋予它以重要的意义。当意识表达世界之时,它是通过否定来实现表达的。假设我有一个关于红色的概念,我就把世界分为红色和非红色两个部分。如果我区分了椅子和桌子,我必然会把椅子看成是非桌子,把桌子看成是非椅子。如果我想区分意识与存在,那么我必须说意识是非存在:"虚无借以来到这个世界的存在必然是其自身的虚无(*BN* 23)。"

对于哲学史家而言,萨特似乎为哲学引入了一个由巴门尼德所设置但很久以前便由柏拉图破解了的一个难题。① 艾耶尔在1945年将萨特对虚无(*le néant*)的处理方式与《爱丽丝漫游奇境记》(*Alice in Wonderland*)一书中国王的回答做了对比。当艾丽丝说她在路上没有看见行人时,她说:“我只是希望自己拥有一双眼睛……能够看不见任何人! 也是在同样的距离之内!”幸运的是,尽管题目如此,但《存在与虚无》一书包含着许多重要的、在萨特对“虚无化”的表述之外的东西。其中最有意思的想法又是来自于海德格尔。尽管对于大多数对象而言,本质先于存在,但“至少有一种存在,其生存先于本质,一个先于本质的存在可以为任何关于它的概念所定义。这个存在就是人”(*EH* 66)。人的自由先于其本质并使后者成为可能。虽然橡树不得不追随某种特定的生长模式,因为它属于它所属的物种,但人却不是以这种方式归属于某一物种:每一个人都可以决定他想要成为什么。人的自由在世间万物当中创造了一种断裂。

根据萨特的看法,人类个体的生活不是预先决定的,它既不取决于一个造物主,不受制于使其成为必然的原因,亦不取决于绝对的道德律令。只有一种必要性是我所不可避免的,它就是选择的必要性。人的自由是绝对的,但也令人生畏,我们试图逃避它,扮演某些由道德、社会和宗教预先决定的角色。然而,我们逃避的努力注定要归于失败,终结于犹豫不决之中,默默地意识到了自由但又极力把我们自身降低为只是对象而已。这就是被萨特称为“欺诈”的
90 状态。

另一态度是接受和肯定自身的自由,接受对自身的行为和生活所肩负的责任,不从任何预先设定的道德秩序那里获得支持,也不受制于任何偶然的境遇。无疑,必然会有妨碍我的可能行为的自然原因,但是经过对自身的欲望和

①参看第一卷,200页,214页。

计划进行调整,正是我自己赋予了我所身处的环境以意义。我必须对自己做出一个全面的选择。“我孤独地出现,在面对构成我的存在的唯一和首次计划时心存恐惧:一切障碍、一切轨道都坍塌了,被我的自由意识摧毁掉了;我不会、也不能够求助于任何价值,不顾是我本人在存在中坚守价值这一事实”(*EH* 66)。

在战后的岁月里,萨特和西蒙·德·波伏瓦(Simone de Beauvoir)成了巴黎左岸文化与思想生活的中心。他创办并编辑了一份先锋性的月刊,名为《现代》(*Les temps mordernes*),他也创作了相当多成功的小说和戏剧,其中最著名的或许要属《密室》(*Huis clos*)了,这部剧作中出现了经常为人们引述的句子:“他人就是地狱”。在《存在与虚无》中,除了“自在”和“自为”之外,萨特还引入了“为他人而在”这个观念。后者在本质上是我呈现在他人面前,被他人观察的方式,我变成了他人的对象,或是受他人嫉妒或鄙视的对象。萨特写道,为他人而在最初的意思是冲突。在后期著作当中,萨特发展了这一主题,赋予它以更大的重要性。

在社会政治观方面,萨特采取了接近共产党的立场,虽然马克思主义的决定论思想与存在主义绝对自由论的主调很难相互调和。为了试图解决这一紧张关系,他在 1960 年撰写了《辩证理性批判》(*Critique of Dialectical Reason*)一书。1964 年,他拒绝接受诺贝尔文学奖,1968 年,他支持了对戴高乐政府造成威胁的学生造反运动。他死于 1980 年。

雅克·德里达

在 1960 年代相当短暂的一个时期,大陆与英美哲学之间似乎出现了某种趋近的态势。1962 年出生在阿尔及利亚的犹太家庭、时年 32 岁的哲学家雅

91 克·德里达(Jacques Derrida)发表了一部以胡塞尔与几何学为论题的博士论文。就在同一年,已故牛津哲学家奥斯汀(J. L. Austin,1911—1960)的系列讲演《如何用词语做事》(*How to Do Things with Words*)也获得出版,它包含了关于不同言语行为的一种理论。1967 年,德里达又发表了三部具有很高原创性的著作[《书写与延异》(*Writting and Difference*)、《声音与现象》(*Speech and Phenomena*)和《论文字学》(*Of Grammatology*)],它们明显带有奥斯汀的痕迹。

然而,两位哲学家处理同一话题的方式却相当不同。早在 1946 年,奥斯汀就开始区分确认式(constative)和履行式(performative)两种不同言语行为。确认式的语句被用来说明一个事件作为事实怎么样,如"正在下雨","火车来了"。履行式的言说则不能通过与事实加以对比的方式来做出判断并辨别正误;与其说它们是报道事物的言语方式,不如说它们是改变事物的言语方式。例如,"我命名这艘船为伊丽莎白王后号","我承诺在 10 点钟与您见面","我把我的手表赠予了我的弟弟"。

奥斯汀接着区分了许多不同的履行式言说,如打赌、任命、反对和咒骂,而且他从看似直白的陈述中分辨出了被隐藏起来的履行式因素。在成熟阶段,他的理论在言语行为方面为三种因素留下了余地:表达语意的(locutionary)、加强语意的(illocutionary) 和用言语表现结果的(perlocutionary)力量。假设某人对我说,"向她射击!"通过指出"射击"的意义与"她"的指涉,表达语意的行为得到了定义。加强语意的行为是命令、督促等行为中的一种。用言语表现结果的行为(它只发生在加强语意的行为达到目的之时)将会被如此描述,例如,"他让我向她射击"。

奥斯汀引入了许多技术术语,在不同言语行为和因素的内部做了区分。每一个被引入的术语都得到了明晰的解释,并辅以例证加以说明。其整体的效果是在微观层面上赋予一个巨大而重要的语言哲学领域以明晰性。

德里达的方法却与此迥异。他也引入了丰富的技术术语,如"文字"

(gram)、“保留”(reserve)、“切口”(incision)、“踪迹”(trace)、“空间化”(spacing)、“空白”(blank)、“替补”(supplement)、“毒药”(pharmakon)及其他许多术语。但是他很不愿意给出定义,而且常常仿佛是把定义视为不恰当的要求予以拒绝。其例证的确切性也极少是清晰的,甚至是寻常的语言特征也带有某种神秘的色彩。 92

在处理言语行为的过程中,奥斯汀对所说的东西(如在口语中)和所写的东西(如在意愿中)二者之间的区别并不特别感兴趣;他提出的哲学论点适用于各种语言用法。而德里达则在另一方面非常看重区分工作,攻击被他称为“语音中心论”(phonocentrism)的东西,即西方文明所谓过分强调口语词汇的做法。由于法律和商业强调书面形式的交流,而现代社会又在努力使公民识文断字,于是,德里达不得不把对语音中心论的控诉建立在柏拉图《斐德罗篇》(*Phaedrus*)中以讽刺段落开头的数段游离的文本上。

在履行式的言语行为当中,许诺行为是奥斯汀和德里达两人都感兴趣的一种典范情形。奥斯汀以一种富有寓意的方式列出种种可能影响到一个许诺行为的不当之处,从虚伪到无能等等。德里达主要是对这样一个事实有所触动,即一个人可能在未履行诺言之前就已死去,这是“每一个履行式行为均受到死亡的纠缠”这句话所表达的情境。不过,恕我不同意德里达的看法,原因是我们每个人都总是要死的,死的可能性不能告知我们履行式行为完成的细节。周而复始地工作与许下一个诺言一样,是可能被死亡所打断的事情。当然,死亡确实可能在一个诺言中被提及,例如,当一对新婚夫妇忠诚地发誓“到死不分离”的时候。然而,当夫妇中的一位死去之时,一个誓言实际上并没有被破坏或者未被履行。

德里达对语音中心论的敌视构成了他对被其称为“在场形而上学”观念所发起的攻击的一部分,这种观念认为,意义与真理诉求的基础是某种给予意识的密切之物。其首要的攻击目标是胡塞尔,而他有关感觉材料的经验主义观念也会面临类似的批评。他主张,在西方传统中,言语被给予了优先于书面语的地位,这是因为言语比书写更接近思维,后者被理想地认为是意义最终的和超验的对象。德里达“解构”了言语与书写之间的对立,赋予书写文本以优先的地位,这是一种脱离作者控制最远的形式,也最能够接受多样化的和不断延迟的解释。在一些人看来,德里达对形而上学的攻击,以一种非常不同的方式类似于维特根斯坦对私人语言观的颠覆。

在早期著作中,德里达显出了巨大的哲学锐气;但 1967 年之后,其思想和
93 写作距离奥斯汀和维特根斯坦愈来愈远。随着事业的发展,他的写作风格不但远离了当代分析哲学,也远离了众多哲学家所理解的从亚里士多德到胡塞尔以来的哲学。区分混淆的概念,如果必要的话,创造或者调整术语来标志这些区分,这往往被视为哲学的一项任务。与此相对,德里达引入了新术语,其效果却使已得到完善区分的思想再次混淆起来。

让我们来看看德里达引以为豪的观念“延异”[Deference(*différance*)]①吧。Différance 合并了 deferring(延迟)与 difference(区别)的意思。德里达告诉我们,“différance 应当被理解为先于意为延迟的 deferring 和意为实际区分工作的 differing 两者之间的区别”(*SP* 88)。至于两个相对的观念如何才能以这种方式被合并在一起,这并不清楚,德里达下面的解释和复述在这方面也没有提供什么帮助:

> 延异只有在下面的情形下才使意义(signification)的运动成为可能,即每个所谓在场的因素,即每个出现于在场的舞台之上的因素均与非自身的东西相关,因而在自身中保留了一种过去的因素,且已经让自身为它与某个未来因素的关联标记所破坏,这个印迹与被称为未来的因素的相关程

①Différance 这个词通常被译为“差异”,但我的翻译与法文词对应得更为精确。而考虑到德里达本人的意思,我必须要求读者把它准确地读为“difference”,他特别强调与之发音相似的法文对等词的重要性。

> 度不亚于被称为过去的因素，从而以这种与非自身之物、与绝对的非自身之物构成了被称为在场的东西：这并非是与作为一种被改变的在场而存在的一个过去因素或一个未来因素之间的关系。(*Diff.* 13)

让我们看看他究竟是什么意思。当我对早餐侍者说“火腿和鸡蛋”，我的意思取决于这样的一个事实：当我说出“和”这个词的那一刻，“火腿”这个词已经属于过去了，但仍然与“和”相关；而且“和”也与还没有被说出的、但将要与之发生关系的“鸡蛋”相关。这是十分正确的。如果这是延异的意思，那么德里达上面的话就完全正确：“不是一个对象的名称，不是某种‘存在’的名称可以被呈现出来。因此，也就不存在一个概念。”然而这并非是“延异”的全义，因为德里达的某些读者视之为上帝的名字，尽管德里达让我们确信这个词 94
“阻塞了一切与神学的关系”(*P* 40)。我们在其文本中发现的多种不同的复述方式本身就构成了延异的一个例证：借据与定义显然有别，它把真实的意义给予过程推迟到一个不确定的未来。

德里达发明了一种用来对待作者的方法，它可以被戏称为扎花的技术。为了把一束花扎起来，就搜集一些含有相同词语(或者常常只是相同的音素)的文本。然后，再把它们从各自的语境和写作日期中抽离出来，去掉说话者和声音，通过斜书、省略或截留的手段改变其原来的意义。把他们汇合于一处，再用某种具有挑刺意味或者挑衅性的论述将它们扎成一束花。扎花技术如今在某些文学系科里流行起来，因为与传统的文学批评方法相比，它无须付出太大的努力。

晚年的德里达以娴熟的修辞手法吸引了读者的注意力。其中一个非常成功的策略或许就是被称为“无法反驳的悖论”的东西。人们最常引用的一句话就是作者在《论文字学》一书中予以强调的“文本之外无世界”。一个多么吸引人，多么令人震惊的说法！黑死病和大屠杀的确不像新版的约翰逊《诗人传》那样是一个文本事件。不过，德里达随后恳切地解释道，文本在这里并非是指一个写作的产物，而是指超出世界、真实和历史界限的某种东西。①假如我们真是这样被简单地告诫说宇宙之外无世界的话，那么对此提出反驳则是草率的。试图在特定的语境中看待事物，这样的命令听起来确实是个好的建议。

95

雅克·德里达，摄于他在多种学科圈子中确立了偶像地位之后。

作为技巧娴熟的修辞家，德里达通过引入性与死亡让他的读者始终保持

①"Living On", Harold Bloomfield (ed.), *Deconstruction and Criticism*(New York: Seabury Press, 1979).

清醒。我们已经遇到了纠缠履行式言语行为不放的死亡:我们在同样不相关的地方遇到了性。默默自语与高声喧哗正如同手淫与性交之间的关系一样。这没有什么疑问。不太恰当的便是把孤独与缄默不语二者加以比较;不过它令读者发笑的方式却大不相同。在《圣经·启示录》的末尾,我们读到:“圣灵和新妇都说来。听见的人也该说来!”(22:17)。德里达就这节文本做了长篇的论述,他极力品味“来”这个词在法文和英文中附带的双重理解。如果一个人过于直白地指出,从古希腊文翻译过来的“来”这个词本来没有“获得性高潮”的意思,那么,他无疑会被告知他没有把握到这种练习的全部意味。

我们如此批评德里达似乎不合适。而我们之所以这样做的原因在于,这样一种出自公正评论的讽刺正是他在后期的著作中所采用的方法:他的哲学武器是双关语、低俗语、嘲讽和窃笑。在正常的情况下,哲学史家试图指出一位哲学家的某些主要学说,尽可能将其清晰地表述出来,之后附上自己的评价。晚年的德里达没有提出什么学说。这并非说一个不同情他的读者不能把握到或者不能理解他的学说;德里达本人拒绝了将他的著作概括为这些学说 96
的想法。其实,他有时甚至放弃了做一位哲学家的抱负。

那么,无论是诋毁还是赞誉,把德里达纳入这样一部哲学史中不是不公平的吗?我不这样看。无论他自己怎么说,许多人还是把他看成是一位严肃的哲学家,而他也应该得到这样的评价。不过他在哲学系的名声要远逊于在文学系,这并不奇怪,因为文学系的人在区分真假哲学方面没有太多的经验可言。

第四章

逻辑

密尔的经验主义逻辑

约翰·斯图亚特·密尔的《逻辑体系》(*System of* 97
Logic)由两个主要部分组成。前两章提出了一套形式逻辑体系;余下的章节处理的是自然科学与社会科学的方法论。在第一部分里,他是以一种语言分析,特别是一种称谓理论为开端的。

密尔是第一位严肃对待形式逻辑的英国经验主义者,从一开始,他就急于和唯名论撇开关系,后者与自霍布斯(Hobbes)时代以来的经验主义相连。他所认为的"唯名论"是指命题的双重称谓理论,即一个命题为真,当且仅当主词与谓词是同一个事物的称谓。密尔说,霍布斯的解释仅仅适用于那些主谓词均为专有称谓的命题,如"图勒是西塞罗"。但遗憾的是,对于其他命题来说,它不是一个充分的理论。

密尔对“名称”一词运用得相当宽泛。他不止把“苏格拉底”和“这”这样的专有称谓和代词，而且也把限定性摹状词如“继承征服者威廉的国王”也算作是“称谓”。全称名词项如“男人”和“聪明”，以及抽象名词如“智慧”也不例外。所有的称谓，无论是特称的还是全称的，无论是抽象的还是具体的，均指称事物；专有称谓指称它所命名的事物，全称名词指称信以为真的事物：这样，不仅“苏格拉底”指苏格拉底，而且“男人”和“聪明”亦指苏格拉底。全称名词除了拥有这种方式的外延之外，还有内涵：它们是既有内涵又有外延的东
98 西，就是说，它们内涵的东西就是它们指示的属性，即它们的字典定义指明的东西。在逻辑上，内涵先于外延：“当人类确定聪明这个词时，他们并没有想到苏格拉底。”

由于“称谓”涵盖如此众多的名词，密尔可以接受下述唯名论的观点，即每个命题均是称谓的结合。但这不能与霍布斯的观点混为一谈，与霍布斯不同，他可以借助于内涵来确立命题的真实条件。把两个拥有内涵的名词联结起来的命题，如“所有人都是有死的”，告知我们某些特性（如灵性和理性）总是与有死性相伴。

密尔在第二卷中讨论了推理，区分了两种不同的推理形式，它们分别是真实的推理和言语的推理。言语推理不能给予我们任何有关世界的新知识；语言知识就足以使我们能够从前提出发推导出结论来。作为言语推理的例证，密尔从“伟大的将军中没有一个是鲁莽之人”出发导出“鲁莽之人中没有一个大将军”：密尔告诉我们，前提和结论说的是同一回事儿。真正的推理出现在当我们推导出一个真理而结论不包含在前提当中之时。

密尔感到难以解释新的真理是如何通过普遍推理来发现的。他接受一切推理均为三段论的说法，声称在每个三段论当中，结论其实都包含或暗示在前提当中。从前提“所有人都是有死的”，“苏格拉底是人”，推出“苏格拉底是有死的”这个结论。假如这个三段论从演绎方面来说是有效的，那么命题“苏

格拉底是有死的”就必须被预设在“所有人都有死的”这个更为普遍的假设当中。另一方面,假如我们将“苏格拉底”替换为一个在世的人(密尔的例子是“惠灵顿公爵”),那么,其结论就不会给我们提供任何新的信息,但它不能被在大前提中概括的证据所证明。因此,三段论不是一个真正的推理:

> 所有的推理都是从个别推导个别。全称命题只是这些已做出的推理的记录者和可资做更多推理的简短公式。因此,三段论的大前提就是这个摹状词的公式;结论并非是从公式那里推导出来的,而是一个依据公式导出的推论;真正的逻辑前件或前提是全称命题通过归纳收集起来的个别事实。(*SL* 3.3.4) 99

“归纳”是逻辑学家长期以来给予由普遍真理推至个别例证的过程的一个称谓。然而归纳却不止有一种。假设我说“彼德是犹太人,詹姆士是犹太人,约翰是犹太人……”,之后列出所有的使徒。我就会总结道,“所有的使徒都是犹太人”,假如我真的这样做了,密尔说,我并不是真正从个别走到了普遍:结论只是简略标记了前提所列的个别事实而已。当我们在尚未对所有对象做出全面考察的情况下做结论时,结果就会大有不同,例如,当我们从此前人类的死亡中得出所有人都会死去的结论之时。

密尔对演绎论证的批评本身包含着对逻辑与认识论的混淆。如他所说,一个推理或许从演绎上有效而不提供新信息:有效性只是构成生成真实信息的论证的一个必要而非充分的条件。但三段论不是推理的唯一形式,有许多有效的非三段论论证(如“A = B,”“B = C”,所以“A = C”)非常能够传达信息。即使在三段论当中,也可能给出一种解释使它成为真正的推理,当我们不把“所有人都是有死的”解释为“有死”是对某一类型人中的每个成员的称谓,而是按照密尔本人对称谓的解释,把它看做为“人”与“有死”两种属性的联结。

密尔无疑会回应，质问我们如何才能知道这样一个联结，假如不是借助归纳方法的话；其逻辑学说中最有趣的部分是他试图为归纳逻辑制定规则。他制定了5条实验性探索的规则或标准，以此指导研究者们来发现原因与效果。我们就其中的前两条加以说明。

第一条是一致方法。如果现象F出现在境遇A、B和C的合取式中，又出现在C，D和E的合取式中，那么我们就可以得出结论，唯一的共同特征C与F存在因果关系。

第二条是不一致方法。如果F出现在A、B和C在场的地方，而不出现在A，B和D在场的地方，那么我们就可以得出结论，区别两者的唯一特征C与F
100 存在因果关系。

密尔认为，在日常生活和法律当中，我们总是在运用他所提出的上述标准，尽管我们没必要意识到它们。因此，为了说明第二个标准，密尔说，“当一个人被射中了心脏，通过这种方法，我们知道他是被枪杀的：因为前不久他还是活生生的，所有的境遇都没有改变，除了受伤之外。”

密尔的一致与不一致方法是培根在场与不在场图表的细化。① 与培根的图表相同，密尔的方法似乎主张一般规则的恒定性。密尔明确说，“自然之道是整齐划一，这一命题是演绎的基本原则或一般公理。”然而，这一般公理又从哪里来呢？作为一个彻底的经验主义者，密尔把这个一般公理看做经验的概括：他说，主张将因果律用在遥远的行星上是草率的做法。但是，如果这个非常一般的原则是归纳的基础，那么，我们就很难看到它本身是如何由归纳建立的。不过密尔愿意肯定的是，不止是物理学原则，还有算术和逻辑原则，包括非矛盾原则本身都无外乎是对经验确定无疑的概括。②

①参看本书第三卷，31页。

②参看后面的第六章。

弗雷格对逻辑的重新奠基

在这方面,弗雷格的立场与密尔相反。对密尔而言,每种命题都是人们后天知道的,但对弗雷格来说,算术与逻辑一样,不仅是先天给定的,而且还是分析性的。为了论证这一点,弗雷格不得不去研究逻辑学,并使之成为体系,以致他的成就为密尔及其他的先驱者们所无法企及。他以一种全新方式把逻辑组织起来,实际上他成为了逻辑学继亚里士多德之后的第二位奠基者。

一种定义逻辑的方式是说,这一学科的任务是把好的推理从坏的推理中挑选出来。在弗雷格之前的数个世纪里,逻辑学最重要的组成部分是研究个别推理形式的有效性与无效性,也就是说,它是对三段论的研究。人们制定了
详细的规则来区分有效推理,如: 101

所有的日耳曼人都是欧洲人。
某些日耳曼人是白人。
所以,某些欧洲人是白人。

和无效推理,如:

所有的母牛都是哺乳动物。
某些哺乳动物是四足动物。
所以,所有母牛都是四足动物。

尽管两种推理均有真实的结论，但只有第一个推理才是有效的，也就是说，只有第一种推理形式永远不会从真实的前提推导出一个错误的结论来。

三段论只涵盖一小部分有效的推理形式。在安东尼·特罗洛普（Anthony Trollope）的小说《首相》（*The Prime Minister*）中，奥姆尼奥姆公爵夫人急于使自己的一位爱子成为银桥（Sliverbridge）议会的议员，这个镇子在传统上是奥姆尼奥姆公爵的封地。小说家告诉我们，"她的脑子里有一个公爵如何统治该城镇的小三段论，公爵夫人控制着公爵，因此，公爵夫人统治着小镇。"公爵夫人的推理是完全有效的，但它不是一个三段论，不能把它归结为一个三段论。这是因为她的推理建立在"统治"是一种过渡性的关系（假设 A 统治 B，B 统治 C，那么 A 就肯定统治着 C）之上，然而三段论的设计是用来处理由主谓词组成的命题的，它尚不足以应付关系性的陈述。

三段论的另一弱点在于，它不能应对下面的推理，在这种推理当中，"所有"或"某些"之类的词并非出现在主词的位置上，而是出现在语法上占据着谓词部分的某个位置。在包含诸如"所有的政治家都立下一些诺言"或"没有人会说每一种语言"此类前提的推理当中，规则并不起决定作用，在上述情形当中，推理在第一个命题那里转向了"一些"，而在第二个命题那里则转向了"每一种"。

弗雷格发明了一套用来克服这些困难的体系，他首先在《概念文字》（*Begiffsschrift*）一书中对此进行了说明。首先是将主词和谓词两个词法观念替换成新的逻辑观念，弗雷格称其为"变量"和"函项"。在"惠灵顿击败了拿破仑"这个命题中，语法学家会说（或者通常会说），"惠灵顿"是主词，"击败拿破仑"是谓词。弗雷格引入的"变量"和"函项"为分析这个命题提供了一种更加灵活的方法。

102

特罗洛普的柯朗克拉·巴里瑟(Glencora Palliser)统治了两位,而非一位奥姆尼奥姆公爵。在米莱什为《菲尼亚斯·芬恩》一书所配的插图中,她借为年迈的公爵生下一个孙子对他实施了控制。

103 具体的做法是这样的。假设在“惠灵顿击败了拿破仑”这个命题中，我们把“拿破仑”这个称谓替换成“尼尔逊”。这显然改变了命题的内容，它确实把一个真命题变成了一个假命题。我们可以认为此类方式的命题包含了一个固定成分，“惠灵顿击败……”和一个可替换的因素，“拿破仑”。弗雷格把第一个固定成分称为一个函项，把第二个成分称为这一函项的变量。按照弗雷格的说法，“惠灵顿击败拿破仑”这个命题是“惠灵顿击败……”的函项值，因为变量“拿破仑”和命题“惠灵顿击败尼尔逊”是变量“尼尔逊”的相同函项值。

我们亦可用不同的方式来分析这个命题。“惠灵顿击败尼尔逊”同样是以“惠灵顿”为变量的函项“……击败拿破仑”的值。我们甚至可以走得更远，说这个命题是以“惠灵顿”和“拿破仑”（以这个次序）为变量的函项“……击败……”的值。在弗雷格的术语中，“惠灵顿击败……”和“……击败拿破仑”是一个单独变量的函项，“……击败……”是两个变量的函项。①

可以看出，与主词—谓词的区分相比较，函项—变量二分法为说明句子与句子之间贴切的逻辑相似性提供了一种更加灵活的方法。主词—谓词显然足以标记“凯撒征服了高卢”和“凯撒击败了庞贝”二者的相似性，但却无视“凯撒征服了高卢”和“庞贝洗劫了高卢”两个命题的相似性。当我们在处理那些出现在不仅包含“凯撒”和“高卢”这样的专有称谓，而且也包含“所有罗马人”或“某些行省”这样的数量表达式的命题时，上面的问题就与逻辑的重要性相关了。

在引入了函项与变量观念之后，弗雷格接着引入了一个用来表达全称类型的观念，后者是借“所有”这样的词语表达出来的，无论它出现在一个命题的
104 什么地方。假设“苏格拉底是有死的”是一个真命题，我们可以说对变量“苏

①正如我们在上面所做的解释，依据《概念文字》一书，函项和变量以及值均是语言因素；称谓和命题有或者没有间隙。在晚期的著作中，弗雷格不是把这些观念更经常性地应用于语言因素，而是应用于语言惯于表达和谈论的东西。我将在论形而上学的章节（第七章）中讨论这一点。

格拉底”而言，函项“……有死的”为真。为了表达全称判断，我们需要一个符号来表示某一特定的函项无论其变量如何都会保持真值。对应于弗雷格所引入的观念，逻辑学家们用

$(x)(x$ 是有死的$)$

来标记无论一个变量是何种称谓，函项“……是有死的”总为真值。这个记号可以被读作“对于所有的 x，x 是有死的”，这等同于说每个事物都是有死的。

这个全称记号可以用在一切划分命题为函项和变量的方式之中。因此，(x)(上帝大于 x)就等同于“上帝大于一切 x”。它可以与一个表示否定的“～”结合起来构成一个与包含“没有”和“没有一个”的命题等同的记号。因此，$(x)\sim(x$ 是不死的$)$ =“对于所有的 x，x 中没有一个是不死的” =“没有任何东西是不死的”。为了转换含“某些”这样的表达式的命题，弗雷格沿用了逻辑学家们长久以来所认可的对等关系，举例来说，“某些罗马人是懦夫”与“并非所有罗马人都不是懦夫”对等。于是，“某些事物是有死的”就等于“不存在没有任何东西是有死的情况”，这又等于 $\sim(x)\sim(x$ 是有死的$)$。就“某些”而言，弗雷格的追随者们为了方便起见，把符号(Ex)用作“$\sim(x)\sim$”的对等物。弗雷格的记号及其缩写可以被用来陈述不同类型事物的存在。例如，“$(Ex)(x$ 是一匹马$)$”，就是说“有马匹”(正如弗雷格注释的，这个命题应当被理解为包含只有一匹马存在的情况)。

弗雷格认为所有类型的对象均能被命名，比如，数量可以用数字来命名，放置在逻辑记号当中的变量可以用任何事物的称谓来填充。这样一来，$(x)(x$ 是有死的$)$的意思不仅仅是说每一个人都是有死的，而是说任何一个事物都是有死的。假如这样理解，它就是一个假命题，因为，比如说数字 10 就不是有死的。

实际上,我们很少想陈述这样一个不严格的全称判断。最常见的情况是,我们想要说某个特定种类中的每一件东西具有某种特定的属性,或者每个具有某一既定属性的东西也具有另外一种特定的属性。所有人都是有死的,或
105 者上升的东西必然会衰落,是日常语言中典型的全称命题。在弗雷格的体系中,为了表达这样的命题,我们必须把他的谓词演算(关于诸如“某些”和“所有”此类量词的理论)嫁接到他的命题演算(命题间的联结,关于诸如“假设”与“和”的理论)上面。

在弗雷格的命题逻辑体系里,最重要的因素是一个表示条件的符号,它大致相当于日常语言当中的“假如”(if)。在古代,斯多亚主义的逻辑学家费罗(Philo) 这样来定义“假如 p,那么 q”,说这是一个当 p 为真 q 为假时为假,而在其余三种情况下均为真的命题。① 弗雷格用类似的方式来定义表示条件的符号(我们可以把它表示为“→”)。他警告说,这不完全对应于日常语言中的“假如……那么”。如果我们认为“$p \rightarrow q$”等同于“假如 p,那么 q”,那么“假如阳光是明亮的,那么 $3 \times 7 = 21$”,“假如永恒的运动是可能的,那么猪也能够飞翔”这样的命题就是真的,只是因为第一个命题的结果是真的,而第二个命题的前提是错误的。“假如”(if)在日常语言中的用法是不同的;在“假如那些窗帘与沙发相匹配,那么我就是一个荷兰人”这样的命题中,其用法最接近于“→”。弗雷格的符号可以被看成是“假如”(if)这个单词的精简说法,用来捕捉其意义当中一个方面,这个方面对归结包含它的严格证据来说是必要的。

在弗雷格的术语中,“……→……”是一个把命题当做其变量的函项:它的值也是命题。作为值的命题(以“$p \rightarrow q$”为形式的命题),其真伪将仅仅取决于作为其变量的(“p”和“q”)命题的真伪。我们可以把这种函项称为“真值函项”(true-function)。条件在弗雷格体系中并不是唯一的真值函项。由“~”代

①参看本书第一卷,138 页。

表的否定也是真值函项，因为当被否定的命题为假时，一个否定性的命题恰恰是真的，反之亦然。

借助于上述两套符号，弗雷格建立了一整套的命题逻辑体系，从一组有限的原始真理或公理那里推导出所有的逻辑真理，例如，“$(q\to p)\to(\sim p\to\sim q)$”和“$\sim\sim p\to q$”。除“假如”之外的连词，“和”与“或者”均以条件和否定的方式被限定下来。这样就排除了“p 假而 $\sim q$ 真”的情况：这意味着 p 和 q 不全为假，所以等同于“p 或者 q”（现代逻辑符号的写法是“$p\vee q$”）。“p 和 q” 106
（“$p\&q$”）被弗雷格转换为“$\sim(q\to\sim p)$”。弗雷格认识到，另一种体系也是可能的，其中合取式是初始形式，条件是按合取式的否定来定义的。但是，在逻辑上弗雷格主张演绎比合取更加重要，这就是“假如”，而非“和”被视为初始形式的原因所在。

早期的逻辑学家们就推理制定了一定数量的规则，这些规则指导人们从一个命题出发推导出另一个命题。其中最为人们所熟知的是肯定前件式（*modus ponens*）：“从‘p’和‘假设 p，那么 q’中推出‘q’”。在弗雷格的体系当中，他要求把所有运用它的逻辑规则证明为推理的唯一规则。体系中的其余规则和定理均由它们得到证明。这样一来，传统上被称为对位的规则，也就是允许自

假如约翰打呼噜，约翰在睡觉

推出

假如约翰不睡觉，约翰不打呼噜

的规则就由上面所引的第一条公理证为合理的规则。

当我们把弗雷格的命题演算与谓词演算合在一起，我们便可用表示全称

和条件的两种符号来总结日常语言当中的全称命题。表达式

$$(x)(Fx \rightarrow Gx)$$

可以被读为

> 对所有的 x，假如 Fx，那么 Gx。

其意为无论 x 如何，假如 Fx 为真，那么 Gx 就为真。

如果我们将 F 和 G 分别替换成“是一个人”和“是有死的”，那么我们便得到“对于所有的 x，假设 x 是一个人，那么 x 是有死的”，这就是弗雷格对“所有人都是有死的”这个命题的翻译。其对立面“某些人是不死的”就变成了“(x)(x 是有死的→x 是有死的)”，其否定式“没有人是有死的”则变成了“(x)(x 是一个人→ ~ x 是有死的)”。通过上述翻译，弗雷格能够证明与亚里士多德
107 三段论整体内容相对应的多种定理构成了其体系中的一部分。

弗雷格的逻辑演算不止比亚里士多德的更为系统，而且也更为全面一些。例如，他的符号体系可以标记

> 每个男孩都喜欢某些女孩 = (x)(x 是一个男孩→Ey(y 是一个女孩 & x 喜欢 y))

和表面上类似(但并非如此)这一命题的被动语态说法

> 某些女孩被每个男孩所喜欢 = (Ey(y 是一个女孩 &(x)(x 是一个男孩→x 喜欢 y))

两者之间的不同。

在早先的年代里，亚里士多德一派的逻辑学家们徒劳地想要找到一种简单而显著的方法，以说明日常语言的模糊命题中存在的这种意义上的差异。我们必须提及弗雷格体系最终达到的精细性。我们看到，“苏格拉底是有死的”可以被分析为一个以“苏格拉底”为变量，以“……是有死的”为函项的命题。然而，函项“……是有死的”本身又可被视为一个不同函项的变量，即一个在更高层次上运算的函项。这就是当我们不以一个决定性的变量，而以一个位于“$(x)(x$ 是有死的)”之中的数量词来完成函项“……有死的”之时所发生的情况。于是，数量词$(x)(x$……)可以被视为建立在第一阶函项“……是有死的”之上的第二阶函项。弗雷格时常强调，初始函项是不完善的；不过它可以通过两种方式加以完善，或者把一个变量插入其变量的位置，或者使其自身成为一个二阶函项的变量。这就是当“……是有死的”中省略的部分被一个“任何事物”这样的数量词填充时所发生的情况。

皮尔士论归纳和外展

弗雷格的一些逻辑创新是在与皮尔士非常隔绝的情况下做出的；但皮尔士却从不能把其研究结果组织成为一个严格的体系，更不能以确定的形式发表它们。在逻辑史上，皮尔士的重要性更多源于他对科学研究结构的探索。演绎逻辑帮助我们对知识进行组织；但超出我们知识范围的推理类型（如皮尔士所说的“扩展推理”）则有三类：归纳、假设和类推。皮尔士认为，所有这些推理本质上均取决于抽样调查。于是，任何非演绎推理必然与数学概率论相 108
关。（*EWP* 177）

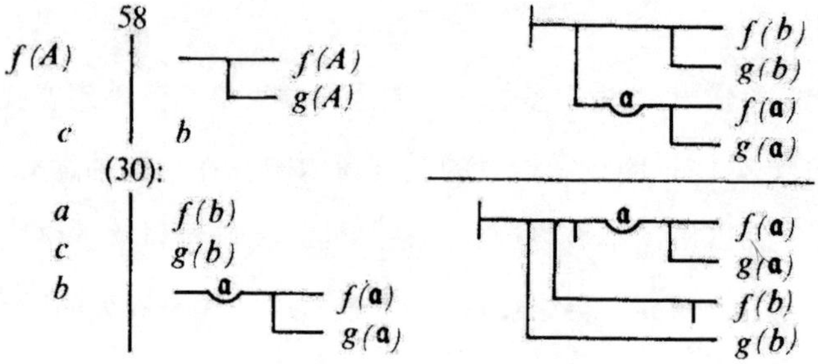

58

f(A) | f(A) g(A)

c | b

(30):

a | f(b)

c | g(b)

b | a f(a) g(a)

f(b) g(b) a f(a) g(a)

a f(a) g(a) f(b) g(b)

现代符号逻辑不再运用其创立者弗雷格的真实符号体系，它难以付诸印刷。本图标示了在他的记号体系中是如何推出"假如这个鸵鸟是一只鸟，而且不能飞，那么某些鸟是不会飞的"这一结论的模式。

科学家们构建假设，以这些假设为基础来做判断，之后进行观察以确认或推翻这些假设。上述三个研究步骤在皮尔士那里被称为外展、演绎和归纳。在外展阶段，研究者选取某一理论予以考虑。在演绎阶段，他制定出一种方法来检验它。在归纳阶段，他对检验结果进行评估。

> 科学家是如何决定哪个假设值得进行演绎检验呢？有许多理论都可以解释他想要调查的现象，这并不确定。如果他不想浪费时间、精力和研究费用，那么科学家就需要某些指引，以确定他应当探索哪种理论。这种指引由外展逻辑的规则给出。假如理论是真实的，那么它就必须是真正解释性的；它必须从经验上能够加以检验；它应当是简单的自然的，而且应当与现有知识吻合，尽管它不必符合我们就先前的相似性所持的主观观点。(*P* 7.220—221)

但是，外展规则本身不能解释科学家在选择假设方面的成功。我们不得不认为，在对自然的探索过程中，他们得到了自然本身的帮助。

> 科学预设我们拥有一种正确"猜测"的能力。我们应当放弃学习真理的全

> 部企图……除非我们能够依赖人类拥有这种正确猜测的能力,以至于在做出许多假设之前,思想猜测有望引导我们得到一个将会经得起所有检 109
> 验的假设。(*P* 6.530)

我们必须开始就预设这种假设,哪怕它尚无依据可循。但科学史实际上表明,这样的依赖是非常有依据的:“在找到正确的假设之前,天才聪慧的人很少有必要去尝试2 到 3 个以上的假设”(*P* 7.220)。

一旦选取了理论,演绎便接着外展进行。后果由假设中推出,如果假设正确,那么实验性的判断就是真实的。皮尔士主张,在归纳过程当中心灵要受习惯的支配:一个一般的想法暗示一种特殊情形。经过对个别实例判断的证实或证伪工作,科学家将确定或者推翻接受检验的假设。

归纳是检验至关重要的因素,归纳基本上是一种抽样调查。

> 假定一艘装载大量小麦的货轮到达了利物浦港。假定某种机械把所有货物完全搅动起来。假定有 27 颗麦粒分别是从船前、船中、船尾,从右舷、中间和左舷,从船舱顶部、中部和底部均衡地收集而来的,这些麦粒被混合起来,清点数量,其中有五分之四被检验为 A 级。于是,我们从经验上暂且可以推论,货物中大约有五分之四的麦子质量是相同的。(*EWP* 177)

这里说我们暂且可以推论,皮尔士的意思是,假如我们的经验得到无限扩展,而对它的每一次修正都运用得当,那么,我们的粗略估算在长时段里就会无限接近。皮尔士认为,上述推理过程并非建立在事实前提之上,而只是建立在概率的数学上面。

这样描述的演绎是量的演绎:一种自样品的比例推出数量比例的推理。

但是,还有另一种演绎,它不仅在科学方面,而且在日常生活中也是重要的。当我们自一种或更多种由观察得到的某一个体的质量推知另一种没有被观察到的质量之时,这就是质的演绎。为了说明这种演绎,皮尔士引入了“超然派”
110 (*mugwump*)的概念。皮尔士告诉我们,一个“超然派”具有某些特征:

> 他有强烈的自尊,很看重社会声誉。他对争吵不休和粗俗的交易在美国政客应对选民过程中发挥着重要作用而感到悲痛……他认定对金钱的考虑往往会在公共政策问题中成为决定性因素。他尊重个人主义和自由放任原则这些推动文明发展的最大因素。与其他观点相比,我知道这些是“超然派”的突出特征。假定我在火车上偶然遇到一个人,在谈话中,我发现他持这样的观点;我自然而然地假定他是一位“超然派”人士。这就是假定性的推理。这就是说,当选取了一些容易被证实的“超然派”标记时,我发现一个人具有这些特征,那么我就推断出他具有其余那些使其成为一位“超然派”思想者的特征。(*EWP* 210)

这个浅显的例子说明了皮尔士所描述的科学研究的三个阶段。我的旅伴痛心于国会议员身上平民式的粗俗。我做出他是一位超然派的假设。我得出结论说,他似乎反对政府对商业进行管制。我询问他对刚刚实施的一项贸易政策的看法,我的假设通过他激烈的拒斥得到印证。尽管我们还会进行深入的对话,但这也只不过是可能发生的情况而已,因为令人遗憾的是,火车上的旅途长短有限。

《数学原理》的传奇

在20世纪初的逻辑发展史上,皮尔士的逻辑研究没有留下什么印迹。倒是弗雷格的工作通过罗素和怀特海的著作得以推进，他们二人是弗雷格追求逻辑主义道路上的后继者。三卷本的《数学原理》(*Principia Mathematica*) 包含着对逻辑学的一种系统化总结，它没过多久就变得比弗雷格著作中提出的逻辑体系更为出名。

《原理》之所以更为流行，原因之一便是它以一种更加简便的记号代替了弗雷格创造的尽管灵巧但也繁复的符号，罗素和怀特海从意大利数学家吉瑟普・皮亚诺(Giuseppe Peano)那里继承了这套记号。弗雷格的体系是二维的，要求复杂的排字过程；皮亚诺的体系则是线形的，仅需少量的特殊符号加上字母即可。于是，鼻化音符“ ~ ”表示否定，“V”表示析取，马掌符号“ ⊃ ”表示真值函项的“假如”。上述逻辑连接符号至今还在普遍使用，尽管在本书中我们 111
用今天人们所偏好的符号“→”代替了马掌符号。至于合取关系，罗素和怀特海用“*p. q*”中的一个简单的点来表示；而现在的人们普遍使用表示“和”的符号如“*p*&*q*”中的“&”来代替它。罗素和怀特海把全称量化表示为：“(*x*)F(*x*)”，把存在量化表示为“(*Ex*)F(*x*)”。这些符号现在还被广泛使用；存在量化中的“*E*”有时被反向印刷。

与弗雷格的体系相同，《原理》的体系是由从一定数量的公理按照规则推出的逻辑真理所组成的一套公理体系。但是，初始的公理集合却与弗雷格不同，后者以“假设”和“没有”作为其余公理由之得到定义的初始连接词，罗素和怀特海的集合则以“或者”和“没有”(他们称之为“逻辑常量”)为基础。实际上，也可能存在其他许多带不同常量的公理集合，在随后的数十年里，逻辑学家对它们进行了研究。

但是人们很快就认识到，公理体系并不是能够赋予逻辑以严格形式的唯一方法，或者甚至也并非必然是最好的方法。这为维特根斯坦所证实，他创造了一套形式标记方法，与弗雷格的大多标记方法一样，它被写进了逻辑学的教科书里，这就是真值表(truth-table)。

我们有可能在表中制定包含命题连接词的命题的真值条件，以这种方式来定义命题连接词。这样一来，图表

p	q	$p\&q$
T	T	T
F	T	F
T	F	F
F	F	F

表示当“p”和“q”均为真时，“$p\&q$”为真，而它在其余三种可能的情况下均为假，就是说，(a)当“p”为假，“q”为真时，(b) 当“p”为真，“q”为假时，(c)当“p”和“q”均为假时。正如图表所示，“$p\&q$”的真值取决于成分命题“p”和“q”的真值；我们说，复合命题是其成分命题的真值，成分命题之间可能的
112 联合设定了复合命题的真值。

我们可以为其他逻辑常项如“或者”和“假如”制定相似的图表。“假如 p，那么 q”被写作“$p\rightarrow q$”，这可以被解释为一个真值函项的条件，在除“p”为真“q”为假之外的所有情况下，它均为真。最简单的真值表是就“没有”制定的真值表：

p	$\sim p$
T	F
F	T

这表明当对一个命题的否定为假时，这个命题为真；反之亦然。

冗长与复杂的命题可以通过重复使用逻辑常项的方法来建立，但无论其

多么复杂，它的真值总是取决于组成它的那些简单命题的真值（维特根斯坦，*TLP* 5.31）。来看下面这个命题：

假如 p 和 q，那么非 $-p$ 和 q。

下表是 p 和 q 的真值函项：

p	q	$p \& q$	$\rightarrow$	$\sim p \& q$
T	T	T T T	F	F T F T
F	T	F F T	T	T F T T
T	F	T F F	T	F T F F
F	F	F F F	T	T F F F

此表是这样制定出来的。首先，在位于每个单独命题变量显相下面的栏目填充左手前两个栏目所给定的值，它们代表一种传统的安排，确保涵盖所有可能的真值联合情况（*TLP* 4.31）。然后，在右手第四个栏目里“非 p”的真值位置上、符号“ ~ ”的下面，填充“p”的真值反面。“&”下面的栏目填充由上表推出的选言命题的真值。最后，“→”下的栏目值被计算出来，其真值是从“假如……那么”这个真值函项的定义那里被推导出来的。这一栏目表示了整个复杂公式的真值，而这个复杂的公式是针对成分命题真值之间每种可能的联合来制定的。假如“$p\&q$”为真，那么这个公式就为假，在其余几种情况下，它则为真。 113

当我们以上述方式为复杂的命题制定真值表之时，我们有时会发现，针对其基本命题的每一可能的真值，它们均取相同的真值。这样一来，无论“p”是真还是假，“p 或者非 p”均是真的。如下表所示：

$p \quad p \vee \sim p$

T TTFT

F FTTF

另一方面,无论 p 如何,命题“p 和非 p”均为假:

$p \quad p \ \& \sim p$

T TFFT

F FFTF

针对其基本命题的所有真实可能性而言,一个命题均为真的命题被称同义反复(*tautology*),针对其基本命题的所有真实可能性而言,一个命题均为假的命题则被称为矛盾命题(*contradiction*)。以上设定的同义反复对应于排中律,以上设定为否定矛盾命题的同义反复则对应于非矛盾律。上述两项规则是三项传统思维规则中的两项。

同义反复的研究就这样与旧逻辑学联结起来,但它也标志着弗雷格在处理命题逻辑方面的进步。所有被维特根斯坦证为同义反复的公式,要么是弗雷格体系中的公理,要么是其中的定理。相反,任何为弗雷格的公理所证实的东西都是同义反复。真值表方法和公理体系由此成为处理同一材料的两种手段,即命题演算的逻辑自明之理。然而,真值表方法比公理方法拥有更多的优点。

首先,它将所有的逻辑真理置于同一水平之上,而弗雷格的体系和《原理》的体系则倾向于将人为选出的一组逻辑真理设定为公理。第二,逻辑没有必要求助于任何自明的东西:真值表完全是机械化的,它能由一台机器来制定。最后,给定一个命题的演算式,我们便可以用一个真值表来确定它是同义反复与否。一套公理体系则不提供类似的东西。如果我们发现了证据,我们就确知这个公式是个定理;如果我们不能发现证据,那么这只不过昭示了我们自身 114
心智的局限。当我们被问及“p 是同义反复与否”时,维特根斯坦的方法为我们提供了一种连傻子都明白的证据方法,这就是既回答“是”又回答“不是”。公理方法就不能提供这样一种类似的决策程序(用当今的逻辑学家们所使用的一个标准术语来说)。

由弗雷格、罗素和维特根斯坦分别以不同方式制定的经典命题演算,受到来自布劳维尔(L. E. J Brouwer)一派逻辑学家们的批评,前者为数学上对排中律的运用感到悲哀。这些被称为“直觉主义者”的逻辑学家们,将数学看做人类心灵的一种建构,因此,他们认为只有能够被证明的数学命题才会有真理可言。基于此,在无独立证据的情况下,只是因为人们反驳了“非 p”就肯定“p”的做法是错误的。直觉主义者创造了一套体系,它没有“$p \vee \sim p$”,也缺少其他像“$\sim \sim p \rightarrow p$”这样人所熟知的定理。

二十世纪二三十年代的逻辑学家们证明,命题和谓词演算可通过许多不同的方式予以制定。除包含一组或者另一组的公理、再加上一定数量的推理规则的公理体系之外,人们还会有一套虽然没有规则却有若干组公理,或者一套虽然没有公理却有一定数量规则的体系。后者在 1934 年由格奥尔格·根岑(Georg Gentzen)创造出来,它包括 6 条导入逻辑常项和数量词的规则和 8 条例外规则。以这种方式出现的形式逻辑,比任何的公理体系都类似于日常生活中的非形式推理。因此,这类体系被称为“自然演绎”体系。它们不仅适用于经典的逻辑,也适用于直觉主义逻辑。

除了创造各种使逻辑体系化的方法之外,逻辑学家们还热衷于就各种体系的特性建立二级真理。一套逻辑体系理想的、必不可少的特性之一便是一致性。举例来说,给定一组公理和规则,我们需要表明,按照规则,从那些公理中永远不可能推出两个相互矛盾的命题。另一个理想的但不必须的性质是独

立性:我们想表明,这个体系中没有任何一条公理可以根据规则从该体系中的
115 另一公理中推导出来。逻辑学家保罗·伯纳斯(Paul Bernays)在1926年就指出《数学原理》的体系是一致的,其中的四个公理相互独立,而第五个公理可以作为论点从其他四个公理中推导出来。

证明一致性与独立性的方法依赖于把一套演绎体系当中的公理和定理简单地当做抽象的公式,而把这一体系当中的规则简单地当做自一个公式推导出另一个公式的机械程序。可以通过给出一组作为模型的对象,或者通过解释抽象演算的方式来研究体系的特性。体系当中的因素被映射到对象以及对象与对象的关系,其方式能够满足或者证实体系当中的公式。公式 P 使公式 Q 成为必要,当且仅当所有适于 P 的解释也适于 Q。这种模型论的逻辑研究方法渐渐取得了与先前集中于证据观念的方法相同的重要性。

完整性是逻辑学家们在大战期间所探索的演绎体系的第三种特性。当且仅当每个真值表的同义反复均可在体系内得到证明时,对命题演算的公理式呈现才是完整的。1928年,希尔伯特(Hilbert)和艾克曼(Ackermann)提出证据,证明《数学原理》中的命题演算在此意义上是完整的。其实,在另一个奇特意义上,它也是完整的,这就是当我们把任何非同义反复的公式作为公理加入时,我们就会得到一种矛盾命题。1930年,库尔特·哥德尔(Kurt Gödel)证实,一阶谓词演算,量化的逻辑在松散而非严格的意义上是完整的。

于是便出现一个问题:算术逻辑是不是与普通逻辑一样具有完整的体系?弗雷格、罗素和怀特海希望把算术构建成逻辑学的一个分支。罗素写道:"如果还有人不承认逻辑与数学的同一性,我们就可以问问他们:在《数学原理》连续不断的定义和演绎中,他们认为哪一点才是逻辑的开端和数学的结束呢?"(*IMP* 194.5)。假如算术是逻辑学的分支,假如逻辑学是完整的,那么算术也将会是一个完整的体系。

哥德尔在写于1931年的一篇划时代论文中指出,算术不能、也不可能是

一套完整的体系。哥德尔用巧妙的办法在《原理》体系中建立了一个公式，公式显然是真实的，但它在体系之内却无法得到证明：这实质上是个无法证明自身的公式。其做法是，指出如何才能使《原理》的符号与自然数字联合起来，从而把逻辑公式转化为算术命题，这种方法使两个逻辑公式之间的关系对应于 116
与之联结在一起的数字之间的关系。具体来说，假设一组公式 A，B，C 是公式 D 的证据，那么在四个公式的哥德尔数字间将会产生一种特定的数字关系。之后，他又继续建立了一个公式，后者只有当相关的哥德尔数字违反算术规则时才会在体系内拥有一个证据。因此，这个公式必然不可证明；然而哥德尔却可以证明，从体系外看，这是一个真实的公式。或许我们会想到，把不可证明的公式作为一个公理加入体系中就可以解决上述问题；但这会导致其他不同的、无法证明的公式随之建立，如此类推直至无限。于是，我们不得不得出结论，算术是不完整的，也是无法完善的。

即使一套体系是完整的，这也并不意味着总会有一种方法可以判定某一具体公式是否有效。能够找到证据固然可以证明它是有效的；但无法找到证据并不能证明它就是无效的。有这样一种决定命题演算的程序：真值表的方法将揭示某物究竟是否为同义反复。正因为算术是不可完善的，我们就更有理由认为它是不可决定的。然而，在命题逻辑与算术之间，究竟何者才是一阶谓词逻辑，即被哥德尔证明为完整的体系？有一种决定程序吗？逻辑学家们为此付出的辛勤工作证明体系中确实在部分上是完整的，但对整个演算来说，并没有任何决定程序，我们也不能制定一个令人满意的规则来决定究竟哪些部分是可以决定的，哪些部分又是不可决定的。

现代模态逻辑

与此同时，其他逻辑学家也在研究人们从中世纪以来就忽略掉的一个逻辑分支，即模态逻辑。模态逻辑是关于必然性与可能性观念的逻辑。现代模态逻辑的研究始于莱维斯（C. I. Lewis）在 1918 年撰写的著作，他是通过蕴涵理论进入这一论题的。什么是一个命题 p 蕴涵另一命题 q？基于"假如 p 和 $p \to q$，那么 q"是有效的推理，罗素和怀特海把马掌符号（即真值函项"假如"）用作蕴涵符号。但他们意识到这是一种奇怪的蕴涵形式，例如，它使任何假命题都必然会蕴涵每一个命题，于是他们把它命名为"实质蕴涵"（material implica-
117 tion）。莱维斯则认为唯一真正的蕴涵是严格的蕴涵：只有当 p 应为真，q 应为假的情况不可能发生时，p 蕴涵 q。他主张，"p 严格蕴涵 q"等同于"q 在逻辑上跟随 p"。他勾画出了种种公理体系，其中表示实质蕴涵的符号被一个表示严格蕴涵的新符号所代替，这些体系是模态逻辑最初的形式体系。在许多批评者看来，严格蕴涵的矛盾程度并不亚于实质蕴涵，因为一个不可能成立的命题严格蕴涵着任何一个命题，以至于"假如猫是狗，那么猪能飞"都成了真的。

然而，莱维斯的模态研究自有其有趣之处。他提出了 5 套不同的公理体系，并分别用数字把它们标注为 S1 至 S5，指出其中的每一组公理都是一致的和独立的。它们长度不均。例如，S1 不允许有一个使"假如 $p\&q$，那么 p 是可能的，q 是可能的"（这似乎非常可信）成立的证据出现，但 S5 则包含"假如 p 是可能的，那么 p 必然是可能的"（这似乎更加可疑）。从某些方式来说，最有趣的体系是 S4，哥德尔证明后者等同于《数学原理》中具有以下附带公理的逻辑（"假如"应读作实质的，而非严格的蕴涵）：

（1）假如 p 必然，那么 p。

（2）假如 p 必然，那么（假如［假如 p 那么 q］必然，那么 q 必然）。

（3）假如 p 必然，那么必然 p 必然。

此外，他还附加一个规则，即假如"p"是体系中任一论题，那么我们亦可加上"p

必然”。该体系利用了必要性(以“□”表示)和可能性(以“◇”表示)之间的相互规定性。正如古代和中世纪的人们所熟知的,“必然地”可以被定义为“不可能不”,“可能地”可以被定义为“不必然不”。

针对模态逻辑范围内部制定的许多命题,逻辑学家们还未就其真值形成共识。其中最有争议的是模型算子往复循环的命题。哥德尔曾经制定的 *S4* 就包含着下面两个作为可推导论题的公式:

假如有可能 p 可能,那么 q 可能。

假如 p 必然,那么必然 p 必然。

但它不包含以下两个命题: 118

假如 p 可能,那么 p 必然可能。

假如 p 必然,那么 p 必然。

在 S5 中,二者可以被证明,它们是这一体系的标志性特征。至于 S4 和 S5 作为模态逻辑体系所具有的优势,今天人们还在争议当中,而上述争论不止局限于逻辑学家们之间。比如,某些宗教哲学家论道,假如一种必要的存在(如上帝)可能存在,那么一个必要的存在就确实存在着。它暗中借助了上面所列 S5 诸论题当中的第二个论题。

模态算子与谓词逻辑的数量词间存在许多相似之处。“必然”与“可能”的相互规定性类似于“所有”与“某些”的相互规定性。正如从“对所有的 x,Fx”必然推得“Fa”一样,从“p 必然”也会必然推出“p”,正如从“Fa”必然推得“对某些 x,Fx”,从“p”必然推出“p 可能”。模态逻辑中的分配规则类似于量化理论中的分配规则:这样,p 和 q 是必然的,当且仅当 p 和 q 都是必然的,而 p

或 q 是可能的，当且仅当或者 p 是可能的，或者 q 是可能的。缘此，如果我们把量化引入模态逻辑，同时使用模态算子和量化词，那么我们就会有一套与双重量化类似的体系。

在量化的模态逻辑中，重要的是标记算子和量词出现的次序。我们容易看到，“对所有 x，x 可能是 F”与“对所有 x，x 为 F 是可能的”不同。在公平的博彩活动中，每个人都有机会成会赢家，但不存在使每一个人都成为赢家的机会。同样，我们必须把“有某物必然 Φs”与“必然有某物 Φs”区分开来。某个肥胖无比的人必然存在。但此人不必肥胖成这样：他完全可能通过瘦身，不再使自己成为最肥胖之人。模态算子位于量词之前的命题（如上述两对命题每对中的第二个）在中世纪被称为 *de dicto*（言语的），而量词在先的命题（如上面上述两对命题每对中的第一个）被称作 *de re*（事实的）。这些术语经过现代模态逻辑的修正，被用来表示非常类似的区分。

尽管模态逻辑与量化理论存在着雷同之处，但是一旦我们把同一性观念引
119 入这一体系，两者就会产生重要的差异。在奎因制定的技术术语中，模态逻辑学在指称方面是模糊的，量化的语境则不然。指称含糊性的规定是这样的。令 E 为具有 A = B 形式的一个命题（A 和 B 是相互指涉的表达式）。那么，假如 P 是一个包含 A 的命题，Q 是一个除了包含 B，而 P 包含 A 之外在一切方面均类似于 P 的命题，那么当 P 和 E 不同时包含 Q 时，P 在指称方面就是模糊的。

我们容易通过下面的方式把模态语境看做是模糊的。如当奎因写道，行星的数目是 9，“9 大于 7” 必然是真的，但“行星的数目大于 7”必然不是真的。由于这种模糊性的存在，一些逻辑学家，特别是奎因完全拒绝了模态逻辑。但是，1960 年代的许多逻辑学家，尤其是福勒斯达尔（Føllesdal）、克里普克（Kripke）、辛蒂卡（Hintikka）的著作使模态逻辑为人所崇敬。

模态逻辑的核心思想是利用量化与模态的相似性，把必然性规定为在所有可能的世界里均为真理，把可能性规定为在某些可能的世界里是真理。于

是，平白的真理被理解为现实世界中的真理，它是所有可能世界中的一个真理。谈论可能的世界不必涉及任何形而上学的含义：如果想要达到模态语义学的目标，任何一个拥有恰当的形式结构的模型足矣。

为了说明语义学的安排，让我们来考察一下一个宇宙，它仅由两个对象 a 和 b 与 3 个谓词 *F*，*G*，H 组成，假定在这个宇宙当中有三个可能的世界，其中第二个世界是真实的世界，我们可以称它为“阿尔法”。

世界 1	*Fa*	~*Ga*	~*Ha*	~*Fb*	*Gb*	*Hb*
世界 2	*Fa*	~*Ga*	*Ha*	~*Fb*	*Gb*	~*Hb*
世界 3	*Fa*	*Ga*	~*Ha*	*Fb*	*Gb*	*Hb*

如果必然性是所有可能世界里的真理，那么在这个宇宙当中我们就有“*Fa* 必然”和“*Gb* 必然”。论题“假如 *p* 必然，那么 *q*”就通过阿尔法即真实世界中的真理 *Fa* 和 *Gb* 表现出来。如果可能性是在某些世界里是真理，例如，我们就有“*Fb* 可能”和“*Ga* 可能”，尽管阿尔法中的“*Fb*”和“*Ga*”为假。

我们在上面看到的造成问题的模态词反复，现在则根据被定义为不同的可能世界间的一种关系得到解释。一个可能的世界可能或者不可能从另一个世界进入。当我们用一个单独的算子如“*p* 可能”时，我们就会说，“在某个能 120
从阿尔法进入的世界贝塔当中，*p* 是真的”。如果我们重复一下，说“可能 *p* 可能”，我们的意思是“在某个能从贝塔进入的世界伽马当中，*p* 是真的”。我们不能想当然地认为，每个能从贝塔进入的世界也能从阿尔法进入：是否能够如此取决于可进入关系如何定义。这反过来决定着哪一个体系——例如，莱维斯的 S1—S5——切合于我们的目的。

在模态逻辑中，假如我们希望予以把握的观念是逻辑必要性和可能性，那么每个可能世界都将可以由其他每个可能世界进入，因为逻辑是普遍的和超越的。然而，必要性和可能性还拥有其他形式。例如，认识论的必要性和可能性，在这里，“p 可能”意为“相反，就一切我所知道的东西而言，p”。哲学家们同样也把模态观念扩展到许多不同的语境当中，在那里，成对的算子以类似于典范模态算子的方式运行。例如，在时间逻辑中，“总是”对应“必要”，“有时”对应“可能”，两对算子均可通过否定来相互规定。在义务性逻辑即关于义务的逻辑中，“义务”是必要性的算子，“被允许”是可能性的算子。在这些以及其他情形当中，可进入关系需要细致的定义：例如，在一个时态逻辑中，未来的世界可以由真实（即现在的）世界进入，而不是过去的世界。①

指称的模糊性问题出现在所有这些广泛的模态语境当中。它可通过区分两种类型指称的方式得到解决。按照克里普克的术语，要成为一个真正的称谓，一个术语必须是一个严格的指号；这就是说，它必须在每个可能的世界里拥有相同的指称。也有指称取决于其意义的表达式（如“氧气的发现者”），并且可以随着一个可能世界进入另一个可能世界而发生变化。一旦我们做出这个区分，人们就容易接受诸如“9 = 行星的数目”之类的命题并非是真正联结两个称谓的同一性命题。“9”确实是跨越多个可能世界保持指称不变的一个严格的指号；然而，“行星的数量”则是在不同的世界里或许会指向不同数字的一个摹状词。

---

①时间和时态逻辑发端于普里奥（A. N. Prior）《时间与模态》（*Time and Modality*）（Oxford：Oxford University Press，1957）一书的研究；义务逻辑则始于莱特（G. H. von Wright）《论义务逻辑》（*An Eassy on Denotic Logic*）（Amsterdam：North -Holland，1968）一书。

第五章

语言

在19世纪的进程中,许多哲学家把注意力更多地移 121
向了意义这个话题。词汇和语句指称什么?它们如何指称,它们都是以同样方式指称的吗?意义与真理之间是什么关系?今天,这些问题以一种中世纪以来从没有感受到的紧迫性向我们袭来。

弗雷格论意义与指称

意义理论的发轫之作是弗雷格在1892年发表的《意义与指称》(*Sense and Reference*)。这篇论文以一个有关同一性命题的问题为开端。同一性是否是一种关系?如果它是一种关系,那么它是符号与符号之间,还是符号所指事物之间的一种关系?它似乎并非符号所指对象之间的关系,因为果如此,当"$a=b$"为真,那么我们将无法区分"$a=a$"与"$a=b$"。另一方面,它似乎亦非符号与符号之间的关系，因为称谓是约定俗成的，当一个形式为“$a = b$”的命题表达的是符号间的某种关系时，它就不表达任何语言世界之外的事实。然而，诸如“晨星与夜星是相同的”之类的命题所表达的不是语言上的同义反复，而是天文学上的一个发现。

弗雷格通过区分两种不同类型的指称解决了上述问题。在其他哲学家谈
122 论意义的地方，弗雷格引入了表达式的指称（其所指对象，如金星指“晨星”）与表达式的意义（符号呈现所指事物的具体模式）之间的一种区分方法。“晨星”在意义上区别于“夜星”，尽管人们发现两个表达式均指金星。弗雷格说，一般情况下，当表示同一性关系的符号两边分别有两个指称相同而意义不同的称谓时，这个同一性命题便是真的，它能够提供信息。如例证所示，弗雷格是在广义上使用“称谓”这个词语的，后者包含多种复杂的对象指号。他预备把所有此类指号均称为“专有称谓”（*CP* 157—8）。

弗雷格把意义与指称的区分应用到所有类型的命题之上。他对意义的说明包含三个不同层面的因素：符号及其意义和指称。我们用符号表达一种意义，指示一个指称（*CP* 161）。在规则完整的语言当中，弗雷格认为，每个符号有且只有一个意义。在自然语言当中，“bank”和“port”之类的词汇是模糊的，但“亚里士多德”之类的称谓可以有多种不同的说法；我们必须满足于相同的词汇在相同的语境下拥有相同的意义。另一方面，即使理想的语言也不会要求每个意义只能有一个符号。同一个意义在不同的语言当中，甚至是在相同的语言当中，也会有不同的表达方式。好的翻译保存了原文的意义。在翻译中失去的东西被弗雷格称为语言的“色彩”。对诗歌来说，色彩是重要的，逻辑则不然；意义的呈现并非是客观的。

词汇意义是当我们理解该词时所把握到的东西。词汇与心理意象极为不同，尽管如此，当符号指称有形的对象时，我完全可以拥有与之联结的一个心理意象。意象是主观的，因人而异；一个意象或是我的意象，或是你的意象。

另一方面,一个符号的意义是所有操该语言的人共有的特性。因为意义正是以思想可以代代相传的方式成为公共性的。

对弗雷格来说,不止是专有称谓——无论简单与复杂——才有意义和指称。整个命题如何,何者表达了思想？思想,也就是说命题的内容是其意义或指称吗？ 123

> 让我们姑且假定命题具有指称。如果我们现将命题中的一个词汇替换成另一个具有相同的指称而意义不同的词汇,这并不影响命题的指称。但是,我们可以看到在这种情形下思想发生了变化;因为,例如,命题“晨星是被太阳照亮的天体”中的思想与命题“夜星是被太阳照亮的天体”所表达的思想不同。任何一个不知道晨星就是夜星的人都会认为一种思想是对的,另一种思想是错的。所以,思想不能是命题的指称,但必须被视为其意义。(*CP* 162)

假设命题表达的思想并非其指称,那么命题还有一个指称吗？弗雷格认为命题可以没有指称:诸如《奥德赛》之类虚构作品中的命题。但是,这些命题之所以缺乏指称,原因是它们包含缺乏指称的称谓,如“奥德赛”。其他命题确有指称;正是对虚构命题的考察使我们能够决定指称究竟是什么。

我们必然要期望,命题的指称取决于组成这个命题的各个部分的指称。让我们来看看当一个命题的组成部分缺乏指称时,它丢失了什么。如果一个称谓缺乏一个指称,这并不影响思想,因为它仅仅取决于命题组成部分的意义,而非其指称。只有当我们把《奥德赛》看成科学而非神话,只有当我们想认真对待其中的命题的对错之时,我们才需要指派给“奥德赛”一个指称。“为什么我们想要每个专有称谓不仅有一个意义,而且还要有一个指称呢？为什么思想对我们来说还不够呢？因为我们最终关注的是其真值”(*CP* 163)。弗雷格说，某种东西驱使我们把命题的指称看成其真值，无论后者是真还是假。每个被严肃提出的指示性命题均是一个或另一个此类对象的称谓。所有真实的命题均有各自相同的指称，虚假的命题也是这样。

因此，一个命题与其真值的关系与一个称谓与其指称的关系是相同的。这是一个令人称奇的结论：诚然，断定猪长有翅膀与命名任何事物极为不同。对此，弗雷格并无异议；但那是因为断定一个命题不同于把主词与谓词组合成
124 一个命题的做法。“主词和谓词（从逻辑意义理解）的确是组成思想的因素；它们与有待理解的事项同处于一个层面。通过主谓词的结合，我们只是达到了一种思想，却从来没有从意义过渡到指称，从来没有从思想过渡到其真值”（*CP* 164）。在未经断定的情况下，命题或许可以作为分句出现在条件句当中，例如“假设猪长有翅膀，那么猪就可以飞翔。”尽管每个严肃命题均会命名一个真值（这里真值为假），但仅仅使用一个命题无须使用者指出其真值来。只有当我们断定一个命题之时，我们才说它是真实的一种称谓。

自弗雷格以降的许多哲学家都运用了意义与指称的区分，并接受了陈述与断定二者存在巨大差别的看法；但近乎所有人都拒绝了完整的命题应有一个指称的观念，无论这个指称属于什么类型。实际上，从弗雷格晚期的著作来看，他似乎放弃了存在两个巨大的对象即真实或虚假的思想；相反，他转而接受了真理不是一个对象，而是一种属性的看法，尽管会有一种无法予以规定的属性即自成一类这种情况存在（*CP* 353）。

晚年的弗雷格越来越对语言不能被逻辑体系所把握的方面感兴趣，这就是思想表达中的“色彩”。科学语言可以说以白描的方式呈现思想；然而，在人文学科学中，命题可以借助情感使思想穿上多彩的外衣。我们说出“唉！”“感谢上帝！”这样的词汇和短语，我们用“劣狗”（cur）如此富于感情的词汇而不是“狗”（dog）。逻辑并不关注于这些命题的特征，因为它们不影响其真值。含有“cur”而非“dog”的命题并非只是因为说话者没有觉察这个词所表达的敌

意而变成了假的(*PW* 140)。

125

name) zu Gegenständen in Beziehung steht. Meine Meinung mag folgendes Schema verdeutlichen:

Satz	Eigenname	Begriffswort	
↓	↓	↓	
Sinn des Satzes (Gedanke)	Sinn des Eigennamens	Sinn des B.	
↓	↓	↓	
Bedeutung des Satzes (Wahrheitswerth)	Bedeutung des Eigennamens (Gegenstand)	Bedeutung des B. (Begriff)	→ Gegenstand, der unter den Begriff fällt.

Beim Begriffsworte ist ein Schritt mehr bis zum Gegenstande als beim Eigennamen und der letzte kann fehlen – d.h. der Begriff kann leer sein –, ohne dass dadurch das Begriffswort aufhört, wissenschaftlich verwendbar zu sein. Ich habe den letzten Schritt vom Begriffe zum Gegenstande seitwärts gezeichnet, um anzudeuten, dass er auf derselben Stufe geschieht, dass Gegenstände und Begriffe dieselbe Objectivität haben (meine Grundlagen §47). Für den dichterischen Gebrauch genügt es, dass Alles einen Sinn habe, für den wissenschaftlichen dürfen auch die Bedeutungen nicht fehlen. In den Grundlagen hatte ich den Unterschied zwischen Sinn und Bedeutung noch nicht gemacht. Ich würde

弗雷格致胡塞尔的一封信,其中解释了意义与指称的区分。

在题为《思想》(*The Thought*)的论文中,弗雷格思考了由动词时态以及指示词“今天”、“这里”和“我”所代表的语言特征。如果一个句子含有一个时态动词如“天正在下雪”,那么为了把握这个句子所表达的思想,你就需要知道这个句子是什么时间说的。同样的事情也发生在第一人称代词的使用上。彼德说“我饿了”与保罗说“我饿了”二者所表达的思想并不一致。或许一个是真的,另一个则是假的。根据弗雷格的看法,相反的情况也会发生。假设在 12
126 月9 日这天,我说“昨天正在下雪”与我在 12 月8 日这天说的“今天正在下雪”所表达的思想是相同的。尝试将这种复杂性纳入形式逻辑体系当中,这要留待后世的逻辑学家们去做。

实用主义者论语言与真理

在不知弗雷格的情况下提出量化理论的查尔斯·桑德尔斯·皮尔士也用不同的术语系统表述了弗雷格的语言哲学洞见。两位哲学家都拒绝主谓词的传统区分方式,并将命题分析成两类因素,其一是一套完整的符号(弗雷格《概念文字》中的变量),其二是一套不完整或未饱和的符号(《概念文字》中的函项)。弗雷格名之为“变理”的称谓,皮尔士称之为“标记词”,弗雷格的表达式或函项被皮尔士称为“图像”。对皮尔士来说,一个特别重要的图像类别是关系表达式。他写道,“在一种关系命题当中,表示相互关联的记号应当被视为如此众多的逻辑主词,而关联词本身则应当被视为谓词。”在处理涉及两元(two-place)关系的命题如“约翰爱玛丽”时,皮尔士的做法与弗雷格略有不同。但是,通过考察被其称为不同关系的“组配数额”(即变量数目),他在两个方面上扩展了关系观念。使其特别感兴趣的是三元关系(约翰把驱雾器交给了玛丽);除去有两个或更多主词的“多元关系”之外,他就日常生活当中的一元谓词如"……是聪明的"引入了"单子关系"(monadic relationship)这一术语。他甚至还愿意把完整命题称为"零关系"(medadic relationship),这是一个拥有零(在古希腊文中,"零"为 *meden*)未饱和元的关系命题。

皮尔士的逻辑与语言理论体现在一种普通符号理论当中,他称后者为"符号学",他非常看重它。符号通过一个思维存在的理解和解释成为一个对象的代表;解释本身又是一个深层的符号。皮尔士称外部符号为"代表项"(representamen),称被理解的符号为"解释项"(the interpretant)。符号的符号学函项是代表项、对象与解释项之间的一种三元关系。 127

皮尔士划分符号为三类。首先是自然符号:例如,云是雨的自然符号,被剥去的树皮或许是鹿曾经到来的符号。其次是图像符号,它通过与对象的相似性来指涉后者。最明显的例子是自然主义绘画和雕塑,但也有其他的例子,如地图。一个图像符号必须拥有两个特征:(1)它与对象应当共有某些特征,假设两者中的一个不在,另一个也会有这些特征;(2)上述特征的解释应当由惯例确立。最后是这些符号,词汇是其最重要的例子,但它们又包括制服和交通信号之类的东西。与图像符号一样,它们是约定俗成的,但与图像符号不同,它们的运作不依赖其与对象的任何相似性。

皮尔士之后的理论家们把符号学划分为三个不同的学科:句法学,研究语法及构成语法结构的因素;语义学,研究语言与现实的关系;语用学,研究交流的社会语境及其目的和后果。皮尔士本人的著作运作于所有三个学科的界面上;尽管其学派的名称是"实用主义者",但其追随者的著作却集中研究两个关键的语义学概念,即意义与真理。

皮尔士和詹姆士以相似的方式来解释意义:为了揭示一个言词究竟是什么意义,你必须研究当其取真值时的实用后果,如果两个不同信念的后果没有差异,那么它们实际上就是同一信念。然而,詹姆士主张一个信念的真实取决其后果如何,而非它的意义,或者说,前者毋宁取决于相信它的后果如何。假

设我相信 p 是长远以来能够得到回报的东西,其总体后果会对我的生活有益,那么 p 对我而言则是真实的。皮尔士告诉我们,实用主义者的主张是:

> 细加思索,真理是我们的一种信念态度,它们是伴随着满足的态度。围绕满足的思想最初只是挑战一种信念,或者召唤一种信念并立足于这一信念之上的假设。实用主义者的真理思想正是这样一种挑战。接受它,他
> 128 感到非常满足,随之立足于它。(*T* 199)

他认为,实用主义与现实主义并没有丝毫的不一致之处。而真理与现实则不是一回事儿;真理是所知、所想和对现实的言说。实际上,独立于任何信仰者的现实观念,如詹姆士所说,基于实用主义的真理定义。任何一个命题要使成为真实的就必须与事实大体吻合。

> 实用主义把"一致"规定为某些"起作用"的方式,无论这种方式是现实的还是潜在的。因此,我的陈述"课桌在"要想成为就一张你认为它存在的桌子所做的真实陈述,它就必须能引导我去摇晃桌子,并用指示进入我内心的那张桌子的言词说服自己,描绘出一张如你所看到的一样的课桌等。只有这样,我说它与那个现实相符才有意义,只有这样我才能满足于倾听你对我的确证。(*T* 213)

诸如此类的段落表明,实用主义增加而非抽去了真理的常识观念。看来,要使"p"为真,不仅 p 必须为真,它还必须得到实际证明,或者说 p 至少是可以证实的。当一个信念是真的时,其对象则存在,对这个说法持有异议的人,詹姆士的回应是:"从合理的实用主义原则来看,它必定是存在的"。他问道,我认为我的一个观点是真的,世界如何对我又有什么区别呢?"首先,在这个世

界当中，符合这个观点的对象必须是可以找到的（或者必须找到表示这一对象的可靠符号）。其次，一个观点必须与我所知道的其他东西不产生矛盾”（*T* 275）。

虽然詹姆士的说法方式直白、粗浅，但他更多的是一位语焉不详的作者，人们很难弄清他对这个问题的态度，即假如没有与之对应的事实存在，一个命题还能真实与否。他通过构造一种相对真理的观念在尽力规避这个问题。他告诉我们，在人类生活当中，“真理”这个词只能“相对地用在某些特殊的信仰者身上”。批评家们反驳道，某些不为任何人所知的真理（如史前的）是存在的；对此，詹姆士回应说，尽管这些真理从来不会成为实际的知识对象，但它们总是可能的知识对象，在定义真理之时，我们当然应该优先考虑真实的而非仅仅是虚拟的东西。但是，针对其真理因人而异的主张，还有一种更为严肃的反驳意见。我认为 *p* 是真的，而你认为非 *p* 是真的，这的确是我们面临的一个真正问题。

罗素的摹状词理论

罗素是詹姆士最先和最重要的一个尖锐的批评者，在 1908 年发表的一篇 129
题为《跨越大西洋的真理》（*Transatlantic Truth*）的论文中，罗素就实用主义者对真理所做的解释发起了攻击。他写道，“根据实用主义者的看法，说其他民族的存在是真的”便意味着“相信其他民族的存在是有益的”。但是果如此，上述两种说法只不过是同一命题的不同说法而已；因此，当我相信其中的一个时，我就相信了另一个（詹姆士，*T* 278）。但是，罗素却主张其中一个可以为真而另一个为假；在实际操作当中，证明 *p* 是否真实通常要比证明相信 *p* 是否有益容易得多。罗素写道，“解决‘教皇们是否总也不犯错误?’这一简单的事实问题要比解决认为其不犯错误的效果是否全然有益容易得多”（詹姆士，*T* 273）。

然而，在走向《数学原理》的岁月里，与真理的本质相比，罗素的哲学兴趣更多地集中在词汇和短语所可能包含的意义类型，以及导致其缺乏意义的种种可能方式。在撰写《数学原理》时，他便形成了一种非常简单的意义观，后者指向一种非常全面的存在观，这就是巴门尼德的回忆说。

> 存在属于每个可以思维的东西，属于每个可能的思维对象——简言之，属于任何可能出现在命题当中的东西，无论这个命题是真的还是假的，它还属于这些命题本身……“A 不在”必然总是假的或无意义的。因为，假如 A 子虚乌有，那么就不能说其不在；“A 不在”暗含着一个被称为 A 的术语，其存在被否定了，所以 A 是在的。这样，除非“A 不在”是一个空洞的声音，那么它就必定是假的，无论 A 如何，它确实存在。数字、荷马的神灵、关系、妖怪和四维空间这些全都拥有存在，因为假设它们不是某种类型的实体，那么我们便无从提出它们的命题。所以，存在是每个事物的一个普遍性质，提及某物即表明它存在。（*PM* 449）

不久之后，他开始认为区分符号不同指涉方式的一套体系比另一套体系更可信，在这套体系当中，世界包含着大量不同类型的对象，它们均通过一种
130 单独的和简单的指称关系与符号相连。他随即采纳了弗雷格处理断定和拒绝存在的方法。正如他在《数学原理》一书中所写：

> 假定我们说“不存在圆的正方形”，显而易见，这是一个真命题，我们不能视之为对某个叫做“圆方形”的对象之存在的否定。因为，如果有这么一种对象，那么就它存在：我们不能首先假定有某个对象，然后否定这么一

> 个对象存在。无论何时可以假定一个命题的语法主词的不存在不会使这个命题失去意义，这个语法主词显然并非一个专有称谓，即一个不直接表示某个对象的称谓。这样，在所有此类情形当中，命题必须能够做如此分析，即作为语法主词的成分应当消失。这样，当我们说"圆的正方形不存在"时，在起初尝试做这样的初步分析之时，我们就可以把它替换成"有一个对象 x，它既是圆的又是方的，这是错误的"。(*PM* 第二版，66)

罗素接着相信，任何真正的专有称谓都必须代表某个东西，必须"直接表示某一对象"。但他认为并非所有看似称谓的都是真正的称谓。他认为弗雷格把"亚里士多德"和"亚利山大的老师"视为同类符号，而每个称谓都拥有一个意义和指称的做法是错误的。他主张，如果"亚里士多德"是个真正的专有称谓，那么它就不具有意义(sense)，而只是因为拥有一个指称而具备了含义(meaning)。另一方面，如"亚利山大的老师"之类的表达式根本就不是专有称谓，因为与真正的专有称谓不同，它本身包含着属于符号的部分。罗素对此类表达式所做的正面解释被其称为"确定的摹状词理论"(theory of definite description)；这是他在 1905 年发表的一篇题为《论指称》(*On denoting*)的论文中首先提出的。

让我们来看"《哈姆雷特》的作者是一个天才"这个命题。要使它为真，那么"有一个且只有一个人创作了《哈姆雷特》"这个命题就必须为真(否则便没有人可被称为《哈姆雷特》的作者)。这样，罗素提出将这个命题分析为三个因素：

> 对于某些 x，(1) x 写过《哈姆雷特》
>
> 和(2)对于所有的 y，假设 y 写过《哈姆雷特》，y 与 x 是同一个人
>
> 和(3) x 是一个天才。

第一个因素说至少有一个人曾写过《哈姆雷特》,第二个因素说最多也只有一人写过《哈姆雷特》。鉴于有一个人写过《哈姆雷特》被这样准确地建立起来,
131 那么待分析命题中的第三个因素便接着说唯有一人是天才。在未加分析的命题中,"《哈姆雷特》的作者"似乎是一个复杂的称谓,它将会被视为弗雷格体系中的复杂称谓加以处理。按照罗素的分析,并未出现这样的称谓表达式,相反,我们拥有一个谓词与量词的合并项。上述分析意味着它不仅适用上述情形,即当果真有一个与确定性摹状词相对应的对象存在之时,而且也适用当这个摹状词的意思是空无的时候,如"现任的法国国王"。当我们按照罗素的方法来分析,那么"法国国王是秃头"就是假的。来看下面两个命题:

(1)英国君主是男性。

(2)美国君主是男性。

这两个命题都是假的,但其原因却可以分为两种不同的情况。第一个命题显然是错的,因为即使英国只有一位君主,那她也是女性;第二个命题也不足以为真,因为美国根本就没有君主这样的统治者。按照罗素的分析,这个命题不仅不足以为真,而且其本身就是假的,所以,它的否定式"美国君主是男的并非实情"也是假的。(另一方面,正如上面第二个命题一样,"美国君主不是男性"这个命题本身也是假的。)

上述复杂的分析说明了什么呢?我们会自然而然地想到,因为美国没有君主,所以更确切地说,命题(2)是误导而非错误;其真值问题更无从产生。就我们在日常语言当中对此类确定性摹状词的应用而言,这无疑是对的,但弗雷格和罗素的目标是创造一种适用于逻辑和数学,从而比日常语言更加精确的工具。在两人来看,这种语言包含仅有一个确定意义的表达式是必不可少的,这样说的意思是,所有包含表达式的命题都应有真值。假如我们允许没有真值的命题在我们的体系中存在,那么推理和演绎就无从进行。

弗雷格建议通过制定人为的规则来回避真值的缝隙。借助罗素的分析,

"x 的君主"绝非一个指称表达式,它获得了他与弗雷格共同追求的确定性,但这远非人为的手段所为。我们非常容易认识到,"圆的正方形"并不指称什么,因为它显然是一个自相矛盾的表达式。然而,在未做调查之前,我们或许根本就不清楚某些复杂的数学公式是否暗含一个矛盾之处。果如此,我们就不能 132
通过逻辑调查的方法(比如,推导出一种归谬法)发现它,除非暗含矛盾的命题确有真值。

命题的图像理论

在《逻辑—哲学论》(*Tractatus Logico-Philosophicus*)一书中,维特根斯坦在罗素的摹状词理论基础上继续从事构造工作,以期分析拥有复杂对象的摹状词。他写道,"每个复杂对象的命题均可以完全被分解为一个关于其构成成分的陈述,以及描述这些复杂对象的命题。"来看下面这个命题(这并非维特根斯坦本人的例子):

奥匈帝国与俄罗斯结盟。

这个命题在维特根斯坦撰写《逻辑—哲学论》一书时并不是真的,当时奥匈帝国正与俄罗斯开战。如今它的虚假性则出自于一个根本不同的原因,因为"奥匈帝国"这个政治单位已不复存在。假如我们跟随罗素的引导,我们会说,在以上两种情形当中,这个命题虽有意义但却是错误的。导致其错误的两种可能性显然类似于"x 的君主是男性"这一命题的错误可能性。"奥匈帝国"可以被看成是一个确定的摹状词,粗略地说,它可以被看成是"奥地利与匈牙利的联合"。

假如我们跟随维特根斯坦，依据罗素的方法分析这个命题，那么我们就得到：

对于某些 x 和某些y，x = 奥地利
和 y = 匈牙利
和 x 与 y 联合
和 x 与俄罗斯结盟
和 y 与俄罗斯结盟

或者简言之，我们可以说“奥匈帝国与俄罗斯结盟”意思是“奥地利与俄罗斯结盟”与“匈牙利与俄罗斯结盟”，以及“奥地利与匈牙利联合”。在《逻辑—哲学论》中，维特根斯坦就这种分析的可能性构建了多种形而上学。然而在语言哲学方面，“罗素的贡献在于他证明了一个命题的外表逻辑形式无须是其真实
133 的形式”。在撰写《逻辑—哲学论》一书时，他认为语言掩盖了无法认知的思维结构。哲学的任务是通过分析手段揭示隐藏在日常语言帷幕之后的赤裸的思维形式。复杂命题被简化为基本命题，基本命题被揭示为现实的图像。在1914 年 9 月 29 日的日记中，维特根斯坦记录了命题从本质上来说是图像性的这个想法初次闪现在他脑海中的情况：

> 命题的普遍概念本身带有一个相当普遍的概念，这就是命题与实际情形之间的协调概念。我所有问题的答案必然是极为简单的。在一个命题当中，一个世界可以说是以实验的方式被放置在一起。（如在巴黎的法庭上，机动车事故情况由玩具模型来表示等。）这必然会直截了当地产生真理的本质。（NB 7）。

当我们了解到维特根斯坦不止把图画、素描和相片以及三维模型，而且也把地图、乐谱和留声机记录的声音也算作图像之时，一个命题就是一幅图像的观点就不再那么不可信了。图像理论或许最应当被视为一种普遍的再现理论。

在任何再现活动中，有两种东西需要加以考虑：(*a*) 它再现的东西是什么；(*b*) 它再现得正确与否。具体到一个命题，上述再现活动的两种特征之间的区别，就是命题意指什么和它意指的事物正确与否两者之间的区别，即意义与真值之间的区别。

在法庭上，如果用一个玩具卡车和一个玩具手推车表示卡车和手推车的相撞事故，那么有几点事项是必要的。首先，玩具卡车必须代表真实的卡车，玩具手推车必须代表真实的手推车：组成模型的因素必须代表模拟情形的因素。维特根斯坦称之为使图像成为图像的图像关系（ *TLP* 2.1514）。其次，组成模型的因素必须以某种特殊的方式彼此相互关联。玩具卡车与玩具手推车的放置反映了事故发生时二者之间的空间关系，当这些玩具被简单地收藏在储物柜里，它们便不能代表上述空间关系了。对于维特根斯坦来说，这就是图像的结构(*TLP* 2.15)。于是，每一个图像均由结构外加图像关系构成。 134

法庭上的玩具之间的关系是一个事实，它引导维特根斯坦说一个图像、一个命题是一个事实，而非对象或称谓的简单集合。这个事实可以是这样也可以是那样。结构的可能性——法庭上的玩具的三维性——被维特根斯坦称为图像形式。图像形式是图像与它所描绘的东西共有的因素，这个共同的因素能够使一个图像成为描绘其他对象的图像。于是，一个图像便代表真实世界中的一种可能性（ *TLP* 2.161）。

一个图像如何才能与所代表的现实相联系？选择一个对象作为带有某种图像形式的对象。假如我选择一组玩具作为三维对象的三维替代物，那么与此同时我也就把它的三维特征变成了这个图像的图像形式。通过联结图像因素与其所代表的情形因素，我将图像与现实联系起来。我是如何促成这种联系的？在撰写《逻辑—哲学论》时，维特根斯坦认为这只是出自经验的事情，对哲学来说并不重要。

图像的抽象度可大可小，它或多或少地类似于所描绘的东西；其图像形式的丰富程度亦可或多或少。一个图像能够被用来描绘一个情形所必需的最低值被维特根斯坦称为逻辑形式（*TLP* 2.18）。图像因素必须能够相互结合，结合的模式对应于所描绘因素之间的关系，例如，在一部乐谱当中，自左向右展开的音符秩序代表着依时间顺序展开的声音秩序。音符的空间安排并非图像形式的组成部分，因为声音不在空间中；然而秩序安排则是两者共同的东西，这便是被称为逻辑形式的东西。

维特根斯坦将普遍再现理论应用到思想和命题当中。他说，某个事实的逻辑图像就是一个思想，在一个命题当中，一个思想以一种能够为感觉所理解的方式被表达出来（*TLP* 3,3.1）。尽管在《逻辑—哲学论》当中，思想先于命题并赋予命题以生命，但维特根斯坦对思想的谈论少于对命题的讨论，要理解他的思想，注意力最好集中在作为图像的命题，而非作为图像的思想。例如，如果我们追问什么是构成思想的因素，我们不能得到任何清晰的答案；但是，
135 如果我们追问什么是构成命题的因素，那么答案便应声而现，这就是称谓。

实际上，命题的图像理论出自维特根斯坦对命题和称谓二者区别的反思。对弗雷格来说，称谓与类似于称谓的命题二者均拥有意义和指称，一个命题的指称即它的一个真值。但是，正如维特根斯坦渐渐认识到的那样，在称谓与所指事物和命题与所指事物两种关系之间形成了比照。要理解一个专有称谓如“俾斯麦”，我必须知道它指哪一个人；然而，我在不知命题真假的情况下就能够理解它。当我们理解一个命题之时，我们所理解的并非是它所指称的东西，而是其意义。一个称谓只能与现实保持一种关系：它或者命名某物，否则根本就不是一个有意义的符号。但是，一个命题却拥有两重关系：它不再为真并不妨碍它还拥有一个意义（*TLP* 3.144）。

这样,理解一个称谓就是去把握其指称;理解一个命题就是去把握其意义。在这个基本区别之后,还有进一步的区别。一个称谓的指称必须被解释为唯一的;理解一个命题的意义则没有哪种解释是必要的。一个命题可以用旧词表新意:我们能够理解以前从来也没听说过的、我们从来也不知道其真值的命题。正是基于这个事实,维特根斯坦断言一个命题就是一个图像。

当维特根斯坦称一个命题就是一个图像时,其意思可以归纳为以下九点:

(1)一个命题不同于一个称谓,它必须是复合的。(*TLP* 4.032)

(2)一个命题的构成因素经过人类的选择与现实因素彼此关联。(*TLP* 3.315)

(3)上述因素结合而成的一个命题呈现——无须人们进一步干预——一种可能的情况或事态。(*TLP* 4.026)

(4)一个命题与其所指的可能情形间具有一种必要关系:它与后者共享逻辑结构。(*TLP* 4.03)

(5)上述关系只能被揭示而不能被言说,因为逻辑形式只能被映照,而不能被再现。(*TLP* 4.022)

(6)每个命题均拥有两极:或者为真,或者为假。(*TLP* 3.144) 136

(7)一个命题视其与现实一致与否或真或假:假设它所描述的情形得自于事实,则该命题为真,假设它所描述的情形不得自于事实,则该命题为假。(*TLP* 4.023)

(8)一个命题必须独立于现实情形,当它来自于事实,则为真,否则便从不为假。(*TLP* 3.13)

(9)没有一个命题先天为真。(*TLP* 3.05)

在陈述这些论题时,我没有用"图像"一词,因为这个理论始终都是有趣的和重要的,无论它是否会误导人们把它纳入“一个命题即一个图像”这个口号当中。维特根斯坦也的确认为,当人们用“图像”一词来替换“命题”时,所有的定理依然是真的。他也十分清楚命题看起来不像图像。然而他相信,假如一个命题能够借助于一种理想的语言被完整地表达和书写出来,那么构成每一个命题符号的因素均会对应于世界当中的一个单独对象。这样一来,其图像的本质就立现出来(*TLP* 3.2)。

然而,不应当认为日常所说的未经分析的句子就是成问题的。维特根斯坦坚持认为,日常语言中的一切命题,如同它们所代表的事物一样,处于完善的逻辑秩序当中(*TLP* 5.5563)。这是因为对其完整的分析已经出现在任何一个理解它们的人的头脑当中,虽然我们对词汇指称过程的意识并不强于我们对声音产生过程的意识(*TLP* 4.002)。

不过,并非所有讲英语的人所说的句子均是真命题:其中许多命题都是假命题,通过分析就能够发现它们缺乏意义。《逻辑—哲学论》用最后17页篇幅令人感到突兀地证明,逻辑(6.1之后)、数学(6.2之后)、先验科学(6.3之后)、伦理学和美学(6.4之后),以及哲学(6.5之后)命题是如何以不同方式成为伪命题的。

唯一能够进入逻辑教科书的命题是同义反复,尽管它本身并没有说什么,而只是揭示了真命题的逻辑属性,但后者的确说出了某些东西(*TLP* 6.121)。数学由等式构成,等式不关注现实,只关注符号的可替代性。在实际生活中,我们只是在由一个非数学命题向另一个非数学命题过渡时,才用到数学命题(*TLP* 6.2—3)。在科学中,诸如牛顿物理学公理之类的命题并不是真命题;它
137 们所表达的更多的是对真正的科学命题所能采取的形式的洞见(*TLP* 6.32之后)。

同样,伦理学和美学上没有真正的命题。没有任何命题能够表达世界或人生的意义,因为一切命题均是偶然的——它们具有真—假两极,没有一种真

正的价值是偶然得之的事情（*TLP* 6.41）。最后，哲学的命题也并不例外。哲学不是命题的一种汇集，而是一种活动，一种分析行为。当它用于日常生活命题时，哲学赋予后者以一种明晰的意义；当它用于伪命题时，哲学揭示后者是无意义的东西。《逻辑—哲学论》中的命题本身也没有意义，因为它们试图说出那些只能够被指出的事情。不过，这并没有使它们归于无用，即使其失败本身也有教益可言。

> 我的命题以下述方式扮演着解释的角色：当它们被用作梯子，以攀登到比它们更高的地方时，任何一个理解我的人或许都会认识到这些命题是无意义的。（可以这样说，当他攀上这个梯子就必须扔掉它。）
> 他必须越过这些命题，才能直面这个世界。（*TLP* 6.54）

语言—游戏与私人语言

当维特根斯坦于 1920 年代和 1930 年代重返哲学之时，他仍然坚持哲学是一种活动而非理论的想法，哲学意见并非日常语言陈述意义上的命题。然而，他渐渐就日常陈述如何拥有意义形成了一种非常不同的观点。自始至终，他都相信日常语言处于天然的整饬状态。不过，在《逻辑—哲学论》时代，他之所以相信这一点，是由于他认为日常语言是由一种表述为逻辑原子的完美语言作为支撑的。而在《哲学语法》（*Philosophische Grammatik*）之后，他之所以相信这一点，是由于他认为日常语言体现在他称之为“语言游戏”的社会活动和结构当中。

138

在 1920 年代，维特根斯坦在维也纳为妹妹设计的房子。其庄严而令人畏惧之美堪比《逻辑—哲学论》。

在《哲学语法》中，他追问道，究竟是什么东西在纸上赋予装饰语言的声音
和标记以意义呢？符号本身似乎是没有生气和僵死的；那么是什么赋予其生 139
命呢（*PG* 40，107；*PL* I. 430）？显而易见的答案是，说者和写者的意蕴，以及听者与读者的理解为它们贯注了生气。虽然这个清晰的答案是真实的；但是我们一定要弄清楚意义和理解究竟是什么。它们不是人们想象当中伴随口头命题的心理过程。假设你想这么说，那么请闭上嘴试着演示这个过程。维特根斯坦说，让我们做下面一个试验，“说‘这儿冷’，意指‘这儿热’”。你能够这样做吗？当你这样做时，你又在做什么呢？（ *PI* I. 332，510）

假如你试图做出一个意指行为而未说出相应的语句，那么，你会发现自己似乎在口中默念着这个句子。但是认为在公开说出每个句子时都会有低语相随，这当然是可笑的。要确保两个过程同步进行，则需要采取一些技术，如果其错误的脚步导致一个单词的意义被错误地附加到另一个相邻的单词上面，这多么荒诞呀！

当听到我们所知的一种语言的某个句子之时，的确会有某种心理事件发生，如情感、意象等，它们与听到我们所不知的语言之时所发生的情况不同。然而，这些经验经常会发生变化，我们不能认为其构成了理解。理解根本就不能被实际地视为某一心理过程。维特根斯坦问道：

> 我们究竟是在何时理解了一个命题？是在我们完整地说出这个命题的时候吗？或者说就是在我们言说它的时候？理解如同说出一个命题那样是一个发声过程吗？难道理解的发声对应于命题的发声？抑或它是不发声的，如同一个踏点伴随一段曲子那样伴随着命题？（*PG* 50）

理解语言就如同知道怎么下棋一样；但我们不应视之为一种隐蔽的心理机制。

有时我们会倾向于认为，心灵的有意识运作是某种心理过程的结果，其层

次要低于内省。我们或许会以为心灵机制的运作过于迅速，以至于我们无法把握其所有的运动，就像蒸汽机的活塞或者割草机的刀片一样。只有加强内
140 省的能力，或者放慢机器的速度，我们方能切实观察到意指和理解的过程。

根据某种心理机制学说，理解一个单词的意义，就是去唤起相应的一个意象。当有人对我说“拿朵红花给我”时，按照这个叙述，我必然要在心中生成一个红色意象，在与这个意象比较之后，确定究竟哪种颜色的花是我要拿的。但这不可能是正确的，否则，人们怎会听从“想象一片红色”的命令呢？这个理论置我们于无穷的后退当中（*BB* 3；*PG* 96）。

假定我用对一小片红纸的实际考察代替对一个所谓意象的考察。实物样品的生动性必定会有更强的解释力！实则不然。如果它解释了某人如何知道红色所指的东西，那么它也就解释了他是怎么知道手里的实物样品是红色的，无论这个样品是心理的还是生理的。维特根斯坦说，“一旦你想用一个描绘的意象来替代心理意象，一旦这个意象因之失去了神秘的特征，那么它似乎根本就不再会赋予命题以生命”（*BB* 5）。当我们说话时，的确会有心理意象从我们心中掠过。但是赋予我们所使用的单词以意义的并不是这些意象。它采取的毋宁是另一种方式：意象如同书本中的插图一样被用来对文字内容加以说明。

另一种主张意义即心理过程的理论则认为，命名是一种心理行为。在《哲学研究》（*Philosophical Investigations*）一个重要章节中，上述思想成了被攻击的对象，这是对一种私人语言的观念，具体地说，是对私人实指定义（*private ostensive definition*）观念的攻击。

在罗素和逻辑实证主义者的认识论当中，实指定义扮演着核心的角色：这是语言借助于习得连接知识的地方。然而，维特根斯坦坚持认为，熟知单词代表的对象不等于知道这个单词的意指。在不把握单词在语言中被限定之作用的情况下，仅仅熟知对象是不够的。假如我在解释“tove”这个单词时，说它指

的是一支铅笔,并且说“这个东西被叫做铅笔”。这一解释远远不够,我的意思可能被理解为“这是一支铅笔”或者“这是圆的”或者“这是木头”等等(*PG* 60;*BB* 2)。要命名某个事物,仅仅面对它并发出一种声音还不够:追问称谓和给予称谓只有在语言游戏的一种语境之下才可行。 141

命名一种颜色或一个物质对象这些比较简单的情况也一样;当我们考虑心理事件和状态如感觉和思想时,事情就变得更复杂了。让我们来看看单词“疼痛”作为一种感觉称谓发挥功用的方式。我们习惯认为,对每个人来说,当“疼痛”与私己的、无法与人交流的感觉相关之时,它才获得意义。但维特根斯坦却指出,没有哪个单词能够以这种方式获得意义。他提供的一个论证如下。

假定我想记录某种感觉在每天的发生情况,我用“S”来联想这种感觉。对这个假设来说必不可少的是,符号的定义不能依据日常语言给定,否则这种语言便不再是一种私人语言。符号必须由我一个人定义,而且是以一种私人实指定义的方式来定义。“在这个符号被说出或写下来的同时,我把注意力集中在感觉上……符号和感觉以这种方式在我这里留下了印迹”(*PL* 1.258)。

维特根斯坦主张,这样的仪式不能够建立一种恰当的联结。当我下次再称某物为“S”时,那么我怎么知道我用“S”来意指什么?问题不在于我或许会失记,而在于把不是“S”的东西称为“S”;麻烦的地方还在后面。即使我错误地认为某物是S,我必须知道“S”的意义,在维特根斯坦看来,在私人语言中这是不可能的。但是,我可以求助于记忆确定这个意指吗?不能,要这样做,我必须唤起正确的记忆,也就是有关S的记忆,为了这样做,我必须已经知道“S”意指什么。我们最终无法找到“S”的正确与不正确用法有何区别,这意味着谈论“正确性”是不合适的。我给自己的私人定义不是真实的定义。

维特根斯坦的上述论证表明,不存在这样一种语言,其词汇所指称的内容只有操这种语言的个人才知道。英语单词“疼痛”不是私人语言词汇,因为,无论哲学家怎么说,常人往往能知道一个人在何时处于疼痛当中。“疼痛”不是通过私人实指定义才成为感觉的一种称谓；当父母教会孩子用一种惯常的、学来的表达方式替代最初的哭喊之时，疼痛的语言（pain-language）便被嫁接到对
142 疼痛的前语言表达之上。

讨论私人语言的主旨是什么，其矛头又指向谁呢？维特根斯坦曾经写道，哲学治疗的对象是我们每个人当中的哲学家。在进行哲学思考时，很可能我们每个人都暗自相信一种私人语言。当然，这个特殊的看法诱惑了许多一年级学生。“就我们所知的一切而言，我称为‘红色’的东西，你却称为‘绿色’，反之亦然。”这个看法根植于石里克（Schlick）就观察陈述（protocol sentences）的形式与内容所做的区分，如果一种私人语言不可能存在，那么整个逻辑实证主义大厦将会坍塌。罗素的认识论和维特根斯坦前期的认识论也会如此。

然而，私人语言讨论所及的范围在哲学史上要追溯到很远的时期。笛卡尔在表达其哲学怀疑时，认为在我自己和他人的身体不确定的情况下，我的语言仍然具有意义。休谟认为，即使外部世界被悬置起来，思想和经验也有可能被识别和分类。密尔和叔本华各自以不同的方式认为，一个人可以在通过语言表达内心所想的同时，质疑他人心灵的存在。所有这些主张对我们所讨论的哲学结构来说都必不可少，而且它们都要求使一种私人语言成为可能。

无论是经验主义还是唯物主义都认为，心灵除自身内容之外必然对其他东西没有任何直接的知识。两种哲学运动的历史表明，它们蹈入了唯我论即“只有我存在”的学说。维特根斯坦对私人定义的攻击削弱了唯我论，指出每种语言的表达可能性均取决于公共和社会世界的存在。唯我论的覆灭导致人们拒绝了必然包含它在内的经验主义和唯物主义。

维特根斯坦对私人语言的颠覆是20世纪语言哲学最有意义的事件。在他死后，由于人们在哲学性质本身的构想方面存在分歧，语言哲学发生了一种不同的转向。维特根斯坦严格地区分了科学和哲学，前者关乎新信息的获得，后者寻求解释已经获得的知识。然而，奎因对分析命题和综合命题之传统区

分的攻击,让许多尤其是美国的哲学家转而质疑在哲学与经验科学之间是否 143
存在一个明显的界线。

具体而言,有一种促使语言哲学、心理学与语言学走向合并的动力存在。在哲学方面,其先锋人物是唐纳德·戴维森(Donald Davidson),他寻求为自然语言建构一种系统的意义理论,在语言学方面,诺姆·乔姆斯基(Noam Chomsky)的一系列理论预设了日常语法习得背后的隐蔽机制。在我看来,在将哲学的任务视为与经验科学完全不同的东西这一方面,维特根基坦是正确的,20世纪后半期在语言哲学方面的诸多发展与其说是丰富,不如说是遮蔽了此前数十年所取得的洞见。

第六章

认识论

两位雄辩的经验主义者

密尔将其《逻辑体系》视为一本有关从经验推导所 144
有知识的教科书。他因此是经验主义的倡导者，尽管他并不喜欢这个术语。实际上，在某个重要方面，他是最坚决的经验主义者之一。他超越了他的先驱者们，认为一切科学，甚至连数学也来自经验。简言之，几何学定理和数学的第一原理均是建立在感觉证据上的观察和经验结果，尽管所有的表象都相反（*SL* 2.3.24.4）。

密尔主张，每个数字的定义都包含着对一个物理事实的确认：

> 每一个数字，如 2，3，4 等都指称物理现象，并蕴涵着那些现象的某一个物理属性。例如，2 指事物所有的配对，12 指事物所有的成打，它们蕴涵着使其成

> 双成打的东西;使其成双成打的东西是物理上的事情;因为我们在物理意义上不能拒绝两个苹果不同于三个苹果、两匹马不同于一匹马等这样的说法:它们是一种可见的、可以触摸到的现象。(*SL* 3.24.5)

但他没有明确指出一个数字称谓所蕴涵的属性是什么,他承认在区分 102 匹马和 103 马匹时,感觉上存在着一些困难,尽管 2 匹马和 3 匹马多么容易区分。不过,数字蕴涵的某种属性是存在的,它是汇合和拆分的典型方式。例如,存在着对象的集合,它们给感觉的印象是:∴ 可以拆分为这样两个部分……于是“一旦这个命题被接受,我们称所有这样的集群为 3”(*SL* 2.6.2)。

密尔的批评者看到,世界上不是每个事物都是铁板一块,这是值得庆幸之事,否则我们便不能拆分它们,2 和 1 相加也不会等于 3。如果认真思索一下,在 777,864 这样的数字定义中,似乎没有任何物理事实得以断定。然而,密尔
145 关于算术本质是一门经验科学的主张,并不随其对数字定义的解释而动摇。

例如,他声称如“等式之和仍是等式”之类的原则是得自归纳的真理,或者说是最高层次的自然规律。归纳真理是建立在个别经验上的概括。在某种程度上来说,对此类真理的断定必然是尝试性的和假定性的;上述情况就是这样。原则“从来就不是准确的,因为一磅的实际重量并不精确地等于另一个一磅的重量,测量得出的一英里长度也并不等于另一个一英里的长度;再好的天平、再准确的测量工具也总会存在某些误差”(*SL* 2.6.3)。

密尔的批评者说他混淆了算术原理与算术原理的应用。但是,算术是经验科学的主张对密尔来说是重要的,因为这个主张的反面,即算术是一门先验学科会带来无穷的害处。“我们能够通过直觉或意识来获取心灵之外的真理,它们是独立于观察和经验的观念,我以为这在近期是错误学说和恶劣制度最大的思想支持”(*A* 124)。为了避免这个恶作剧,密尔愿意付出巨大代价,他愿意欣然看到,在某个将来的时刻,在某个遥远的星系,2 加 2 可能等于 5 而非 4。

146

约翰·亨利·纽曼。虽然其《同意的文法》(*Grammar of Assent*)宣教而作,但它本身却是一部认识论的经典。

被人们视为哲学家的约翰·亨利·纽曼(John Henry Newman)与约翰·斯图雅特·密尔同属于经验主义的传统。在牛津时,纽曼就不喜欢当时已开始充斥牛津大学的德国形而上学。他说,“这些人们趋之若鹜的是一套多么言之无物的体系”,皈依罗马天主教后,他同样对天主教教友们所喜好的经院哲学不以为然。他断言,我们对身外之物的直接知识源自我们的感觉;我们能够直接知道非物质事物的想法仅仅是迷信。即便我们的感觉也仅仅使我们能够稍稍超离自身:我们不得不接近事物以触摸它;我们既不能看、不能听,也不能触摸到过去或未来的事情。尽管纽曼是经验主义者,但他却给予理性以比唯心主义者康德更高的作用:

> 如今理性是弥补(感觉)这种缺陷的心灵能力:借助于它,我们对外部事物、存在、事实和事件的知识超越了感觉的范围。它为我们确定的不止是自然事物,或只是非物质事物,或者只是现在、过去,或者未来;然而,即使它的力量有限,其范围却无限……它通达宇宙之末节,以及位居其上的上帝的门槛;它为我们带来了知识,无论其这知识是真的,还是不确定的,无
> 147 论其完善程度如何,它们仍然是来自各方面的知识;同时由于带有这些间接取得的特征,它们不是直接的知识。(*US* 199)

理性并非在真实地感知任何事物:它是一个被感知的事物向另一个有待感知的事物推进的能力。理性的存在是为了以一件事情为基础确立另一件事情。

纽曼指出了推理过程中的两种不同的智力运作:推理(由前提)和同意(到结论)。重要的是铭记上述两种智力运作截然不同。我们往往在忘却同意的缘由之时,同意了一个命题;另一方面,同意的给出或许是在未经论证的前提之下,或者是基于糟糕的论证。论证可好可坏,但同意则要么存在要么不存在。某些论证非常可信,以至于同意跟随推理而来。但即使在数学证据当中,两种智力运作也有差别。即便一位碰巧遇到复杂证据的数学家,也不能匆忙做出结论,而不在本人的工作之外,从他人那里寻求确证。

正如我们所说,同意可以在没有证据或论证的情况下做出。这往往会导致错误;然而,它总是错误的吗?洛克(Lock)的主张是这样:作为其热爱真理的标志,他赋予持有任何命题之否定的可靠性比基于臆断的证据更高,“任何超越上述同意尺度的人,显然不是出自对真理的热爱,不是为真理而寻求真

理,而是为了其他的目的”(《人类理解论》Ⅳ. XⅥ)。洛克认为,在具体事物中不存在可以证明的真理,因此,同意一个具体命题必然是有条件的,并且缺乏确定性。绝对同意是不合法的做法,除非它是确认直觉和证明的行为。

纽曼不同意这个意见。他认为不存在同意程度之类的事情,尽管在为知识形成所必须的同意缺失的情况下,观点仍有存在的空间。

> 每一天的到来都会为我们提供扩大我们的同意范围的机会。我们通过阅
> 读报纸,通过议会的论辩、法庭上的陈词、报纸的社论、信件、书评和艺术
> 评论来观察,我们或者对所讨论的事情不做任何评论,视若旁观,或者至
> 多我们只对其持一种观点……但我们从来不说我们赋予(一个命题)以 148
> 某种同意的程度。我们或许会像谈论真理的程度那样谈论同意的程度。
> (*GA* 115)

但纽曼却认为,建立在缺乏直觉或证明的证据之上的同意完全可以是合法的,并且往往如此。

> 我们在某种错误所招致的一切危险之外,确定我们的自我并非唯一的存在物,确信有一个外部世界在;确定有一个既有部分也有整体的系统,一个由法则统辖的宇宙;确定未来将受过去的影响。我们接受和秉持着一种不合格的同意:被视为一种现象的大地是一个圆形的球体,各个地方会轮流看到太阳;我们确定在特定的地点有城市存在;它们以伦敦、巴黎、佛罗伦萨和马德里的名字行世。我们确定,今天的巴黎和伦敦正是被我们抛在后面的昨天的地方,除非地震吞噬了它们,或者它们被一场大火烧成灰烬。(*GA* 117)

我们每个人都确定将会在某一天死去。但是,如果有人要求我们为此提供证据,我们所能提供的全都是循环论证或者是归谬法(*reductio ad absurdum*)。

> 我们嘲笑和鄙视这样的想法:尽管没有关于我们出生的记忆,我们也没有父母;尽管没有关于未来的经验,我们也从不会离开人世;尽管从来也没有尝试过,我们也不能在没有食物的情况下生存;没有一个人的世界先我们时代而在;或者这个世界没有历史:没有国家的兴衰,没有伟人,没有战争,没有革命,没有艺术,没有科学,没有文学,没有宗教。(*GA* 117)

在所有这些真理的基础之上,纽曼总结道,我们拥有一种直接和毫不动摇的信念,我们没有因其不是出自对真理本身的热爱而感到内疚,因为我们不能通过由一系列直觉命题构成的一个证据而赢得真理。在我们当中,没有人能够思考和行动,却不接受某些"非直觉的、无法证明的,然而却不失为权威的"真理。

尽管否定了同意的程度有大有小之说,但纽曼区分了简单同意和复杂同意或确定性。简单的同意或许出于无意识,或许是草率的,或者只不过是一种臆想而已。复杂的同意则包含三个因素:它的推断必须有据可循,必须伴随某种智力上的满足之意,必须不可逆转。对确定性的满足感和自我庆幸的特征并非源自知识本身,而是源自拥有知识的意识。

在知识与确定性二者之间为哲学家们所公认的一个区别是:假如我知道
149 *p*,那么 *p* 即为真;但我可以确信 *p* 而 *p* 为假。纽曼就这个问题的说法很不一致。有时,他的言谈似乎让人觉得有这样一种虚假的确定性存在;但有时他又暗示说,只有当我们所讨论的命题在客观上为真之时,一个信念才可成为一种确定性(*GA* 128)。无论确定性能否产生真理,我们都不能否认,确定某物存在本身就包含相信其为真的意思。于是,假如我确定了某物,那么我便相信它会保持我现在所相信的那样,即使我的心灵不幸丢掉了我的信念。假如我们确定了某一信念，那么我们就会下决心坚持这个信念，我们立刻把任何反驳它的意见视为无关紧要的东西。假如某人确定了某物，比如说，他拥有这样一个信念，即爱尔兰位于英格兰以西，假如其思维前后一致，那么他就会别无选择地“对任何相反的判断采取一种令人生畏的不宽容姿态”。当然，尽管开始时下定了决心，但一旦遇到具体的事情就会放弃自己的信念。纽曼主张，任何人在任何时候失去了自身的信念，都证明他从来也没有确定这一信念。

那么，在任一特定的时刻，我们如何来谈论我们的确定性？纽曼认为，在真实的确定性即以真理为对象的确定性与仅仅是表面上的确定性之间并没有明显的界线。看似确定性的东西，往往会遇到被证明为错误的时候。没有一种内部的即时检验措施可以区分确定性的真假（*GA* 145）。

纽曼正确地把确定性与绝对可靠性区分开来。我的记忆是绝对可靠的：我确切地记得我昨天做的事情，但这并不意味着我从来就不会记错。我非常清楚2加2等于4，但我常常在遇到冗长的加法时出错。确定性关乎一个特定的命题，绝对可靠性则是一种能力或天赋。对纽曼来说，我们可以确定维多利亚是女王，而不必声称这个说法有任何普遍的绝对可靠性。

然而，当我知道我在过去曾经确信一个谬误的时候，我如何才能够安于这种确定性呢？曾经发生的事物的确或许会再次发生。

> 假定我在月光之下散步，隐约看到林中有一个人的轮廓——是个男人；我走近他，他依旧是个男人；再走近一步，所有的犹豫都荡然无存——我确定这是个男人。但我们走近他的时候，他既不动也不说话；于是，我上前询问他为何在这个时候一个人躲在林中。我贴近于他，伸出双臂。于是，我确切地发现我原本认为是一个人的东西实际只是一个孤影，它是由月光落在枝叶间的空隙当中形成的。我是否不能再纵容我的第二个确定性，因为我的第一个确定性是错误的？任何出于第一个确定性的失败，对 150

立于第二个确定性的反驳，是否会在第二个确定性建立起来之后就渐渐褪去了呢？（*GA* 151）

对确定性的感觉可以说是智力的钟声，有时它会在不该敲响的时候敲响。然而，我们不能因为时钟偶尔会报错时间就不用它们。

我们无法建立任何普遍的规则来预防我们在某种具体的推理中误入歧途。亚里士多德在《伦理学》中告诉我们，没有任何法典或者道德论述能够提前划定通向个人美德的途径：我们需要一种实践性的智慧（*phronesis*）来决定我们从这一刻到那一刻该如何去做。理论性的推理也是如此，纽曼说：语言逻辑只能将我们带到这么远的地方，我们需要一种特殊的智力美德，就是被他称为“演绎感”（illative sense）的东西，来告诉我们在某个特定的情形当中如何做出恰当的结论。

> 无论在经验科学、历史研究还是神学即任何一种具体的推理当中，均不存在任何检验我们推论之对错的终极方式，除了支持它们的“演绎感”所具有的可靠性之外；这正如不存在其他任何能够检验艺术优劣、英雄行为或绅士做派的方式一样，除了上述论题均严格介入其中的特殊心理感觉，如天分、趣味、适度感或道德感之外。（*GA* 231—2）

后世哲学家们没有过多地研究纽曼的认识论，因为其首要目标是服务于宗教目的。但《同意的文法》一书对信仰、知识和确定性的处理具有超乎其理论语境的优点，它堪与出自从洛克到罗素以降的经验主义传统的经典文本相媲美。

皮尔士论科学方法

在纽曼发表《文法》之后的十年之内，身居美国的 C. S. 皮尔士正在致力于为一个科学研究时代创造一种认识论工具的工作。在《通俗科学月刊》(*Popular Science Monthly*)刊出的一组题为“科学逻辑说明”的论文中，皮尔士提出了这种工具。这组论文中最著名的是前两篇，即《信念的确定》和《如何使我们 151
的思想清晰》(*CP* 5. 358 ff.，388 ff.)。

在第一篇文章里，皮尔士观察到，研究往往始于怀疑，终于信念。

> 怀疑的激发作用是促使我们为获得信念而奋争的直接动力。对我们来说，最好的情况当然是，我们的信念应当成为能够指引行动的真正向导，以满足我们的欲望；上述反思使我们放弃了任何似乎不能确保这个结果的信念。但是，制造一种怀疑来替代信念的方式只能做到这一步。因此，奋争伴随着怀疑的开始，而怀疑终止的地方也就是奋争结束的地方。于是，研究的唯一目标便是信念的确立。(*EWP* 126)

皮尔士说，被普遍用于确立观点和我们信念的方法通常有四种。这四种方法分别是，坚持的方法、权威的方法、先验的方法以及科学的方法。

我们可以提出一个命题，并向我们自己重复这个命题，留意于所有支持它的东西，远离任何干扰它的东西。于是，某些人只阅读肯定其政治信念的报纸，一个宗教徒会说“噢，我不愿意相信如此如此，否则我就是不幸的”。这是坚持的方法，其优点是能够为心灵带来安适和平和。皮尔士说，死亡的确是万念俱空，但一个相信自己死后能够径直升入天堂的人就会“有一种廉价的快乐，而不伴随丝毫的失望”。

152

皮尔士指斥的“权威法”在庇护九世当政的梵蒂冈议会宣布教皇无谬论时达到了顶峰。与此相反，按照皮尔士的看法，认识论的正确方法应当被称为“易谬论”。

你在采用坚持方法时遇到的问题是,或许你发现自己的信仰与其他和你同样坚定的信仰者的信仰会发生冲突。补救它的方法是第二种方法,即权威的方法。“制定一种制度,其目标是在引起人们注意之前就维持一种正确的教义,不断地重复它们,把它们教授给年轻一代,同时阻止相反教义的传播、提倡和表达。”罗马天主教会曾经完美地使用了这种方法。从努玛·庞庇里乌斯(Numa Pompilius)到庇护九世(Pio Nono)一直是这样,然而从埃及到暹罗,世界各地都有象征着崇高的伟大的石质遗迹,它们堪与大自然最伟大的杰作相媲美。

权威方法有两个弱点。首先,它与残酷相伴。如果说现代国家不允许焚
烧和屠杀异教徒,那么某种道德的恐怖主义却会增进观点的统一。“让人们知 153
道,你严肃地拥有一种令人忌讳的信仰,你完全明白自己受到的待遇虽然不是那么残酷,却要比一只恶狼在后面追赶着你更加苛严。”第二,没有哪种制度能够在任何方面约束人们的观点,总会有一些独立的思想家,在把本土文化与异文化做了比较之后,他们就知道通过权威手段灌输的教义只不过源于偶然和习俗而已。

这样的思想家会采取第三种方法,试图通过先验的沉思去创造一种普遍有效的形而上学。这在思想方面比前两种方法更加令人尊敬,然而它却显然不能使一种信仰稳固下来。从古至今,钟摆就在唯心主义形而上学与唯物主义形而上学之间摇摆不定。

因此,我们必须采取第四种方法,即科学的方法。其首要的前提是存在着一种独立于我们心灵之外的现实。

> 现实的事物存在,其特性完全独立于我们对其所持的观点;那些现实通过有规律的法则影响着我们的感觉,另外,尽管我们的感觉随着我们与物体的关系变化而变化,但是借助于感知规则的优势,我们通过推理确定了事

> 物事实上是什么，任何一个人，如果他有足够的经验并能够就其展开充分的推理，那么他就可以得到一个真实的结论。(*EWP* 133)

逻辑的任务在于为我们提供指导性的原理，使我们能够在已知的基础上发现未知，这样一来，它就使我们能够无限地接近终极的现实。

尽管皮尔士主张怀疑是研究的起点，但他拒绝了笛卡尔有关真正的哲学必须始于普遍的、方法论意义上的怀疑之说。真正的怀疑必须针对一个特定命题，针对一个特定的理由。笛卡尔的怀疑只不过是一种徒劳的妄想而已，其试图通过个人的沉思重新获得确定性的努力更加危险。“我们个人没有理由希望得到我们所追求的终极哲学；因此，我们只能为哲学家共同体寻找它”(*EWP* 87)。

哲学的首要任务在于澄清我们的理念，笛卡尔在这一点上是正确的，但他未能充分解释所谓清晰和突出的思想是什么意思。如果一个思想要想成为明
154 晰的，那它就必须经得起辩证的检验。假如研究过程被推行得足够深远，那么它就会为每个应用它的问题提供一种解决方案。科学家们能够用多种不同的方法研究一个问题，如光速的测定。起初他们会得到不同的结果，当每个结果都使他的方法和过程趋于完善之时，这些结果就在不断地接近作为归宿的中心。正是在这个中心，我们发现了真理。

这与现实独立于思想的说法是否冲突？皮尔士的回答复杂而缜密。

> 一方面，现实是独立的，但它不必独立于普遍的思想，而只是独立于你、我或者任何有限数量的人们所想的东西……另一方面，尽管形成终极观点的目标取决于这个观点究竟是什么，但是这个观点是什么并不取决于你、我或者任何一个人的思考。我们以及他人的错乱会无限地拖延观点的确立；只要人类还要继续生存下去，我们甚至会主观地制造出一个武断的命

> 题,以期它被普遍地接受。(*EWP* 155)

因此,尽管每个人都相信 p 是假的,它也依旧会是真的。皮尔士提出了两种途径,它们为上述可能性留下了余地。一方面,他说,尽管在我们消亡之后可能会有另外一个物种产生,但真实的观点仍旧是他们最终得到的那一个观点。但他又说,“天主教认为,构成真理的东西绝非限于此岸尘世的人或者人类本身,而会扩展到我们所归属的心灵的整体契合”(*EWP* 60)。

重要的是,弄清在这种共同的、不懈的真理追求过程中我们所获得的信念内容。皮尔士说,信仰有三个特性:第一,某件事被我们所意识到;第二,它平息了怀疑引起的刺激;第三,它在我们的本性中建立了一个行为规则,即习惯。不同信仰因各自引发的不同行为模式而不同。“假如信仰在这个方面没有差别,假如它们所引发的相同行为规则平息了同样的怀疑,那么在它们的意识方式当中,便不再会有区分这些不同信仰的差异存在了。”

皮尔士以宗教为例来说明这一点。清教徒在念出祭祀语之后,祭坛上的供品是面包和酒;天主教徒则说它们不是面包和酒。但是两个派别的成员在对圣餐感觉效果的期待方面并无差别。“对我们而言,酒除了能够直接或间接
地引起某些感觉效果之外,并没有什么含义;而说某种东西拥有酒的一切感性 155
特征,这种东西就是现实中的血液,这是没有意义的行话”(*EWP* 146)。

在上述语境当中,皮尔士首次提出了他的实用主义原则,这是一条能够使我们的思想获得最大清晰度的规则。“考虑一下我们所构想的对象会产生何种效应,在我们的构想当中,后者具有实践的含义。于是,我们对这些效应的构想就是我们对这个对象的整体构想。”(*EWP* 146)皮尔士的实用主义不是一种真理理论,而是一种意义理论,注意到这一点是重要的。因此,它预见到了后来由逻辑实证主义者提出的意义证实理论。皮尔士将这个原则应用在硬度、重量、自由、力量这些概念上,并以力量为例总结道,“假如我们知道什么是

力量的效应,那么我们就会从每个事实当中获取有一种力量这句话所隐含的东西,除此之外,再没有什么要知道的了”(*EWP* 151)。

在皮尔士的著作中,人们无法清楚地知道他是如何看待逻辑与心理学两者之关系的。在说明科学逻辑一文的开始,他这样写道:

> 推理的目标在于,从思考我们已知的东西出发,去发现我们另外所不知道的事情。因此,假如从一个正确的前提出发能够推出一个正确的结论而不是别的,那么这个推理就是好的。这样一来,其有效性问题纯粹就是事实而非思维的问题。(*EWP* 122)

另一方面,皮尔士的写作有时给人们留下了这样的印象,仿佛逻辑真理就是心理行为的法则。因此,在告知我们逻辑推论的三种主要类型是演绎、归纳和假设之后,他继续说,“在演绎当中,心灵受一种习惯或联想的支配,借助于它们,一种普遍的理念在各自的情形中会引发相应的反应”(*EWP* 122)。上述两种陈述可以用这种方式被糅合在一起:推理无论好坏均是关乎习惯的事情;然而一个特定的推理无论有效与否都关乎事实而非思维。

弗雷格论逻辑、心理学和认识论

弗雷格的著作中不乏对逻辑与心理学的明确区分。虽然自《概念文字》以
156 来,他一直在从事逻辑主义著作的写作,对认识论本身并无兴趣,但他关注于澄清认识论与其他相关学科之间的关系。弗雷格认为,在笛卡尔传统当中,哲学赋予认识论的基本作用应当属于逻辑学。另一方面,出自经验主义传统中的哲学家们混淆了逻辑与心理学之间的界线。在建构逻辑体系的同时,弗雷

格急切想要指出逻辑学与另外两种研究在本质和作用上的差异。

弗雷格从康德那里继承了先天知识与后天知识的区分，并对它加以改造使其服务于自己的目的。为了确保对先验知识的讨论不卷入任何心理学与逻辑学两者之间的混淆，弗雷格提醒我们，在遇到一个命题的证据之前，我们就有可能发现这个命题的内容。因此，我们必须区分如何首先相信一个命题和如何最终证明这个命题两者。假如我们谈到知识，那么就必定有一种证明，因为知识既是真实的，又是可证实的信念。谈论先天的错误是荒诞的，因为人们只知道什么是真实的东西。

> 当一个命题在我所说的意义上被称为后天的或分析的命题时，这不是对心理学、生理学和物理学条件的判断，这些条件使得把命题内容表现在意识当中成为可能。它也不是针对有可能存在缺陷的方法所做的判断，借助这一有缺陷的方法，其他某个人相信上述判断是真实的。这毋宁说是对基本根据的判断，这个基本根据为命题的真实性提供了证明。(***FA*** 3)

如果这个命题是一个数学命题，那么对它的证明也必定是以数学方式进行的；它不能是呈现在数学家心灵当中的一种过程的心理学内容。数学家诚然拥有感觉和心理意象，在正在计算者的思想当中，这些东西或许会发挥作用。但这些意象和思想并非算术所关注的东西。不同的数学家会把相同的数字与不同的意象联结起来：在100这个数字的运作过程当中，一个人心中想的是“100”，而另一个人想的却是“C”。即使心理学能够解释10的平方是100这个思想的前因后果，但它仍旧完全不同于算术，因为算术关注此类命题的真实性，而心理学则关注其思想的发生过程。一个命题可以在它不真实的情况下被思考，一个命题可以在没有被思考的情况下却是真实的。 157

心理学的兴趣在于探究我们思维的原因，数学的兴趣则在于对我们的思想进行验证。原因和验证是非常不同的事情。无疑，假如毕达哥拉斯的大脑中没有适当比例的磷，那么他就不会证明他那著名的定理；但这并不意味着，一个关于其大脑中的磷元素的命题就应当作为一条直线出现在证据当中。假如人类是进化的，那么人类的意识也在进化；假如数学家只关注感觉和理念，那么我们需要警告宇航员不要对在遥远的过去曾经发生过的事情妄下结论。弗雷格在一个具有讽刺意义的段落里，展示了上述立场的荒诞之处：

> 你认为 2×2=4；然而有关数的理念有一段历史，有一个演化的过程。人们可以怀疑它是否曾发展得如此深远。你怎么知道命题在遥远的过去就已经存在？难道不是生活在当时的动物认定了 2×2=5 这个命题？或许只是后来的自然选择在生存竞争当中才促使命题 2×2=4 发生了进化，或许它反过来注定会发展成为 2×2=3。（*FA* pp. Ⅵ－Ⅶ）

弗雷格终其一生一直主张逻辑学与心理学二者有明显的界线。在写于晚期的一篇题为《思想》（*Thoughts*）的论文当中，弗雷格警告我们，在逻辑学处理思想法则这个命题中包含着内在的模糊性。假如“思想法则”是指将心理事件与其原因联结起来的心理学法则，那么它们如果不区分思想的真与假就不是逻辑法则，因为错误和迷信与正当的信仰一样有原因可循。在道德法则是行为法则这个意义上，逻辑法则才是“思想法则”。现实的思考如同现实的行为一样不是总遵守逻辑法则。

然而，在后期论文《思想》中，弗雷格冒险进入了认识论领域，其方式倾向于抹杀他曾予以坚决维护的上述区分。他对表现的意义或模式和第一人称代词“我”的意义或模式进行了研究，“我”被当做以其运用者为指称的一个专有称谓加以处理。弗雷格说，“每个人以一种特殊和原初的方式面对自己，而不是面对任何他人。”假定贺拉修认为自己受了伤。只有他自己能够把握这个思想的意义,因为他只是以这种方式面对自己。

> 他不能传达只有他自己才能把握到的思想。因此,如果他现在说"我受伤了",那么他必须是在一种可以被别人把握的意义上,或许是在"正在同你说话"这个意义上使用"我"的。这样,他就使其说话的环境参与了思想的表达。(*CP* 360) 158

这似乎与弗雷格迄今一致的主张相矛盾:虽然心理意象可以是私人性的,但思想则是我们共同的财产。按照他自己的原则,一个私人的、无法传达的思想根本就不是一个思想。然而,弗雷格没有拒绝"我"是一个专有称谓的观念,从而抛弃笛卡尔的自我,相反,他继续采用高度笛卡尔化的术语,提出一种有关两个相互分离的世界的成熟学说,这就是内在的、私人的世界和外在的、公开的世界。物理世界中可感知的事物,能够为我们所有人所知晓:我们都能够看到同一所房子,触摸到同一棵树木。他主张,在这个世界之外还有一个由感觉印象、意象、情感、欲望和意志组成的内在世界,基于当前的目的,我们可以称这些东西为"观念"。

如弗雷格在这篇文章中所说,主张我们的心理生活发生在一个内在的、私人的世界当中的每个人,有时必然会面临这个问题:什么理由促使人们相信存在着一个如外部世界之类的事情?在《沉思》中,笛卡尔运用怀疑的论证,暂时清除了有任何东西在私人领域之外的信念;然后,他又通过求助上帝的真实性重新树立了读者对外部世界的信念。在此,弗雷格接受了笛卡尔对物质(物质世界)和心灵(观念世界)的划分。与笛卡尔一样,弗雷格接受了给唯心主义怀疑论提供一个答案的需要,这就是观念之外无物存在的主张。

假如每件事情都只是一个梦幻,即一个在自我意识的舞台上上演的戏剧,那么后果会怎么样(*CP* 363)?我仿佛和一个伙伴信步走在一片绿地上;然而,物质领域或许是空的,我的一切只不过是我本人所有的观念而已。假如我的观念仅仅是我的意识对象,那么就我所知道的一切而言,没有绿地(因为绿地不是观念),也没有伙伴(因为人不是观念)。就我所知道的一切而言,除了我自己的观念之外,没有任何其他的观念存在(因为我知道没有任何他人拥有观念)。弗雷格总结说:“要么我的观念仅仅是我的意识对象这个观点是错误的,要么我的一切知识和感知局限在我的观念范围之内,局限在我的自我意识阶段。在这一情形当中,我应当仅仅拥有一个内在的世界,不应当知道其他任何
159 人”(*CP* 364)。实际上,难道这条怀疑的推理轨迹不是导向我本身即一个观念的结论吗?坐在躺椅上,我获得了一连串的视觉印象,从鞋子的前端到模糊的鼻子轮廓。我有什么权力抓取我的一个观念,并把它确立为其他观念的主人呢?为什么要为观念找一个主人?

我们完全停顿在这里。假如观念没有主人,那么观念也就不存在;没有有经验的人,经验就不会存在。一种疼痛必须被感觉到,被感觉到的东西必须有一个感觉它的人存在。果如此,则有某物还尚未成为我的观念,却可以成为我的观念对象,即我本身。弗雷格与笛卡尔一样把怀疑论终结在我思,即“我思故我在”那里。但是,笛卡尔的自我是一个非观念的主体,弗雷格的自我则是一个非观念的观念客体。它的存在驳斥了这样的说法,即只有成为我的意识之一部分内容的东西才能成为我的观念对象。

假如存在着科学这样的事情,弗雷格说,那么“第三个领域也必须予以承认”——一个在物质世界与观念世界之外的世界。自我作为观念的主人,是这个第三王国的第一位公民。这个第三领域是客观思想的领域。这个王国的居民与观念共享不为感觉所感知的财产,与物质共享不属于主人的财产。毕达哥拉斯定理永远正确,而且不需要主人;当有人第一次想到它或证明它时,它也不必自此开始才成为真的(*CP* 362)。

弗雷格说,其他人也能够与我一样把握思想;我们不能成为我们思想的主

人，就像我们是自己观念的主人一样。我们不拥有思想；思想只是我们所把握到的东西。被把握到的东西已经在那里，我们所能做一切只是占有它。我们对思想的把握不影响思想本身，正如我们的观察不影响新出的月亮一样。思想不能改变和来回移动；它们不像物理世界当中的物体那样，出于某种原因成为主动的和被动的东西；在物理世界当中，一个事物对另一个事物施加动作，并改变它；而思想则自我施动、自我变化。毕达哥拉斯定理身居的永恒世界并非如此。

在追随弗雷格走上笛卡尔怀疑道路的人们当中，鲜有人能跟随他走出迷宫。面对挑战，他所做的回应并不比笛卡尔本人的更加令人信服。在接受了物质构成的公开世界与人类意识构成的私人世界的区分之后，两位哲学家又寻求将他们借助一个第三世界加以分离的东西重新糅合在一起：在笛卡尔那里，这是神圣的心智，在弗雷格那里，则是思想的世界。在两种情形当中，致命 160
的错误在于接受最初的二分法。不是两个世界，而是单独的一个，属于这个世界的不仅有没有活力的物理对象，而且还有有意识的理性动物。弗雷格错了，他违反了自己区分思想与观念二者的核心原则，却接受了意识为我们提供不可传达的内容以及不可共享的确定性的说法。

习得知识与摹态知识

就在弗雷格讨论思想本质的文章发表6年之前，伯特兰·罗素就已撰写了简明扼要的《哲学问题》(*Problems of Philosophy*)一书，它向数代哲学研究者们指出了进入认识论的初步门径。罗素是约翰·斯图亚特·密尔的教子，他一生中的大部分时间都努力忠实于英国经验主义传统，密尔正是身处其中的这样一个坚定的代表。然而，罗素并不接受密尔把数学看成一门经验科学的做法，因此，他的经验主义往往混杂着一种与弗雷格共有的柏拉图因素。其《哲学问题》以对笛卡尔的全面质疑开始。

> 我仿佛坐在椅子上，坐在某种形状的桌子边，在这张桌子上我看见了或是用手写或是用机器印上字迹的一叠纸张。转过头去，我看见了窗外的建筑、白云和太阳。我相信，太阳距地球有930,000,000英里之遥；它数倍于地球之大，是个发热的球体；借助于地球的转动，太阳每天早晨出升，在未来一个不确定的时间里都会继续如此。（*PP* 7—8）

罗素告诉我们，无论这个事实多么浅显，我们也完全有理由怀疑它。从不同的角度，对不同的人来说，在不同的环境当中，这张桌子看着和感觉起来都不尽相同。真实的桌子并非我们当下直接经验的那张桌子，而是出自一种直接知识的推论。在感觉中直接为我们所知晓的东西与任何一张真实的桌子二者相当不同。

> 让我们把在感觉中为人所知的东西称为“感觉材料”：颜色、声音、气味、硬度、粗糙度等等这些东西。我们用“感觉”命名直接意识到这些东西的经
> 161 验。这样，无论何时我们看到一种颜色，都会产生一种颜色的感觉，但颜色本身却是一种感觉材料。颜色是我们直接意识到的东西，而意识本身就是感觉。（*PP* 12）

感觉材料只是我们能够实际确定的东西。笛卡尔的怀疑止于我思，即“我思，故我在”。但是罗素告诫我们，它说出的内容要多于确定的东西：感觉材料不能担保一个驻留在对象那里的自我，真正确定的内容不是“我看见一种棕色”，而是“一种棕色被看到了”。感觉材料是私己的和个人的：有任何理由相信这

样一个公开的中立对象吗，如同我们想象中的桌子一样？如果没有的话，那么就没有理由相信自己之外的他人，因为只有通过他们的身体才能了解他人的内心。

罗素退一步认为，没有任何实在的证据可以证实整个人生不是一个梦境。我们对外部世界的信念出自本能，而不是反思，但这并不意味着我们有任何充足的理由拒绝它。假如我们姑且同意既有物体又有感觉材料，那么我们是否应当说这些对象构成了感觉材料的原因呢？如果要这样做，我们必须立即补充说，没有理由认为这些原因就类似于感觉材料，好像它们被涂上了色彩。从常识出发，我们无法了解其真正的本质。

为了理清感觉材料与对象之间的关系，罗素引入了他对习得知识与摹态知识两者所做的著名区分。

> 我们会说我们习得了直接为我们所意识到的任何东西，而不借助任何推论或任何真理知识为中介。于是，面对我的桌子，我就获得了组成这张桌子表象的感觉材料——颜色、形状、硬度、平滑度等等……相反，我对这张作为物体的桌子的知识则不是直接得来的知识。既如此，那么我的知识是通过对构成这张桌子表象的感觉材料而来的。我们已经看到，可以怀疑存在一张桌子，这并不荒诞，但不可以怀疑感觉材料。我们对这张桌子的知识，属于被我们称为“摹态知识”之类的东西。桌子是“导致如此这般感觉的物体。”它通过感觉材料来描述这张桌子。(*PP* 46—7)

感觉材料并非我们所能得到的唯一东西。内省使我们获得关于我们自己的思
想、感情和欲望。记忆让我们获得有关过去的内在和外在的感觉材料。我们 162
甚至熟悉了我们自身，尽管这值得怀疑。我们没有熟悉物体或他者的心灵。然而，我们却熟悉了更为精细的实体：普遍的概念，如白色、友爱等等。

与柏拉图相同,罗素认为普遍性属于超感性世界即存在的世界。存在的世界是不变的、稳固的、完善的和死寂的。生存的世界才包含着思想、感情和感觉材料。有些人生来就喜欢此岸的世界,另一些人则喜欢彼岸的世界。但“两者都是真实的,对形而上学家来说,两者同样重要”(*PP* 100)。

罗素主张,我们能够理解的每个命题必然完全由我们习得的成分构成。假如我们没有见过俾斯麦,那么我们又如何描述俾斯麦呢?假如欧洲太大而不能为感觉所容,那么我们又如何描述欧洲呢?罗素的回答是,任何对俾斯麦或欧洲的判断确实包含着一系列层叠堆置的限定性摹状词,一切有关它们的知识均可最终化约为我们通过熟悉它们而获得的知识。只有通过这种方式,我们才能拥有任何我们所从未经验过的东西的知识。

在撰写《关于我们外部世界的知识》一书之际,罗素描述了物体与感觉材料之间的关系,指出前者是出自后者的逻辑建构。在《哲学问题》一书中,罗素说是对象引起了感觉材料但与它们有所区分,现在他则认为关于我们日常生活对象的命题和科学命题,都可以通过分析化约为感觉经验。然而,这最终证明只是其思想发展的一个暂时阶段,在其最后的哲学著作《人类知识的范围与界限》(*Human Knowledge*:*Its Scope and Limits*)中,他又返回到了一种有关感知的因果论那里。在那时,其认识论整体的基础和方法都面临着许许多多的挑战。

胡塞尔的悬置

胡塞尔是出自笛卡尔传统的最后一位伟大的哲学家。他把现象学还原,
163 特别是悬置(*epoche*)的程序,或者对心灵之外现实之判断的搁置看成是笛卡尔
方法论怀疑的细化。在消除哲学基础中一切可能引起怀疑的东西方面,他试

图通过多种方式使自己的立场比笛卡尔更加激进。首先，他拒绝了我思的不可怀疑性，假设它被用于确认一个持存的自我，而非我当下感觉中的主体。其次，他认为笛卡尔只从意识材料的表面价值抽取材料，而没有在它的内部区分什么是在感觉中被切实给予的，以及在感觉中什么又是一种形而上学解释的结果，后者暗自预设了一个外部世界的存在，它在时空中扩展开来并受因果律的支配（*LI* 16）。

然而，如果与将胡塞尔与笛卡尔结合起来的相似性比较，则把二者分开的差异并不重要。两位哲学家都把认识论视为基础学科，认为它先于其他一切哲学门类和所有经验科学。与笛卡尔一样，胡塞尔从不怀疑两件事情：本人的心理状态与过程的确定性以及他用来报道这些现象的语言。他们都认为这些确定性都可经得起任何对外部世界的怀疑。

笛卡尔相信上帝能够创造我的心灵，这种情况本身无需物质之类的东西存在。胡塞尔论道，我们对外部世界的意识在于我们对它的片面观察和接触——或者如他所说，是它们的“阴影”。但是除非这些阴影按顺序自行排列，否则我们便无法从中建构对象。然而，完全可以想象这种顺序是破碎的，只留下一系列混乱的感觉。果真如此，我们就无法感知物体，世界也将被摧毁。但是胡塞尔以为，意识能够经得起这样一场世界毁灭（*Ideas*, 49）。

假如我的意识确定无疑，而物质世界则从本质上来说是可疑的，那么，搁置对后者的判断、集中精力描述和分析前者便再合理不过了。然而，胡塞尔的悬置，也就是搁置判断并非像看起来那样是中立于现实主义和唯心主义的出发点。因为意识能够在纯粹的私人世界得到表达，这个假设一开始就质疑了
现实主义。鉴于它们割裂了意识内容和表达的语言与外部世界对象之间的任 164
何非偶然的联系，胡塞尔和笛卡尔都发现他们落入了唯我论的形式陷阱，笛卡尔借助于上帝试图逃离这个陷阱，而晚年的胡塞尔则把超验的意识树立为前提。

推动胡塞尔成为超验唯心论者的论证路线是这样的:其出发点是自然的,即意识是世界的一部分,受物理原因的支配。但是,如果有人要避免像康德那样去设置一个无法为经验获取的物自身,那么他就必须说物理世界本身是意识的一个创造物。但是,如果创造物理世界的意识是我们的日常心理意识,那么我们就会面临悖论:世界作为整体是由它的一个因素所构成的,这就是人类的意识。唯一可以避免这个悖论的途径是说,构成世界的意识不是世界的一部分而是超验的意识。①

然而,意识创造的世界并非由我们的经验而是由我们赖以生存的文化和基本假设所塑造的:胡塞尔称之为"生活—世界"。生活—世界并非建立在证据之上的一系列判断,而毋宁说是构成所有证据和判断之基础的一个无法检验的层次。不过它并非终极和不可变化之物。我们的生活—世界受科学发展的影响,正如科学根植于我们的生活—世界一样。假设科学通过它与生活—世界的联系获得意义,那么它反过来又在逐渐改变着生活—世界。在首次发表于 1939 年的一篇题为《经验与判断》(*Experience and Judgement*) 的论文中,胡塞尔写道:

> 当这个世界被事先给予了这个时代的成年人时,当代自然科学所造就的每一事物就规定了什么东西存在,它们均属于我们,属于这个世界,即使我们本身对自然科学不感兴趣,即使我们对其造成的后果一无所知,什么东西存在依旧以这样规定的方式被事先给予了我们,我们至少将它把握为从科学上能够予以规定的存在。

我们不易看出如何调和这些出自后期的思想与胡塞尔的前期思想。同

①在此,我受惠于 Herman Philipse 的论文"Transcendental Idealism",*CCH* 239—319。

样，维特根斯坦后期著作的读者也发现，在知识与信仰的终极证实性质方面， 165
他正在探索着新的和令人感到不安的观念。①

维特根斯坦论确定性

与笛卡尔的理性主义相比，其怀疑论思想对后世的影响要更为深远：第一和第三沉思中的困难给哲学家们造成的印象，要比第四和第六沉思中相应的解决方案给他们造成的印象更加深刻。胡塞尔的超验唯心主义只是一长串不成功尝试中的最后一个，在试图回应笛卡尔对外部世界所持的怀疑论思想时，它接受了笛卡尔描绘的内在世界图景。维特根斯坦对私人语言的论证表明，如果没有对公开世界的指称，我们就无法识别意识的内容，这摧毁了构造笛卡尔意识观念的整个基石。然而，维特根斯坦只到晚年才开始处理笛卡尔的怀疑论，这些内容出现在他死后才发表的认识论著作《论确定性》（*On Certainty*）一书当中。

在回应第一沉思中的那类怀疑时，维特根斯坦提出了两个出发点：其一，怀疑要有根据（*OC* 323，458）。其二，真正的怀疑必须在一个人的行为内部做出区分：假如一个人能够像所有人一样自如运用他的双手，那么他就不会真正怀疑自己是否拥有一双手（*OC* 428）。笛卡尔如若回应，他会同意第一点；这就是他之所以创造一个邪恶的天才，从而赋予直觉上的怀疑以根据的原因。对于第二点，笛卡尔的回答会是一种区分：他提出的怀疑是一种理论的和方法论的怀疑，而不是一种实用的怀疑。

维特根斯坦接下来提出的批评则更加有力。他声称，一个怀疑预设了对

①Dagfinn Føllesdal 在“Ultimate Justification in Husserl and Wittgenstein”中指出了两位哲学家的相似点，M. E. Reicher & J. C. Marek（ed.，*Experience and Analysis*（Vienna：ÖBT & HPT，2005）。文中引述出自这篇论文。

一种语言游戏的掌控。为了表达对 p 的怀疑，一个人必须理解 p 是什么意思。激进的笛卡尔怀疑摧毁了自身，因为它注定要质疑表达它的词汇的意义（*OC*
166 369，456）。假如邪恶的天才彻底欺骗了我，那么他会以"欺骗"这个词的意义来欺骗我。于是，"邪恶的天才完全欺骗了我"就没有表达出他原本意欲表达的怀疑的彻底性。

即使在语言游戏的内部，也必然存在着某些不能加以质疑的命题。"我们的怀疑基于某些命题可以被免于怀疑的事实，这可以说是怀疑得以运转的关键"（*OC* 341）。假如某些命题我们不可怀疑，那么这些命题是否会误导我们呢？维特根斯坦区分了过失和其他形式的错误信念。假如某人在想象中觉得自己可以在现居住地以外的某个地方活得更长，那么这不是一个错误，而是心理上的错乱；它是人们极力予以治疗的某种东西，非理智可以驱除。疯狂与错误的区别在于，错误包含着误判，而在疯狂中没有真正的判断，无论这个判断正确与否。梦想也是如此："我或许正在做梦"这个论证没有意义，因为假如我正在做梦，那么这个评论也是梦想出来的，实际上，就连这些词汇会有任何意义这一点也是梦想出来的（*OC* 383）。

维特根斯坦撰写《论确定性》一书的目标并不在于建立有关外部世界的事实，以对抗笛卡尔的怀疑主义。他承认，他所关注的东西更接近于纽曼《同意的文法》一书的目标：他意欲探索一种不是建立在证据之上的、不可动摇的确定性如何可能。外部对象的存在是确定的，但它却不是某种可以证实的东西，否则它便是一个知识对象。后者在我们的世界图景（Weltbild）中的位置要比对象更为深远。

在生命的最后几个月，维特根斯坦试图澄清一组命题的地位，在我们的认识论结构中，它们占有一种特殊位置，如他所说，这些命题对于我们而言"能够立即成立"（*OC* 116）。诸如"勃朗峰存在了很长时间"和"人不能舞动自己的双臂飞向月球"之类的命题似乎是经验性的命题。然而，它们却是以一种"特

殊方式”成为“经验性”命题的：它们不是研究的结果，而是研究的基础；它们
凝固了经验性的命题，形成了日常的和流畅的命题通道。它们是构成我们世
界图景的命题，而一个世界图景是不能通过经验习得的；它是我借以区分正确
与错误的固有背景。孩子们不用学习它们；可以说，他们用自己所学的知识一 167
口就吞下了它们（*OC* 94，476）。

“摩托车不能从土壤里长出来”是维特根斯坦所列举的构建我们世界图景的命题之一。超现实主义艺术家如胡安·米罗（Joan Miró）正是通过怀疑此类命题而为它们赢得艺术效果的。

摩托车的确不能从土壤里长出来。我们感到假如有人会相信相反的看法，那么我们就可以认为，他相信所有我们认为不是真实的东西，并对所

> 有我们认为是真实的东西产生怀疑。
>
> 然而，这样一个信念如何才能与其他的所有信念联系在一起呢？我们想说，相信这个信念的人不接受我们整个一套证实的体系。体系是人类通过观察和教育手段得到的东西。我有意不说"学习"。（*OC*, 279）

当我们最先开始相信任何事情时，我们不是相信一个单独的命题，而是相信整个体系：光明一开始就照亮了全体。

尽管这些命题为我们的语言—游戏奠定了基础，但它们并没有为语言—
168 游戏提供根据或前提。维特根斯坦说，"奠定基础，证明证据是合理的，至此，事情到达了终点；然而，终点并非某些一看就信以为真的命题，这就是说，不是我们的一种观察；而是我们的行为，它位于语言游戏的底端。"（*OC*, 204）

在20世纪，认识论在不同的思想气候中经历了相似的发展阶段。在各种情形当中，认识论研究者们从最初集中于个人意识的研究出发，转向高扬社会群体在信念网络构建中所发挥的作用。同样，他们从集中于经验的纯粹认识方面出发，转向强调其情感与实用因素。这一发展不仅出现在不同的哲学流派（大陆哲学与分析哲学）之中，也出现在胡塞尔和维特根斯坦如此个性化的哲学家的思想当中。在各种情形当中，这一发展丰富了最初饱受过度个人主义侵蚀的一个哲学领域。

第七章

形而上学

唯心主义种种

在19世纪上半叶，最重要的哲学家均是不同类别的 169
唯心主义者。在这个时期，伴随着费希特、谢林和黑格尔携手共建一种作为绝对意识发展史的宇宙理论，德国超验唯心主义达到了高潮。不过，即使批评绝对唯心主义最烈的哲学家们，也忠诚于另一种不同形式的唯心主义，这就是声称存在就是被感知的贝克莱经验论唯心主义。无论是英格兰的约翰·斯图亚特·密尔，还是德国的叔本华，都从贝克莱的论题出发，主张经验世界无非是由观念构成的，二者都试图把物质理论从贝克莱的神学基础中加以剔除。

根据密尔的看法，物体在其未被感知时依旧存在，我们的这一信念无非意味着对未来感知的持续期待。他把物质规定为"感觉的一种永久可能性"；他告诉我们，外部世界是由种种可能的感觉以一种合法方式前后相继组成的世界。

叔本华在《作为意志和表象的世界》的开篇就告诉我们,“世界是我的表象”。世界上的每件东西唯有作为主体的对象才存在,它的存在仅仅与意识相关。一个想要得到哲学智慧的人必须接受这样的看法:“没有任何关于太阳和地球的知识,他只有两只观看太阳的眼睛和一双触摸大地的手”(*WWI* 3)。叔
170 本华说,主体知晓一切事物却又不为任何人所知;因此他是世界的承担者。

空间、时间和因果性是每个对象必要的和普遍的形式,在我们意识当中,它们是先于任何经验的直觉,叔本华从康德那里接受了这样的观念。空间和时间是感性的先天形式,因果性是知性的先天形式。知性(Verstand)不是人独有的东西,动物也能意识到原因与后果之间的关系。知性将粗疏的感觉转化成为感知,正如初升的太阳为风景着色一样。人独有的能力是理性(Vernunft),也就是说,它是塑造抽象概念并将其联结起来的能力。理性使人能够说话、思维和认识;但它不能扩展知识只能转化知识。我们所有的知识均来自我们的感知,它们是构成世界的东西。

这个世界只为一个主体存在的观点会导致悖论。叔本华接受了一种进化的历史观:动物先于人,鱼类先于陆生动物,植物先于鱼类出现。在第一只眼睛睁开之前,一连串的变化就已经发生了。然而根据世界即表象的说法,整个世界的存在永远依赖于这第一只眼睛,哪怕它只是一只昆虫的眼睛。

> 于是我们看到,一方面,整个世界的存在必然依赖于第一个致知(意识)的存在,无论后者多么不完善;另一方面,这第一个致知的动物同样必然依赖于在他面前的、由因果组成的漫长链条,而它自身似乎只是其中的小小一环。(*WWI* 30)

只有当我们由视世界为表象转移到视世界为意志的时候,这个二律背反才能

得到解决。

《作为意志和表象的世界》第二卷始于对自然科学的考察。一些自然科学门类如植物学和动物学处理个体的永恒形式;其他门类如机械和物理学许诺为变化提供解释。上述学科门类给出了自然规律如惯性和重力,它们规定了现象在时空中的位置。然而,这些规律不能提供任何有关自然力——物质、重量、惯性等——之内在性质的信息,而内在性质的提出是为了解释它们的稳定性。“就其内在性质而言,石块落地或者物与物之间的排斥所依据的力量,其怪异和神秘不亚于引起运动与促使动物生长的力量。”(*WWI* 97)。

科学研究因其只关注表象,故不能使我们感到满足。“我们愿意知道这些 171
表象的意义;我们追问这个世界是否只是表象;果真如此,它就仿佛一个空洞的梦境和一个无根据的幻象从我们身旁经过,不值得我们去留意;或者,我们追问它是否为其他东西,而不止是表象等等”(*WWI* 99)。假如我们只是认识主体——一尊只有翅膀而没有肉体的天使——,我们将止步不前。我们每个人都根植于这个世界,因为我们化身于这个世界当中。我关于这个世界的知识是我的肉体给予我的,但我的肉体不仅是一个信息中介,不仅是众多对象当中的一个;它还是一位积极的施动者,其力量能够直接为我所意识。是我的意志赋予通达我自身存在的钥匙,向我展示出我的行为的内在机制。

我的身体运动并非是以我的意志为因的后果:行动和意志是同一的。“每个真实的意志行为都直接和毫无例外地是一个人身体的一种运动。”反过来说,对我的肉体造成的印象也就是对我的意志造成的印象:如果它顺从意志,那我就是快乐的,如果它有悖于意志,那我就是痛苦的。我们每个人既知道自己是一个客体,又知道自己是一个意志;这是理解自然界中每一现象之本质的关键。

比拟于我们自己的身体,我们将判断所有非我们的身体、因而不以双重方

> 式而仅仅以表象方式给予我们意识的东西，我们由此假设，一方面它们是表象，类似于我们的身体，另一方面，当我们撇开客体作为主体之表象的存在，所剩余的部分就其内在本质而言与内在于我们，被我们称之为意志的东西相同。否则，我们将赋予余下的物质世界以何种类型的存在或现实呢？出于何种原因，我们要把我们建构这个世界的因素抽取出来呢？除了意志和表象之外，没有为我们所能知晓和所能思考的东西。(***WWI*** 105)

晶体赖以成形的力量、磁石能够指向地极的力量、植物赖以发芽和生长的力量，尽管所有这些力量的现象存在如此不同，但它们与居于我们之中的意志是相同的。现象存在只是表象，然而意志则是一个物自身。“意志”这个词就如同魔法一样，为我们揭示了每个事物在本质方面最内在的存在。

叔本华马上坚持道，这并非意味着一个正在坠落的石块拥有意识或欲望。
172 思考动机只是人类才采取的形式；它并非意志本质的一部分，意志显现为不同的等级，只有最高一级才伴随着知识和自我规定。我们或许会感到疑惑：为什么我们应当说自然力量是意志的低级阶段，而非人的意志是力量的最高阶段呢？叔本华回答道，我们的力量概念是从由因果组成的现象世界那里抽象而来的；然而意志则是为我们所直接意识到的东西。用力量来解释意志，就是用不为我们所知的东西来解释为我们已经熟知的东西，它拒绝了我们对世界内在本质的直接知识。

意志是没有根基的：它在因果领域之外。我们追问原生力量如重力和电力之原因的做法是错误的。这些力量的表现与因果律相一致；然而并非重力让一块石头坠地，而是因为它与地球接近。重力本身不是因果链条的一部分，因为它外在于时间。其他力量也是如此。

> 化学力量沉潜在物质之中长达数千年,直到与其发生反应的东西将它们释放出来;于是它们就外显出来;然而时间仅仅是为现象,而不是为力量存在的。数千年来,吸引力隐藏在铜和锌当中,它们静静地躺在银的旁边,而一旦三者在特定条件下被放置一处,它们就不可避免地为火焰所吞噬。(*WWI* 136)

以上对因果性在世界当中的运作所做的解释与马勒布朗舍(Malebranche)的偶因论(Occasionalism)拥有共同的特征,而叔本华则把注意力放在了相似性上面。① “马勒布朗舍是对的:每个自然原因都是一种偶因。”但是,对马勒布朗舍来说,上帝才是每一个自然后果的真正原因,而对叔本华而言,真正的原因是普遍意志。一个自然原因,他告诉我们,

> 只是给予那个不可分割的意志以外显的机会和场合,这个不可分割的意志就是万物的“在—自身”,其逐级客体化就构成了整个可见的世界。只有表象,即此时此地可见的变化,是由原因引起的,因此依附于它,但它既不是整个现象,也非其内在本质。(*WWI* 138)

普遍意志在许多不同的层面被客体化了。意志阶段高低的主要差别在于个体 173
性的作用。在高级阶段,个体性是突出的:世界上没有两个人是相似的,高等动物的个体之间存在着明显的差别。但是,我们越是往下走,个体特征就越加完全地消失在物种的普遍特征当中。植物罕有任何个体品质,而在无机界里所有个体特征都消失了。一种如电力的力量在其所有的现象中都精确地以相同的方式显现自身。这就是我们之所以越是向意志的低等级走就越是容易预

①参看本书第三卷,59页。

知现象的原因。

贯穿整个自然界的意志表露在冲突当中。在意志的不同等级之间存在着冲突，如当磁石吸起铁块时，这是意志的一个较高形式（电力）战胜了意志的一个较低的形式（重力）。一个人举起手臂时，人的意志战胜了重力，在每个健康的动物那里，我们看到了有意识的有机体战胜了控制身体各个成分的物理和化学规律。正是这一永恒的冲突给自然生命带来了烦恼，并使得睡眠以及偶然的死亡成为必然。“最终，这些被征服的自然力量，在环境的帮助之下，反过来战胜了有机体，它们甚至厌倦于长期的胜利，加上从环境中汲取物质，它们以一种不可遏制的态势使自身的存在显现出来”（*WWI* 146）。在这个级差结构的底端，我们看到了显露在本质冲突当中的意志。地球围绕着太阳旋转，是基于向心力和离心力之间持续紧张。物质借吸引力与排斥力、重力以及不可穿透性维持着自身的存在。这种持续的压力和对抗是意志在其最低阶段上的客体化，即使是在那里，它作为一种盲目的冲动也显露着它的意志特征。

在叔本华的体系里，意志占据了物自身在康德体系中所占据的位置。假如我们把意志与它在现象界里的行为剥离开来加以考虑，那么它就处在时间和空间之外。因为时间和空间是多样性的必然条件，而意志必须是单独的；它不可分割，尽管事物在空间和时间当中是多样的。意志客体化的级别在人这里要高于一块石头；但这并不意味着人占有着意志的较大份额，而石头占有较小的份额，因为部分与全体的关系只从属于空间。多样性也是这样：“意志在
174 一棵橡树那里完全显身，如同它在千万棵橡树中显身一样”（*WWI* 128）。

叔本华把意志不同等级的客体化视为与柏拉图的理念相同的东西。与意志本身一样，这些理念也外在于空间和时间。

意志客体化表露在无数个体当中的那些不同等级，是作为这些个体无法

达到的模式，或者作为万物永恒的形式而存在的。不是它们本身即物与物之间的中介进入了时间和空间当中，它们是固定的，没有改变，总是持存，没有变化。个别的事物则在不断地生成或消亡；它们总是处在变化当中，而不会持存。(*WWI* 129)

柏拉图的观念论与印度神秘主义的结合赋予叔本华的体系以一种独特的形而上学品质。虽然哲学家倾慕他的风格，或者承认他的影响，但鲜有人能在各个方面跟随他的步伐。从来也没有出现过一个如康德或黑格尔学派那样的叔本华学派。一个自称是叔本华门徒的人便是《特里斯坦和伊索尔德》(*Tristan und Isolde*)的作者瓦格纳。

形而上学与目的论

叔本华的神秘唯心主义是对达尔文进化论自然主义遥远的呼唤，而在一个讨论形而上学的章节里提及一位生物学家的名字的确有点令人感到奇怪。但是，达尔文理论超出了具切近的兴趣，对因果关系的一般理论具有含义。亚里士多德是使形而上学系统化的第一人，他的方法是对四种原因进行划分：质料因、形式因、动力因和目的因。目的因是一个结果或行为的目标或终点。依目的因做出的解释被称为"目的论"(Teleology)，它来自古希腊文"*telos*"一词。对亚里士多德来说，目的论解释可以运用在从蚯蚓栖居到天体运转的每一个层面之上。然而，许多思想家声称，自达尔文以来，目的论解释在任何一门科学当中便不再拥有任何余地。

对行为与结构所做的亚里士多德式的目的论解释具有两个特征：它们依据终点而非开端来解释事物，它们援引了善的观念。这样，一个行为不是通过

175 它与起点，而是通过它与终点的指涉得到解释的；对其行为有待解释的行为人来说，到达终点将被展示为某种类型的善。因此，重物向下运动被亚里士多德解释为一种向其自然位置的运动，这个位置对它来说是最好的，天体的旋转运动被解释为对一种最高存在之爱。相似地，对有机结构的目的论解释表明，器

F. 斯达森的石印画，表现了瓦格纳戏剧当中的一个场景，伊索尔德将幸运的佳酿递给特里斯坦。

官在其完善的状态中会赋予整个有机体一种益处。由此,鸭子的双蹼是用来凫水的。 176

笛卡尔反对把目的论解释应用于物理学和生物学。他主张,目的因暗示行为者知道自己所追求的目标;但这样的知识只能留在心中。对每一个物理运动和生理行为的解释必须是机械的;这就是说,我们的解释必须给出最初的而非最终的条件,这些条件又必须以描述性而非评价性的术语来陈述。笛卡尔没有为其这一争辩提出充足的论证,他的主张排除了直接的重力吸引和亚里士多德的宇宙之舞。此外,笛卡尔错误地认为目的论解释必然包含有意识的目的:不管亚里士多德怎么看待天体,他从来也没有主张一个蚯蚓会有一个心灵,更不用说是一块风化的石头了。

给亚里士多德的目的论带来沉重打击的不是笛卡尔,而是牛顿和达尔文,他们通过不同途径颠覆了构成亚里士多德目的论的两种因素。牛顿的重力借指涉一个终点为我们提供了一种解释,这不亚于亚里士多德的运动:重力是一种离心力,通过它"物体被拖曳、推动,或者以任何方式趋向于一个中心点。"然而,牛顿的解释与亚里士多德的根本不同在于,前者并没有提出一个物体到达它所趋向的中心无论如何是对它有益的事情。

达尔文从自然选择方面提出的解释,一方面类似于亚里士多德的解释,即要求有待解释的过程终点,或者有待解释的结构复杂性将有益于相应的有机体。但是,与亚里士多德不同,达尔文不是以终极状态或完善结构的推动来解释过程与结构,而是系统及其环境先决条件的压力。处在生存斗争当中的红色牙齿和红色爪子当然是追求一种善的结果,也就是为它们所从属的个别有机体求得存活的结果;但是,它们并非在追求由选择即由最宜生存者的存活来解释的终极之善。正是由于这样,对进化过程中个别物种之出现的解释不仅不能求助于一个有意的设计者,也不能求助于目的论。 177

当然,只有在一个特殊层面上,达尔文的体系才使目的论沦为一种浅见。

人类，如家长们的行为目标不仅在于养育进步的子孙，而且也在于达成普遍的人类生活及商业。其他高等动物也不仅依靠本能来行动，而且也追求从经验中得知的目的。此外，信奉达尔文的科学家们也没有放弃对终极目的的追求。事实上，当代生物学家比从笛卡尔到达尔文时期的前辈们更善于识别结构与行为的功能。达尔文所做的就是让目的论能为人们所接受，其方法是提出一种将目的论转换为机械论形式的解释方案。其后继者们觉得能够自如地运用这样的解释，而无需另外提供一张期票，告诉他们在任何特定的情况下如何把上述解释简化为机械论。一旦他们认识到一个行为或结构赋予一个有机体的益处 G，他们马上就会觉得有资格说，“这个有机体是以 G 这样的方式进化的”。

达尔文的著作留下的两个有关目的论的重大问题还没有得到解决：第一，人类自由的和有意识的抉择是否不可简化的目的论？或者，我们是否可以赋予它们一种机械论解释？有人相信，随着对大脑的了解增多，我们将会揭示出人类每一个思想和行为均是机械物理过程的产物。无论如何，这个信念是一种信仰行为；它并非任何研究或哲学分析的结果。

第二，如果我们假设达尔文的解释可以被宽泛地用于我们周围所看到的有目的的有机体生存，那么我们的探索步伐是否还会只停留在那里呢？或者，宇宙本身是否可以被视为一个以机械论方式朝向生产有机物种这个目标运作的体系，如同一个冰箱以机械论方式朝统一温度这个目标而工作的方式？宇宙本身是否一个巨大的机器，一个以目标为导向的系统呢？

在进化是否拥有方向这个问题上，生物学家们的意见有了分歧。某些人认为，它具有一种内置的、生产带有更大复杂性和更高意识的有机体的倾向。另一些人则主张，没有任何科学证据可以证明进化没有某种优先的轴心。无
178 论如何，这个问题依旧存在：在宇宙一个基本层面上运作的究竟是目的论的，还是机械论的解释？假如上帝创造了世界，那么，机械论解释便被目的论解释

颠覆了;为任何生物的存在和生长提供解释是造物主的目的。如果没有上帝,而宇宙的运行依赖于建立在盲目偶然之上的自然规律,那么机械论的解释层面便是根本性的。据我所知,没有人能够给这个问题提供一个确定的答案,无论他是科学家,还是哲学家。

现实主义与唯名论的争执

有一个形而上学问题以各种不同形式一而再、再而三地出现在哲学史当中。这个问题就是:假如我们要赋予这个世界以意义,那么心灵之外就必然有实体存在,其类型与我们日常生存中遇到的飘浮的个体相当不同。在古代世界,柏拉图和亚里士多德曾经讨论过理念或形式是否独立于事实和物质对象而存在的问题。纵贯整个中世纪,现实主义者与唯名论者双方就宇宙是现实还是仅为符号的争论一直没有停止。近代的数学哲学家们也在数学对象的本质方面展开了一场类似的争论,在这场争论当中,形式主义者将数字等同于数词,而现实主义者则认定数字拥有一种独立的存在,它构成了一个与心灵世界和事实世界分离的第三世界。

在现代,弗雷格是现实主义最有力的捍卫者。在题为《算术的形式理论》的讲演中,他攻击了那种把数字符号如"1/2"和"π"看成只是没有指涉任何东西的空洞符号的思想。他说,即便称之为"符号",这本身已经暗示它们是指什么东西了。一个坚定的形式主义者会称之为"外形"。假如我们认真对待"1/2"不指涉任何事实的主张,那么它只是墨迹和粉笔的随意涂抹而已,带有多重的物理和化学性质。它怎么可能会有与自己相加结果为1这个属性呢?我们能说是定义赋予它这个属性吗?定义只是把一个意义与一个单词联结起来;然而这个符号被认为没有内容。的确是我们赋予一个符号以意义,因此这

179 部分地取决于人们选择的一个符号内容会拥有什么属性。但是这些是内容的属性,而非符号本身的属性,因此,按照形式主义的看法,它们并不是数字的属性。我们所不能做的事情是,仅仅通过定义赋予事物以属性。

《原则》(*Grundgesetze*)中用于攻击形式主义者的论证类型与威克利夫(Wyclif)在中世纪用于攻击唯名论者的论证类型是相同的。

> 人不能通过纯粹的定义魔幻般地塞给一个事物一种它实际上并没有的属性,除非那种有人用命名它的称谓来称呼它的属性。用黑水在纸上画出的一个椭圆,通过一个定义获得了与一相加得一这个属性,我只能把它看成是一种科学迷信。果如此,人们亦可通过一个纯粹的定义使一个懒惰的学生变得勤奋起来。(*BLA* 11)

对弗雷格来说,不仅数字,函数也是独立于心灵的现实。来看“$2x^2+x$”这个表达式。它分为两个部分,一个符号代表一个自变量,一个表达式代表一个函数。在下列表达式中

$$(2\times 1^2)+1$$
$$(2\times 4^2)+4$$
$$(2\times 5^2)+5$$

我们可以看到有一个函数多次出现,但带有不同的自变量,即1,4和5。这些表达式的共同内容是函数所表达的内容。假如我们将 x 留空,那么上面的函数就可以被表示为“$2(\quad)^2+(\quad)$”,即“$2x^2+x$”余下的东西。自变量不是函数的一部分,它更多地是与函数结合构成一个整体。一个函数必须与个别的自变量值区分开来:一个数学函数值往往是一个数字,如数字3是自变量1

的函数，这样$(2\times1^2)+1$就命名了3这个数字。一个函数本身不同于作为其自变量和值的数字，它是某种不完善的东西，或者说是被弗雷格称之为“不充足”的东西。因此，它最好被象征性地表示为包含空档的符号。在自身当中，它不是一个符号，而是一个隐藏在符号背后的事实。

弗雷格不仅仅在数学方面是一位坚定的现实主义者。他还扩展了函数的
概念，以至于所有类别的概念都被他看成了函项。在《函项与概念》一个突出 180
的段落里，数学函数与谓词函项之间的联系被建立起来，诸如“杀死”或“比……轻”，在此，作者提请我们来看函数“$x^2=1$”。

> 在此出现的第一个问题是，对于不同的自变量，这个函数的值是什么。现在我们依次用1,0,1,2替代x，我们便得到：
>
> $$(-1)^2=1$$
> $$0^2=1$$
> $$1^2=1$$
> $$2^2=1$$
>
> 在这些函数当中，第一个和第三个是真的，其他则是假的。我说“我们的函数是一个真值”，并在真值中区分真和假。（*CP* 144）

一旦做出这个转移，那么弗雷格就有可能将一个概念定义为一个函项，对于每个变量，它的值均为真值。于是，一个概念将成为与语言上的谓词相对应的一个超语言的东西：例如，一个谓词“……是一匹马”所表示的东西。概念如同数字一样，非常独立于心灵或物质之外：我们不是创造了它们，而是发现了它们；但我们发现它们的方式并非是通过我们的感觉。它们是客观的，尽管它们不具备某种由因果关系构成的物理世界的现实（*Wirklichkeit*）。

弗雷格的现实主义往往被称为柏拉图主义，但柏拉图的理念与弗雷格的

概念二者存在一个显著的差别:对柏拉图来说,理想的马本身是一匹马:只有通过本身是一匹马这样的方式,它才能够赋予日常世界当中非理想的马以马的特性。①与此相对,弗雷格的概念“马”则是与一匹马十分不同的某种东西。任何一匹真实的马都是一个对象,对象与概念之间,按照弗雷格的看法,存在一个巨大的鸿沟。弗雷格告诉我们,“马”的概念不仅不是一匹马,而且它也不是一个概念。这个说法乍听起来让人感到粗疏,但是其中并无什么不当之处。在“马”前面加上“概念”使之平添了把表概念的符号转换成为表对象之符号的效果,正如在“游泳”两边加上引号使之由动词变成名词,后者与一个动词不
181 同,它可以成为一个句子的主语。我们确实可以说“‘游泳’是一个动词”,也可以说“‘游泳’是一个名词”。这是理解弗雷格所谓“马”的概念不是概念这一主张的关键。

皮尔士思想中的一、二与三

在英语世界,20 世纪最具独创性的形而上学体系要算是皮尔士的了。皮尔士的实用主义原则的确类似于逻辑实证主义者的证实原则,而且随着时间的推移,他倾向于把形而上学当做“无意义的胡言乱语”加以抛弃;而他本人建构了一个体系,其晦涩和精细程度与德国唯心主义者们的体系不相上下。

和黑格尔一样,皮尔士痴迷于三元概念。在《一元论者》(*The Monist*)中,他这样写道:

在每种理论的每个点上,三个概念不停地发生翻转,而且在最圆满的体系

---

①参看本书第一卷,208 页。

当中，它们的发生也相互关联。它们是一些如此宽泛因而也是如此不确定的概念，以至于很难把握，而且也可能容易被忽视掉。我可以将它们称为第一、第二和第三概念。第一是独立于任何其他事物而存在或者实存的概念。第二是与其他事物相关联的或者是与其他事物发生反应的概念。第三是中介概念，第一和第二概念由之被关联起来。(*EWP* 173)

这个三元体系的灵感来自于皮尔士的关系逻辑研究。按照与谓词相关的事物数量多少，他把前者一一加以归类。"……是蓝的"是一个一元或一位谓词。"……是……的儿子"拥有两个位置，是二元的，"……给……以……"是三元的。对一个品质的感觉印象是"第一性"的一个例证，继承性是"第二性"的一个例证。第三类事物可以一个指代某一对象或以之为中介的符号与一个解释它的心灵二者之间的关系为例证。普遍性观念是第三性的范例，如自然规律。假如一个火星落入炸药桶中(第一)，那么它就会引起爆炸(第二)，之所以会这样，这是依据一个作为二者之中介的规律(第三)。

皮尔士倾向于将这个三元的分类法加以广泛应用，把它扩展到心理学和生物学，乃至物理学和化学方面。他甚至将在全宇宙范围内运用之：在某个地方，他这样写道："心灵是第一位的，物质是第二位的，进化是第三位的"(*EWP* 182
173)。此外，他还为上述论述提出一个精细的证据，即尽管一种科学语言必然包含着一元的、二元的和三元的谓词，但没有任何现象要求包含四元谓词的表达式。含有此类谓词的表达式往往被转化为仅有三种基本谓词的表达式。

然而，皮尔士把第三性看做宇宙的一种不能简化的因素，后者为那些唯名论哲学家们所忽视，他们拒绝承认宇宙的现实。一切科学研究的目标是在我们经验的多样性中发现这种第三性，发现我们生存的这个世界当中的模式、规律和法则。然而，我们不应去寻找那些决定一切事物发生的普遍的和无一例外的规律。必要性的学说是皮尔士在对 19 世纪科学的世界观展开批评时所

树立的主要目标。他这样来说明后者:

> 我们所说的命题是任一时刻的事态,它们与某些不可更改的规律一起完全决定了其他每一时刻的事态(因为未来时间的限度是靠不住的)。这样,给定一个处在原初星云当中的宇宙,再给定一些机械规律,那么一个强有力的心灵就能够从这些资料中推导出我笔下每个字母的每个优美的曲线。(*EWP* 176)

皮尔士认为这个命题十分不可靠。它既不能够被当做一个推理的前提,也不能够被当做观察结果提出来。“假如你试图证实任一自然规律,你将会发现当你的观察越是精确之时,它们就越是偏离这个规律”(*EWP* 182)。皮尔士主张宇宙中有一种不能被简化的偶然因素:这一观点被他称为“偶成论”(tychism),它来自于希腊文 τυχη 一词。他以亚里士多德和达尔文为例来支撑这一偶成论。把偶然作为一种可能性加以包容,这是亚里士多德主义最显著的本质;解释自然规律的唯一方法就是把它们当做进化的结果。“这假定它们不是绝对之物,不应被严格遵守。在自然当中,它制造了一种不确定性、自发性或绝对偶然的因素”(*EWP* 163)。于是,这为人类意志的自发性和自由留下了充足的余地。

皮尔士认为,解释物理与心理规律二者关系的方法有三。其一是中立主
183 义,它将二者分别单独放置在一个杠杆的两端。其二是物质主义,它认为心理规律来自物理规律。其三是唯心主义,它将心理规律视为基本的,物理规律则是衍生的。皮尔士认为,中立主义被奥康姆的剃刀排除掉了:从来不在一种解释就可行的地方寻求两种解释因素。物质主义包含一种即便是机器也会觉得厌恶的思想。“那种可理解的宇宙理论是客观唯心主义理论,即物质是衰弱的心灵,根深蒂固的习惯变成了自然规律”(*EWP* 168)。

Lectures on Pragmatism
Lecture I.

A certain maxim of Logic which I have called Pragmatism has recommended itself to me for divers reasons and on sundry considerations. Having taken it as my guide in most of my thought, I find that as the years of my knowledge of it lengthen, my sense of the importance of it presses upon me more and more. If it is only true, it is certainly a wonderfully efficient instrument. It is not to philosophy only that it is applicable. I have found it of signal service in every branch of science that I have studied. My want of skill in practical affairs does not prevent me from perceiving the advantage of being well imbued with pragmatism in the conduct of life.

Yet I am free to confess that objections to this way of thinking have forced themselves upon me and have been found more formidable, the

皮尔士演讲手稿之一页，内容是说他相信字母的曲线不能由决定论的规律来预测。

皮尔士试图用第一性、第二性和第三性来解释宇宙的过程。他写道:“有三种因素在世界当中是积极的。其一，机遇，其二，规律，其三，习惯的形成”(*CP* i.409)。在遥远的洪荒时代，只有非人化的情感，它不与任何规则相连。后来，一种有概括性倾向的因子作为一种运动萌生出来，它将盖过其他的运 184
动。“这样，习惯的倾向启动了;由此，一切宇宙规则与其他进化原则一起被演化出来”(*EWP* 174)。

皮尔士的宇宙进化理论在多个方面与达尔文不同。首先，他以完全普遍的术语解释这个原则，而不具体指向任何动植物物种:

> 在任何拥有大量对象的地方，这些对象具有一种保持某些固定特征不变的倾向，而这一倾向又不是绝对的，而是为偶然变化留下余地，当变化的数量通过摧毁每一个达到限度的事物而被绝对限定在某一方向上时，就会在偏离它们的方向上产生渐进的变化倾向。(*EPW* 164)

其次，达尔文的适者生存学说寻求取消以亚里士多德的目的因来解释自然过程的需要，而皮尔士则与亚里士多德一样，把对一个终极目标的追寻当做是支配整个宇宙的动力。爱是宇宙历史的推动力，这看起来或许会令人吃惊。细小的原生质拥有成长和繁殖的能力；它能够感觉，而且拥有形成习惯的品性。"在恨中认可爱，爱逐渐用温暖把仇恨孵化成生命并使之变成可爱之物。"对皮尔士而言，这便是进化的秘密所在。

皮尔士区分了三种进化模式：通过丰富的多样性进化，通过机械的必要性进化以及通过创造性的爱进化。他热衷于根据希腊词根把英语术语加以时髦化，于是，上述几类进化分别被称为偶成的、必然的(anancastic)和爱恋的(agapastic)，它们分别来自希腊文的偶然、必要性和爱。达尔文的进化理论是偶成性的：皮尔士认为，在这方面有一些积极证据，上述理论的流行源于20世纪的人们对残酷的自由放任经济学的热衷。"它把对羊羔的祝福变成了对山羊的诅咒，转向了等式的另一边。"皮尔士认为，达尔文的论证已经放弃了支撑必然进化的必要性原则。留给我们的只有第三种进化形式，即爱恋性的进化。这种形式的进化是由拉马克提出来的：父辈们的努力赢得了有益的变化，这些变化被遗传给了下一代。在结论部分，皮尔士告诉我们说，"一种真正的进化论
185 哲学，也就是说把生长原则视为宇宙一个首要因素的进化论哲学，远非敌视有一位人格造物主存在的思想，实际上，它与后一种思想密切相关"(*EWP* 214)。于是，我们就与皮尔士的经验论证实主义拉开了距离，后者似乎构成了其实用主义的核心。

逻辑原子论的形而上学

在维特根斯坦的《逻辑—哲学论》中,形而上学也是与逻辑纠结在一起的。尽管这本书用大部分篇章论述语言的性质,但其最初数页则由一组有关世界本质的声明构成。无论从历史上还是从逻辑上来说,这些关于世界的观点都基于维特根斯坦的语言观;它们等同于一套有理由值得我们加以思考的形而上学体系。

根据《逻辑—哲学论》,每对相互矛盾的命题都与一个也是唯一一个事实相对应:这个事实使其中一个正确,另一个错误。此类事实的总合便是世界。事实可以是肯定性的也可以是否定性的:一个肯定性的事实是一种事态的存在,一个否定性的事态则是一种事态的非存在。一种事态或者说情形(Sachverhalt)是对象与对象之间的一种结合。一个对象从本质上来说是一种事态的一个可能的构成因素;它在事态当中与其他对象结合的概率是其本性。因为每个对象就其本质而言都包含与其他对象相结合的可能性,所以给定一个对象之时,其他对象也就被给定了(*TLP* 1.1—2.011)。

对象是单纯的,缺乏组成部分,但它们可以通过相互结合构成复杂的对象。它们不能衍生亦不能消灭,因为任何可能的世界必然包含与这一对象相同的对象;变化只是对象构成格局的改变。对象与对象之间可能因各自的本质或者外部特征不同而不同,或者它们的不同只是数量上的不同,它们不能相互识别但并非彼此等同(*TLP* 2.022—2.02331)。对象组成了世界不可改变的和稳固的形式、实体和内容。

对象合并而成为事态:它们相互连接的方式赋予事态以结构。一个结构
的可能性就是事态的形式。事态彼此独立,从一个事态的存在与否不可能推 186
导出另一个事态的存在与否。因为事实是多种事态的存在与否,由此可以推

出多个事实之间亦是相互独立的。事实的总体即世界。

《逻辑—哲学论》中的这些密集的篇章是难以理解的。它没有提供作为宇宙基石之对象的例证。注疏家们则给出了非常宽泛的解释:对他们中的一些人而言,对象就是感觉材料;而对其他人而言,对象则是宇宙。上述两种东西或许均被维特根斯坦认定为对象:按照罗素的说法,它们毕竟与通过学习而为我们所知的东西相同。然而,《逻辑—哲学论》在例证方面的缺乏并非事出偶然。维特根斯坦之所以相信简单对象与原子事态的存在,并非因为他认为自己能够举出这方面的例子,而是由于他认为它们必须作为在这个世界中名称和基本命题二者的关联而存在,上述情况见于一种得到充分分析的语言当中。

他对上述结论的推理建立在三个前提之上。第一,一个命题是否拥有意义关乎逻辑的问题。第二,具体事物的存在是一个关乎经验的问题。第三,逻辑先于经验。因此,一个命题是否拥有意义从来就不取决于具体的事物存在与否。这一结论为任一逻辑体系设置了一个必须满足的条件。为了满足这一条件,维特根斯坦认为,必须设定称谓只能指称简单的对象。当"N"是一个复杂对象的称谓时,"N"就没有意义,假如这个复杂的对象被拆解开来,那么包含它的命题也将失去意义。因此,当任何一个命题被充分分析时,"N"这个称谓必然会消失,其地位必然为命名简单对象的称谓所替代(*TLP* 3.23,3.24;*PI* Ⅰ.39)。

在《逻辑—哲学论》的世界里,简单对象合并而成为原子的事态,后者与作为称谓关联的基本命题相对应。这个世界完全可以通过列出所有的基本命题以及那些正确的与错误的命题被描述出来(*TLP* 4.26)。因为真的基本命题将
187 记录一切肯定性的事实,而事实的整体就是世界(*TLP* 2.06)。

坏的和好的形而上学

《逻辑—哲学论》是有史以来人们所撰写的最富形而上学色彩的著作之一。它与斯宾诺莎《伦理学》的相似并非偶然。然而,它却被反对形而上学最烈的哲学家群体之一——维也纳学派奉为圣经。逻辑实证主义者抓住了必然真理之所以必然是因为它们是同义反复这个思想:这使他们把数学必然性与一种彻底的经验主义糅合在一起,他们相信能够这样做。于是,他们将证实原则用作一种武器,这使他们能够把一切形而上学命题视为无意义的东西加以抛弃。

维特根斯坦终其一生与逻辑实证主义者一起把对形而上学的去除、消解看做是哲学家们面临的一项任务。他将哲学家的任务描述为"将词语从形而上学用途中返回到日常用途当中"。他指斥形而上学是对语言或世界隐秘本质的一种追求。但他本身则有理由成为一个形而上学家——不是在撰写《逻辑—哲学论》的时期,其中的命题被他指斥为无意义的东西,而是贯穿在其后期的哲学当中。他认识到或许有一种理解本质的合法尝试,而他本人已经卷入其中。在研究当中,他说,"我们试图去理解语言的本质、功能和建构。"根据他的观点,错误之处不在于把本质理解为有待我们加以观察的、必须只能给出一种清晰描述的东西,而在于把它看做是内在的和隐秘的东西:一种解释心灵与语言功能的形而上学的外质(ectoplasm)或硬件。维特根斯坦所面对的是三种具体的形而上学:唯灵论的形而上学、唯科学论的形而上学与基要论的形而上学。

当我们关注人类思想之时,形而上学的冲动或许会引导我们设定精神实体或精神过程。我们为语法所误导。当语法引导我们期待某种物理实体但后者并不存在之时,我们就会发明一种形而上学的实体;在语法使我们期待一种实验过程但我们并不能找到它的地方,我们就设定一种非实体性的过程。这就是笛卡尔主义的起源;笛卡尔的心灵是一种形而上学的实体,其在身体上的运作是一种形而上学的过程。在把心理生活的命题从公共世界里的任何结论
188 性的证实或证伪可能性中分离出来这个意义上,笛卡尔主义是形而上学的。

除了二元论的形而上学之外,还有唯物论的形而上学。“形而上学的特征”,维特根斯坦说,“在于我们以科学问题的形式对词汇的语法表达了一种模糊性”(*BB* 35)。形而上学是伪装成自然科学的哲学,这是唯物主义者特别钟爱的形而上学形式。对大脑的探索将会有助于我们理解心灵在思考和理解时的运作过程,这是一种错误的形而上学思考方式。

过往的伟大形而上学家往往认为形而上学的主题优先于哲学的其他组成部分:亚里士多德称形而上学为“第一哲学”,笛卡尔认为形而上学是知识之树的根基。维特根斯坦拒绝承认任何哲学组成部分应以这种方式具有优先性。应当从任一点上出发进行哲学思考,放开对一个哲学问题的处理而去处理另外一个哲学问题。哲学没有基础,也不为其他学科提供任何基础。哲学不是一间房子、一棵树,而是一个网络。

> 真正的发现是让我能够在想要停止做哲学的时候就停下来的发现。是给予哲学以平和的发现,从而让它不再为使它自身成问题的问题所折磨。相反,我们现在通过实例展示一种方法;一系列实例可以被打破。不是一个单独的问题,而是诸多问题被解决了(困难被消除了)。(*PI*. Ⅰ.133)

尽管维特根斯坦毕生对科学和基础形而上学怀有敌意,但实际上其后期著作传统上被认为是在形而上学的哲学领域里作出了实质性的贡献。在《形而上学》一书的许多篇章中,亚里士多德所从事的哲学活动与维特根斯坦本人的方法非常接近。

现实性与可能性的区别以及对多种可能性的归类被普遍(无论敌友)认可为亚里士多德对哲学,特别是对心灵哲学所做的最具特色的贡献之一。他的区分后来被中世纪的经院主义哲学家们加以系统化。维特根斯坦在棕皮笔记本中对可能性进行了延伸性的探讨,其中的58—67节探讨带有词语“Can” 189
的多种语言游戏。他对过程与状态以及对不同状态的区分与亚里士多德对运动(*Kinesis*)、习性(*Hexis*)、埃奈季亚(*energeia*)所做的区分相对应。两位哲学家用作区分的标准往往是一致的。在解释一种能力与其训练如学习阅读(*PI* Ⅰ.156ff.)之间的关系时,维特根斯坦长时间付诸讨论的例证接近于亚里士多德为解释一种心理习性,即语法知识所举的标准例证。我们可以把对现实性与可能性的系统研究称为“动力形而上学”,假如我们这样来做,我们就必须说维特根斯坦是这种具体形而上学的最完美的实践者。

在20世纪下半叶,莱布尼茨的形而上学成为了最富生命力的形而上学版本,而非亚里士多德。① 模态语义学以可能世界方式的发展本身不必具有形而上学含义,但有些哲学家在一种形而上学的意义上对其进行了解释,并预备宣称这样一个思想,即存在可以加以识别的个体,它们仅仅拥有可能的而非真实的存在。

在我看来,这是一种错误的发展。我们难以为仅仅是可能的对象提供一种识别的标准。假如某物是我们可以施以谓词的主词,那么我们基本上就有可能说出在什么情况下针对同一主词会出现两种不同的谓词。否则,我们便永远不能应用同一主词不能施以两种相互矛盾的谓词这个原则。我们拥有多种复杂的标准,来决定针对一个真实之人是否能够提出两个命题。但是,针对同一个可能的人,我们凭借什么标准来决定我们是否能够做出两个命题呢?在写于1961年的著名论文《论何物在》(*On What There Is*)中,奎因以一种有趣

①参看119页。

的方式提出了上述困难:

举例来说,门口站着个可能的胖男人;再者,门口站着那个可能的秃头男人。他们究竟是同一个可能的男人,还是两个可能的男人?我们如何判定?站立在门口的有几位可能的男人?门口站着的可能的瘦男人多于可

190

奎因,可能世界的形而上学的最大敌人。他会问道,究竟有多少人会与他一起分享这个房间呢?

> 能的胖男人？他们中有多少长相相似？有没有两种可能的事物相似？这是否等同于说不可能有两种事物彼此相似？或者，最后，认同的概念是否不能简单地应用于未实现的可能？但是，在谈论那些不能有效地说与自身相同而与其他不同的实体时，我们究竟能发现什么意义呢？（*FLPV* 666）

奎因提出的问题在我看来似乎无法回答，而这凸显了未实现的可能个体这一观念的不一致之处。但是，在20世纪最后数十年里，天分甚高的哲学家们在努力回答奎因的问题，并由此解决我们所谓“跨世界的认同问题”。在本卷所
记录的历史的昭示之下，在我看来，似乎更为谨慎的是坚持伟大的亚里士多德 191
原则，即没有实现就无所谓个体——这对应于核心的反柏拉图原则，即没有个体化便没有现实化。

在英语世界，形而上学兴盛于20世纪初期，同一时期皮尔士在美国高扬宇宙之爱的原则，新黑格尔主义者在英国践行着绝对思想的路径。随着时代发展，越来越多的哲学家开始敌视形而上学；这种敌意在1930年代的实证主义那里达到了顶峰，其影响一直持续到20世纪下半叶。在21世纪即将到来之际，形而上学越来越为人们所接受，尽管其接受程度各有不同。英国唯心主义者的一元论形而上学曾经一度占据的位置，而今却被可能世界的探索者们所提出的多元的、实际上是丰富的形而上学所取代。观察21世纪是否会出现相似的形而上学思想的循环，这将是件有趣的事情。

第八章

心灵哲学

边沁论意向与动机

边沁的《道德与立法原则》包含着对人类行为的一 192
种详细分析。这本书的重要章节在讨论诸如意向和动机之类的话题。自中世纪以来,还没有一位大哲学家把如此细致的注意力投向不同的认识和情感因素,这些认识和情感因素的有无或许有助于显示个人行为的道德特征。边沁处理这一话题的方法类似于阿奎那,但是他在列举实例说明观点方面比前者宽泛得多。更为重要的是,两位哲学家无论在术语上还是在道德评价方面均存在着一种显著的差异。①

对于阿奎那来说,如果一个行为被选定用于达到某种目的的手段,那么这个行为便是意向的;如果一个行为

①参看第二卷,263 页。

只是上述选择的不可避免的附随或后果,那么它就并非意向的,而只能是意愿的。边沁不喜欢“意愿的”这个词;他说这会误导人们,因为它有时意为非强迫性的,有时则意为自发的。他倾向于用意向的这个词。然而,他和阿奎那做了相同的区分,不过他把这种区分标示为意向两种类型之间的区分。他说,一个结果或者是直接意向的(“当产生它的预期包含处在因果链中的一个连接,而某人借此决定采取行动之时”),或者是间接意向的(“当结果似乎可以预测,但产生它的预期没有形成处于决定性链条之中的连接之时”)。对边沁来说,
193 一个直接意向事件的意向可以是最终的,也可以是过渡性的,这取决于产生它的预期是否被视为一种动机来运作,假如前者不被看做引发另一个深远事件的因素。最终和过渡意向的区别对应于经院主义的目的与手段之分。

边沁以英格兰国王威廉二世之死的故事来说明其区分工作的全貌,这位英王在瓦尔特·退莱尔爵士猎杀一只受伤的雄鹿时被误伤致死。边沁列出了退莱尔内心里可能的意识与意向的等级变化,并对每个想象事件进行恰当的归类:无意向的、间接意向的、直接意向的、过渡意向的和最终意向的。

边沁运用术语的预期效果是以纯粹的认知术语定义意向本身:要发现一个人想做什么,你就需要确认她知道什么,而不是她缺什么。她想做什么只与其中所包含的意向性的次级类别相关。一个行为只有当其结果非常难以预测之时才是非意向的;如“你或许有意在触摸一个男人而无意于伤害他;但结果却是你偶然间伤害了他”。边沁从认知方面给予意向的解释非常重要,因为对他而言,意向是对行为进行道德和法律评价所依据的一个核心标准。

然而,边沁告诉我们,不应认为意向本身无所谓善恶。“假如(一个意向)在任一意义上被认为是好的或者是坏的,那么这必然是因为它被看做能够产生好的或者坏的结果,或者是因为它被看做是出于一个好的或者坏的动机”(*P* 8.13)。而结果取决于不同的情形,而这些情形或是简单地为行为人所知或是为其所不知。这样,无论就一个人的行为后果所推出之意向的好坏做如

何评价，这都取决于这个人对上述情形的了解（“意识”）与否。

在《原则》第9章里，边沁对这种意识的不同可能等级进行了分类。如果一个人在采取行动时明了某种情形，那么其行为就可以说是一种考虑到那种情形而被建议的行为；否则就是一个不被建议的行为。除了不清楚实际上取得的情形而之外，一个行为人或许假定的确取得了实际上没有取得的情形；这是错误的假定，它使一个行为被错误地当做建议提出来。如果一个行为是意向的，而且是考虑到所有与某一具体结果相关的情形而做出的建议，同时没有 194
对预见情形做出错误的假定，那么其结果便是意向的。“如果去除了对任一预见情形所做的错误假定，视情形不同而做出的建议就将意向性由行为扩展到了结果”（*P*.9.10）。

边沁区分了意向与动机：一个人的意向可能是好的，但其动机则可能是坏的。假定“一个人出于恶意指控你触犯了一项他认为你应当对此负责的罪名，而实际上你并没有罪”。在此，动机是邪恶的，实际结果是恶作剧；但其意向则是好的，因为当这个人的行为结果被证实与其预见相一致之时，这个结果便是好的。

在谈论动机时，边沁强调诸如“欲望”、“贪婪”和“残酷”之类词语所包含的评价意义。他说，动机本身没有好坏之分；只有在下面的意义上，这些词语才指称坏的动机，即除去其所指向的动机偶然成为坏的情况之外，它们就从来没有被正确地运用过。举例来说，“‘欲望’（lust）是指称那些其效果被视为卑劣的性欲。”只有在个别的情形当中，动机才有好有坏。“当一个动机所引发的意向是好的之时，这个动机便是好的；当它所引发的意向是坏的之时，这个动机就是坏的；而一种情感的好坏则取决于作为其对象的物质后果如何”（P 10.33）。

如果用中立的术语来描述，那么边沁的“动机”就是被他称为一种最终的和直接意向性后果的东西。在他的解释当中，我们可以清晰地看到，它并没有给一个行为的道德品质以单独的头衔;唯一首先与一种意愿行为的道德性相关的心理状态是视后果如何的认知状态。

边沁对动机的解释与功利主义的普遍立场相一致,后者主张行为的好坏有待于从关乎苦乐的后果来判断。边沁关于意向的认识概念使他的追随者与双重效果学说产生了冲突,按照这种学说,在有意做某事与只预见此事是某个人的选择所不愿得到的后果之间存在着一种道德差异。这些道德问题将在第九章里详细讨论。

在其基本著作当中,康德比其他任何哲学家历来所做的相比,都要更加抬
195 高了动机的重要性。边沁的立场居于伦理理论的另一相反的极端。正如密尔指出的那样,“在肯定动机与行为的道德性无关方面,功利主义者超越于几乎所有其他人。”但是,与功利主义的行为道德评价无关的不仅仅是动机,而且还有人们所普遍理解的意向。比起任何先前的作家所取得的成就来说,功利主义的奠基者为意向和动机概念提供了一种更为详尽的分析,这是人们普遍承认的一个悖论。

理性、知性与意志

在欧陆,对心理概念的分析则采取了另一条不同路线。像黑格尔这样的哲学家,他所奉行的绝对唯心主义使人们很难在其著作中区分出心灵哲学与形而上学。然而,叔本华则从康德对知性(Verstand)与理性(Vernunft)的区分出发为我们提供了一种详尽的研究,其对象标志着人类认识能力与动物的差异。

知性和感性是动物和人类共有的东西,因为知性是把握因果关系的能力,动物能够清晰地把握它。实际上,如狐狸和大象这样的动物其聪明程度有时

甚至超过了人类。但是只有人类才具有理性，这就是说，只有人类具有体现于概念当中的抽象知识。理性是反思的能力，它使人类无论在能力还是在对苦难的承受方面远远超越了动物。动物只能生存在当下，而人类则能够同时生活在未来和过去（*WWI* 36）。

理性赋予人类三大才能：语言、自由和科学。首要的和最根本的是语言：

> 只有借助于语言，理论才能达成其最重要的成就，即众多个人和谐一致的行为、数千人有计划的合作、文明与国家；而且还有科学、对先前经验的积存、将普遍的东西系统化为概念、真理的交流、谬误、思想与诗歌、教义和迷信的传播。（*WWI* 37）

抽象知识的重要性体现在它能够被贮存和共享。知性可以把握杠杆的运作模式或者弓形的支撑；但机器和房屋的建造则需要比知性更多的东西。在实践 196
方面，有时只有知性才是需要的："对我来说，抽象地知道我必须在哪个精确角度下剃刀，直至精确到度和分，这是没有用的，假如我不从直觉上把握它，也就是说，假如我对它没有感觉的话。"然而，当我们必须从长计议之时，或者当我们要帮助他人之时，抽象知识则是根本性的知识。

按照叔本华的观点，尽管动物和人类都拥有意志，但只有人类能够思考。只有在抽象的状态下，不同的动机才能同时呈现在作为选择目标的意识当中。伦理行为必须建立在原则上；然而原则却是抽象的。不过，尽管理性是美德必不可少的东西，但对美德来说它并不充分。"理性与大恶共存如同与大善共存一样，借助于它们，理性赋予人人以巨大的效用"（*WWI* 86）。

对叔本华来说，虽然意志是贯穿宇宙的现有和积极的力量，但我们只有通过直接为我们所意识到的人类意志才能把握其本质。叔本华告诉我们，一切意志都产生于一种需要、一种缺陷，也就是说，它们产生于对苦难的承受当中。

一种愿望可能实现，然而有一种可以得到满足的愿望就会有十种愿望遭到拒绝。欲望历时长久；而满足则只是暂时的。“没有哪个已经得到的欲望对象能够带来长久地满足，它只是稍纵即逝的快意；正如对乞丐的施舍只能使他活过今天，但他的痛苦或许会被延长到明天一样”（*WWI* 196）。

作为一般的规律，知识服务于意志，满足它的欲望。在动物那里，情况往往如此，低等动物的头颅直接朝向地面便是这种情况的象征。在人类那里，大部分知识是意志的奴隶；但人类可以超乎把对象仅仅看做满足欲望的工具之上。人类挺直站立，正如阿波罗的瞭望塔一样，他可以看得很远，可以不顾身体之需采取一种沉思的态度。

在这种状态下，人类的心灵面临着一种新型的对象：不仅是洛克式的感知理念，也不仅是理性的抽象理念，而是柏拉图所描述的普遍理念。把握这一理念的方式是这样的：让对一个风景或一个建筑的静思充满你的整个意识，忘却
197 你的个体性，你自身的需要和欲望。于是，你想知道的东西便不再是个别的，而是一种永恒的形式，一种具体的意志客体化程度。这样，你就失去了自己，变成一个纯粹的、无意志的、无痛苦的和永恒的认识主体，从事物的永恒一面看待事物（sub specie aeternitatis）。“在这种沉思当中，个别事物立刻变成了其所属物种的理念，而感知的个人变成了纯粹的认识主体。个人自身只知道个别的事物；纯粹的认识主体则只知道理念”（*WWI* i 179）。在摆脱意志奴役的沉思当中，我们失去了对幸福和不幸福的关注。实际上，我们已经不再是个人了：我们变成了“一只从一切知识动物的角度来观察的世界之眼，只有在人这里，它才能完全摆脱意志的奴役”。

每个人都能够凭借自身的能力了解物中的理念，但一个得到了特殊钟爱的人将会比普通人更能够集中地和持续地享有这种知识。这样的人就是我们称之为天才的人。

叔本华向我们指出了天才的特征：天才富于想象且永不安分，他不喜欢数

学，他生活在疯狂的边缘。他的天才显露在艺术作品当中，通过艺术作品，我们中的那些非天才之人被引入沉思所具有的解脱效果当中。在对多种艺术门类的细致讨论中，叔本华指出了这一点。艺术虽然使人能够脱离意志的暴政，然而这种解脱作用却是有限度的和暂时的。通向完全解脱的唯一路径便是彻底放弃生存意志。①

灵魂与肉体在叔本华体系当中是什么关系？首先，他完全放弃了主张内外之间存在因果关系的二元论思想。意志与身体的运动是因果相连的两个不同事件：身体行为是被感知的意志行为。包括其各个组成部分在内的整个身体，叔本华说，只是意志及其欲望的客体化而已：

> 牙齿、喉咙和肠胃是客体化了的饥饿；生殖器官是客体化了的性欲望；用来抓取东西的双手、疾走的双脚对应于它们所表达的更为间接的欲望。如同人类的一般形态对应于人类的一般意志一样，个别身体结构也对应 198
> 于个别成形的意志即个人的品格，因此，意志无所不在，在所有的组成部分中均是突出的并且充满了表现。（*WWI* 108）

在此，叔本华预见到了维特根斯坦一个著名的评论，即“人类的身体是人类灵魂的最好图像”（*PI* Ⅱ.108）。

身体被密切地卷入知识和欲望当中；我自己的身体是我感知世界的起点，我对其他可感知对象的知识取决于它们对我的身体所施加的影响。但是，即使我们越过观念的知识到达理念（Ideas）的知识，身体依然拥有一种作用，叔本华令人吃惊地告诉我们。“人立刻精力充沛，成为意志盲目的挣扎（其极点或焦点在性器官），以及永恒、自由和宁静的纯粹认识主体（其极点是大脑）”

①叔本华的美学理论将在本卷第十章中讨论，其伦理理论将在第九章之后讨论。

(*WWI* 203)。

在身体死亡之后,其任一组成部分还会存活,或者是彻底的死亡在等待我们? 一方面,叔本华说,“在我们的前面实际上只有虚无”;另一方面,他可以说,“假设一个单独事物被完全摧毁,即使它再不起眼,那么整个世界也会不可避免地与之同归于尽”(*WWI* 129)。后一主张来自意志本身作为每个人的内在现实是单独的和不可分割的这一形而上学原则。注释者们试图糅合上述两种主张,指出在死亡之时,人被纳入意志当中:因而它虽然继续存在,但失去了全部的个性。

实验心理学与哲学心理学的对抗

随着19世纪继续向前推进,心理学家们在努力发起一种新的心灵科学,它将通过经验和实验的方法研究心理现象。在欧洲,第一个心理实验室是由生理学教授威廉·冯特(Wilhelm Wundt)于1879年在莱比锡大学建立的,其专业是神经系统,5年之后,他发表了一篇著名的论文,题目是《生理心理学的原则》。曾在德国从事此一领域学习的威廉·詹姆士,则先于冯特在哈佛大学建立了一间心理学试验室,1878年第一位心理学博士从这里毕业。在《心理学原理》(*Principles of Psychology*,1890)中,詹姆士对这门新兴科学的发现做了总结,这部著作被罗素描述为具有“尽最大可能的优秀之处”。

新兴心理学的任务在于把心理事件和状态与大脑和神经系统过程关联起来。詹姆士的教科书把学生们引入相关的生理学当中,并向他们报道了欧洲心理学家在实验内容的反应时机方面的研究著作。这本教科书范围非常广泛,从动物的本能行为一直讲到催眠现象。虽然詹姆士把大部分时间用来考察他人的著作;但他还是渐渐在这方面作出了自己的创造性贡献。

199

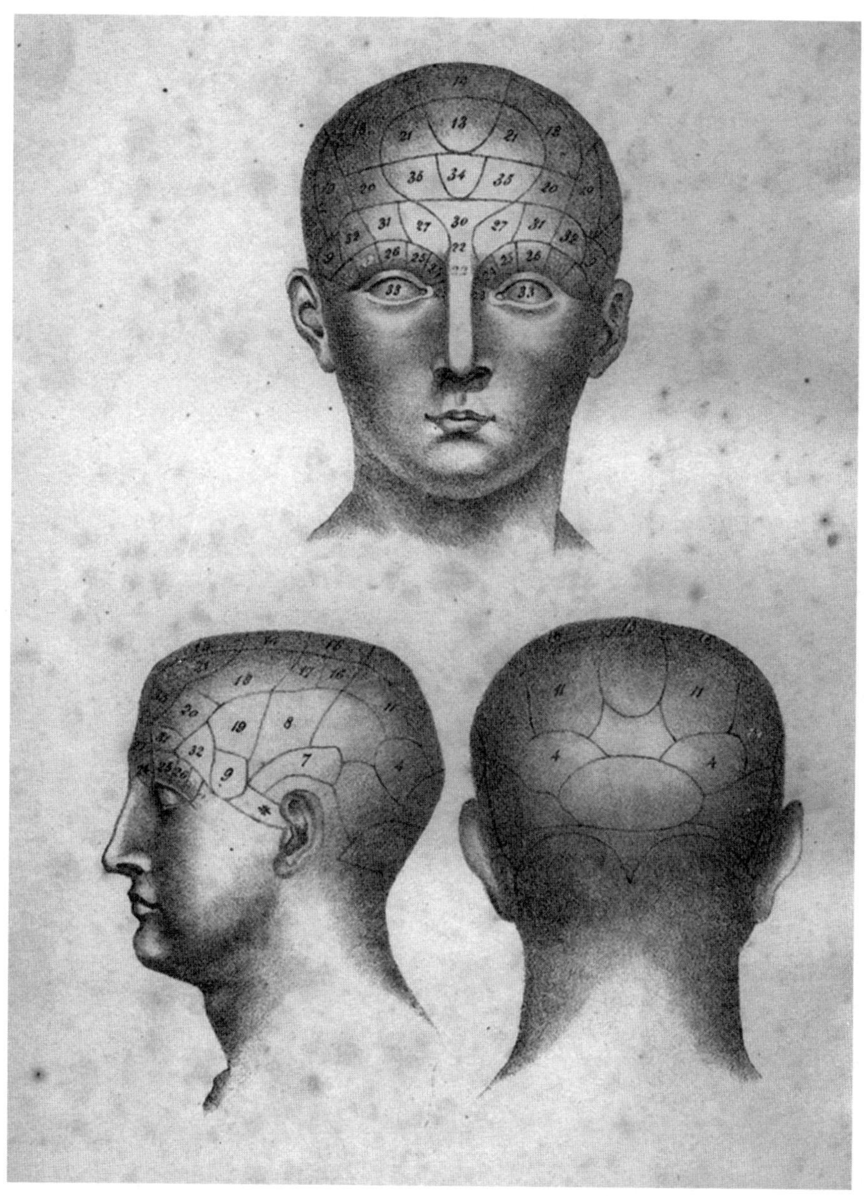

心灵科学是使心理学科学化的早期尝试。从 1825 年出版的一本教科书中选取的这幅插图尝试将脑壳中的凸起与性格特征关联起来。

200 在哲学心理学方面，詹姆士最有名的革新是其情绪理论。他的同时代人都在努力寻求情绪性情感与伴随它的身体过程之间的精确关系，但詹姆士则指出情绪无外乎是对这些过程的感知。在《心理学原理》一书中，他写道：

> 我们思考俗常情绪的自然方式是，对某些事实的心理感知激发了被称为情绪的心理反应，后一种心理状态引起了身体的表达。我的理论则相反，身体的变化直接源于对刺激性事实的感知，当这些变化发生之时，我们对相同变化的感觉就是情绪。常识告诉我们，当我们失去财富时，我们就会因悲伤而哭泣；当我们遇到一头熊时，我们就会因害怕而逃遁；当我们遭到对手的辱骂时，我们就会因愤怒而还击。我们在此予以辩护的假设是，上述次序是不正确的，一种心理状态并不直接由另一心理状态所引发，身体的表达必须首先被置于两者之间，更为合理的陈述是，我们之所以感到悲伤是因为我们哭泣，感到愤怒是因为我们还击，感到害怕是因为我们颤抖。(ii. 250)

为了说明多种情绪状态，詹姆士主张身体可能发生的诸多细微变化之间的交替和结合几乎没有任何限度，他声称，在每种这样的交替和结合发生的时刻，我们或是会感到尖锐，或是会感到模糊。然而，他未能就此类情绪的发生提出任何独立的标准。

詹姆士的情绪理论曾经为笛卡尔所预见。实际上，笛卡尔的影响贯穿在他对人类心灵的解释当中。19 世纪的心理学家们急于将自己从哲学的奴役中解放出来；然而，尽管他们对生理现象的研究产生了真正的科学发现，但他们关于有意识的心灵这种观念，无论其枝叶还是框架都承袭了笛卡尔的哲学
201 传统。这在詹姆士的《原理》一书中非常清晰，在写于 1884 年的一篇早期论文《认知的功能》(*T* 1—42)中，詹姆士对此的表白或许是最坦诚的。

在那篇文章中，詹姆士说，所有的意识状态均可被称为“感觉”；“感觉”在詹姆士这里与洛克的“理念”和笛卡尔的“思维”是同一个东西。有些情绪是认知性的，有的则不是。为了弄清究竟是什么东西造成了认知性的与非认知性的感觉两者之间的区别，詹姆士提请我们考虑感觉的一种最基本类型：

> 让我们假定它不依赖于任何物质，亦不占据任何空间点，但可以说，它直接凭借一个神灵的创造性命令飘浮在虚空当中（in vacuo）。让我们从辨别其“对象”的性质究竟是生理的还是心理的困难中摆脱出来，不把它称为一种芬芳的感觉或任何一种确定的类型，而只是让我们假定它是一种叫做 q 的感觉。（T 3）

詹姆士进一步提请我们把它看做一种构成整体宇宙的感觉，它持续的时间只是一秒当中的一个无限小的部分。詹姆士在寻求究竟是什么东西被附加到这种原初的感觉之上，从而使其形成一种认知状态。他回答道，（a）世界上必定有另一个实体类似于具有 q 品质的感觉，而且（b）这种感觉要么是直接要么是间接地运作于这另一个实体之上。詹姆士对认知的解释看起来并不可信，但重要的不是注意他的结论，而是注意他的出发点。在他的想象中，意识根本上是由一系列没有任何语境，亦不与任何行为或任何身体发生关联的坚固的原子构成。

晚年的詹姆士对感觉的性质持一种带有些许原子论色彩的观点，相信意识作为一种经验事实处在一种持续的流当中，上一波与下一波的意识之间没有明显的中断。但是，他保留了这一思想，即意识从根本上来说是一种私己和内在的现象，它只是在言语和行为中与任何的外部显现相接，在原则上却能够独立于任何身体而存在。当然，这正是笛卡尔对意识的构想方式。

生理心理学家们把自身看成是从哲学中摆脱出来的人，他们以实验代替

内省作为研究心灵的方法。然而，在这方面，他们犯了双重的错误。首先，像
202 詹姆士这样的思想家保留了把意识图像看成内省活动的一个对象的思想：这个对象就是当我们向内看时我们在内所能够看到的某种东西；某种我们能够直接接触到的东西，某种他人只能间接地，即通过接受我们的言词证据或通过从我们的行为做因果推理的方式学习到的东西。其次，无论洛克和休谟怎么想，心灵哲学并不是通过对内在现象的细致观察，而是通过对我们用来表达经验的概念的检视进行的。

到了 20 世纪后期，笛卡尔意识观念的空洞性在维特根斯坦的著作中被揭示了出来（他崇敬詹姆士，把后者看做一位笛卡尔传统的坦诚倡导者）。在詹姆士的有生之年，实验心理学家们所面临的最严峻的挑战来自于另外一个不同的阵营：弗洛伊德精神分析学说所提出的心灵图像。

弗洛伊德的无意识

在《心理分析引论》（*Introductory Lecture on Psychoanalysis*）一书中，弗洛伊德提出了作为其理论的两大主要基石之一的主张，即我们内心生活的大部分均是无意识的，无论这些内容是感觉、思想还是意愿。在决定是否接受这一原则之前，我们需要仔细看一下“无意识”究竟是什么意思。这个词语有多种可能的意义，根据我们所采用的不同意义，弗洛伊德的观点或者成为一种自明的道理，或者成为一种大胆的思辨。

显而易见，在任何一个给定的时刻，我们所知道和相信的内容只有一小部分能够进入我们的意识，成为我们直接注意的对象。六十多年以来，我知道名为《三只盲鼠》的这支儿歌，相信滑铁卢战役发生于 1815 年；但我吟唱儿歌和注意这个日子的机会并不多且间隔较长。亚里士多德已经对认知及其训练做

出了区分,即第一现实与第二现实。他说,与人人都有的学习语言的简单能力
相比,懂得希腊语是一种现实。但是,希腊语的知识只是一种第一现实,只有
当我说、听、读希腊语,并用希腊语思维时,一种能力才得到训练。这是第二现
实。同样的区分也可以在一个人的愿望、计划和意向之间做出。毫无疑问,你 203
想得到充足的养老金,但对养老金的思考并非时刻占据着你的脑海:只有当你
为此担忧,或采取措施争取养老金之时,你才意识到你想要的东西。

如果这是我们区分意识与无意识的方式,那么弗洛伊德关于我们内心生活的大部分都是无意识的这个命题无外乎是一种哲学常识而已。然而,弗洛伊德的意思当然要比这丰富。我所描述的这种知识、思想和感觉,在适当的时机可以被轻易地带入心灵当中。如果有人问滑铁卢战役发生的年月,我可以告诉他;如果一位理财顾问问及你的养老金供给情况,你可以毫不费力地承认这是你所关心的事情。相比照而言,弗洛伊德所主张的无意识并非那么容易进入意识当中。

事实上,弗洛伊德的无意识具有三个不同的层次。为了理清它们,我们必须记住,按照弗洛伊德的说法,有三组现象揭示了无意识的存在,即琐碎的日常错误、对梦境的报道和神经官能症。

我们都会时常发生口误,不能记起名字、错放有用的东西。弗洛伊德相信,此类被他称之为“行为倒错”(parapraxes)的东西,并非如其看起来那样是偶然的,在它们的背后或许存在隐蔽的动机。弗洛伊德以一位维也纳教授为例,按照他的记录,这位教授在就职讲演中不说“我无意低估我杰出的前任所取得的成就”,而是说“我有意低估我杰出的前任所取得的成就。”弗洛伊德把这位教授的口误看成是理解其意向的向导,这个向导比①他本人在注释中写下的话还要明确。然而,这位教授当然完全清楚自己对前任工作的真实态度:

①原文为“that”,疑为“than”的误植——译者

他的意向只是在他不愿做如此公开表达的意义上是“无意识的”。无论在言谈中,还是在写作中都会有类似的事情发生。弗洛伊德谈到一位丈夫,在卢西塔尼亚号(Lusitania)游轮沉没数年之后,他写信给远在异地的妻子,敦促她跨越大西洋与其团聚,他在这封信中竟然写道“乘卢西塔尼亚号”,而他想写的却是“乘毛里塔尼亚号”(Mauretania)。弗洛伊德认为,戏剧家们很久以来就清楚此类行为倒错的意义。在《威尼斯商人》中,波西亚处于两种力量的斗争之中,一面要在诉讼人之间履行保持中立的公共义务,另一边则是她对巴萨尼奥的
204 私己之爱,莎士比亚让她开口对巴萨尼奥说:

> 我的一半是你的,另一半你的——
> 我自己的,我会说。

此类“弗洛伊德式口误”能够揭示出说话者想隐藏的东西,这一点已经得到了非常广泛的接受。但是,注意这里的心理状态是能够借助一种完全直白的方式加以证实的东西,如从出现口误之人的嘴中寻求一种真实的表白。对弗洛伊德而言,此类口误是无意识的浅层次;他有时称之为“前意识”(*NIL* 96)。

当我们遇到进入无意识的第二种方法,即对梦境报道的分析之时,事情就有所不同了。弗洛伊德以为,对梦境的解释“是认识心灵无意识活动的捷径。”然而,解释并非做梦者本人能够按照因果关系承担起来的事情;它需要与心理分析专家进行长期而痛苦的交谈。

弗洛伊德主张,梦往往是被压抑的欲望在幻觉中的满足。不错,鲜有梦境是满足的一种明显表现,有些梦境如噩梦似乎正好相反。但是,按照弗洛伊德的说法,这是因为我们是以编码方式做梦的。梦境真实的和潜在的内容被做梦者赋予一种象征形式;这就是“梦的工作”(dream-work),它生产出被做梦者报道出来的无害而外显的内容。梦境一旦被去除了象征形式,那么它的潜在

内容就被普遍揭示为与性有关的东西，事实上，这是与俄狄浦斯有关的东西。不过，弗洛伊德警告我们，“约卡斯塔在《俄狄浦斯王》中暗指与母亲发生性关系的直白梦境是少见的，如果拿它和心理分析学家必须在相同意义上加以分析的许多梦境相比较而言”（*SE* xix. 131 ff.）。

应该如何解析一个梦境，揭示梦的工作？假如把每个带尖的东西如雨伞都当做男性生殖器，把每个能够容纳他物的东西如手提包都当做女性生殖器，那么每个梦境都会轻而易举地被赋予一种性的含义。然而，弗洛伊德的方法却并非如此粗疏。他不认为能够编纂一部词典，把符号与其指代的东西联系起来。一个出现在梦中的物件对某个特定的做梦者所具有的含义，只能通过这个做梦者本人赋予这个东西的意义得以发现。只有在进行此番探索之后，
我们才能发现在梦中以幻想方式得到满足的无意识愿望的本质。 205

弗洛伊德提出用来探索无意识的第三种（从时间顺序上说是第一种）方法是对神经官能症的探索。下面是一个典型的例子。他的一个病人，一位奥地利大学生，假期中居住在某个度假胜地。他突然被自己太胖这个想法所困扰：他对自己说“Ich bin zu dick”（我太胖了——译者）。于是，他放弃了一切有分量的食物，在八月的酷热天气中，他习惯在布丁上来之前就起身去登山。“我们的病人没有想到要去解释他的这一强迫性行为，直到他突然想到自己的未婚妻此刻正由一位来自英国的名叫‘Dick’的侄子陪伴也住在同一个度假胜地。”弗洛伊德指出，他之所以进行减肥的目的在于要这个 Dick 走开。

在弗洛伊德揭示深层无意识的程序中存在着某种程度的循环。这些较深层面的存在已经为梦境和神经官能症所证实。但是，无论在表面上，还是在对它的解释当中，梦境和神经官能症均不能揭示被假定为构成无意识的信念、欲望和情感。为了找到一种有效的治疗方法，病人不得不承认所谓潜在的欲望。然而，心理分析者的解析常常被病人拒绝，解梦成功的标准在于被破解的信息应与分析者心中的无意识观念相吻合。但是，这一观念是出自于对梦境和神

经官能病的解释，而非先于后者而出现。

进入晚年的弗洛伊德用一种三元图式代替了意识与无意识的二元对立。在《新导论》（*New Introductory Lectures*,1933）一书中，弗洛伊德说，“超我、自我与本我是我们划分个人心灵工具的三个王国、领域和疆界”（*NIL* 97）。本我是饥饿、爱恋和本能驱动的无意识地界。这里为快乐原则所支配，它比灵魂的其他两个部分更为宽广且更为隐晦。“思维的逻辑规律”，弗洛伊德说，“不能应用于本我，其真实性超越了一切矛盾律。相互矛盾的冲动比肩而立，彼此并不相互取消或相互削减”（*SE* xxii. 73）。

相比照而言，自我则代表着理性和常识，它致力于现实原则。它是灵魂与
206 被感觉感知的外部世界相接触的最密切的部分。自我是武士，而本我则是战马。“战马提供驱动的能量，而武士则拥有决定战马的目标和引导战马的特权”（*SE* xx. 201）。但是，自我的控制并不是绝对的：自我更像是一位立宪制的君主，在面临国会动议时不得不进行长期而艰难的思考。心理分析学家可以增强自我对于本我的控制，帮助它完成控制本能欲望的任务，选择无害的时机来满足它或改变其表达的方向。弗洛伊德以水为喻，把本我的运作看成是能够寻求一种正常发泄途径的一股能量之流被导入到另一个渠道，或者被灾难性的后果所遏制。

最后，超我是一个对自我行为进行观察、判断和惩罚的行为者。其一种显现形式便是良心的言说、提前预防行为的发生以及事后对自我行为进行斥责（*NIL* 82）。超我不是与生俱来的；在儿童阶段的早期，其地位是由父母充当的。随着儿童的不断成长，自我承担了父母职责的一半——不是他们的眷爱和照顾行为，而只是其无情和苛严的一面，其警告和惩罚的职责。超我也是“自我借以衡量自身的理想自我，是自我的模仿对象，其愈加完善的要求常常是自我努力予以满足的东西”（*SE* xxii. 65）。

弗洛伊德声称他对早期理论的修正是出于对临床病人的观察所迫。然而

在较后时期，心灵在形式方面类似于柏拉图《理想国》中那个拥有三个组成部分的灵魂。①本我与柏拉图称之为欲望能力（*epithumetikon*）的东西相对应；它是食欲和性欲的源泉。自我与柏拉图的推理能力（*logistikon*）相对应；它是灵魂与现实发生接触的最为密切的部分，它肩负着对本能欲望进行控制的任务。最后，超我类似于柏拉图的秉性（*tumoeides*）；它既是服务于道德的非理性惩戒能力，又是羞愧与愤怒之源。

自我如弗洛伊德所描述的那样，必须满足三个暴虐的主人：外部世界、超我和本我。

> 受本我推动、受超我遏制、受现实排斥，自我在努力地完成着协调在其中
> 运作的各种力量及影响的任务，并在此基础上达成某种和谐；我们或许会 207
> 很好地理解为什么我们常常不能压抑“生活不易”的叫喊。（*NIL* 104）

与柏拉图一样，弗洛伊德将心灵的健康视为灵魂各个部分之间的和谐，把内心疾病视为上述各个部分之间的不一致。“假如自我及其与本我之间的关系满足于这些（和谐控制）的条件，那么就不再会有神经错乱”（*SE* xx. 201）出现。自我的全部努力在于“促成其多重独立关系之间的一种和解”（xix. 149）。如果缺少了这样一种和解，那么内心错乱就会发生，弗洛伊德详细地描述了几种不同的内部冲突症状。

《逻辑—哲学论》中的哲学心理学

当弗洛伊德在奥地利首都做介绍性的讲演之时，维特根斯坦则在奥地利

---

①参看本书第一卷，237—239 页，与 A. Kenny, *The Anatomy of Soul* (Oxford: Blackwell, 1974), 10—14.

军中服役，他在一本笔记中，建构了一种不同的心灵模式。维特根斯坦接受了心理学是一门真正的经验科学的思想，在他看来，心灵哲学与心理学的关系正是哲学与自然科学的关系。它的任务是澄清其命题以及为这些命题的表达能力划定界限（*TLP* 4.112，4.113）。它将通过对报道信念、判断和感知之类的命题的分析来完成这个任务，特别是通过按照思想本质对逻辑进行解释这种方式。

《逻辑—哲学论》告诉我们的第一件有关思想的事情是思想即事实的一种逻辑图像。一个逻辑图像是这样一种图像，其图像的形式——与其描述的东西共有之物——是逻辑形式。与逻辑图像相比，日常图像或许与它所描绘的东西更为一致，如同一幅拥有空间形式的图画与一处风景相一致一样；然而，一个思想是心灵当中的这样一种图景，它与其所描绘的东西的一致之处只是逻辑形式。

维特根斯坦有时把思想等同于命题（*TLP* 4）。如果我们仔细考察他对“命题”一词的使用情况，我们就会明白其中包含有两种不同的因素。有一种命题记号或语句，带有书面语与口语二者的关系。还有通过命题记号表达出来的
208 东西，这就是思想，它本身是多重心理因素之间的某种关系的持有者，维特根斯坦拒绝指出这种关系的准确性质，因为那是实验心理学的事务（*TLP* 3.11—12）。只有当一个命题记号被一个思想投射到世界上之时，这个命题记号才能成为一个命题，反过来，多重心理因素之间的某种关系只有当它是一个命题记号在世界上的投射之时，它才能成为一个思想（*TLP* 3.5）。

在3.12节，维特根斯坦说，“在一个命题当中，一个思想可以以这样的方式来表达，即命题记号因素与思想对象相对应。”“思想对象”是心理因素，其相互之间的关系构成了思想。一个命题只有当命题记号因素与思想因素相对应时才能得到充分的分析。一个未经分析的日常语言命题与思想之间就没有这种关系；相反，它掩盖了思想。我们之所以能够理解日常语言并能够把握其

所遮盖的思想,是源于许许多多复杂的默认惯例。在《逻辑—哲学论》中,维特根斯坦与弗洛伊德的相似之处在于,他赋予心灵的无意识运作以极大的重要性;隐藏在我们言说下面的思想结构是我们一点也没有意识到的东西。

在我们的思想当中,有某些关于思想的思想:如报道信念和判断的命题。针对《逻辑—哲学论》的一般主张,即一个命题只有以真值的方式才能出现在另一个命题当中,也存在着明显的反例,因为有这样的命题存在,即“A 认为 *p* 不是 *p* 的一个真值函项”。维特根斯坦以严格的方式来处理这一问题:这样的命题根本就不是真正的命题。

在 5.542 节,我们被告知,“显然,‘A 认为 *p*’、‘A 具有思想 *p*’,以及‘A 说 *p*’均是‘*p*’说 *p* 的形式,这并不包含一个事实与一个对象之间的相互关系,而毋宁说是通过其对象的相互关系表示出的事实之间的相互联系。”“‘*p*’说 *p*”是一个伪命题:这是一种试图言说只能意会的东西的尝试;一个命题只能表示它的意义,而不能将之表述出来。按照《逻辑—哲学论》,我们或许这样认为,如在“伦敦比巴黎大”这个语句当中,“伦敦”位于“比……大”的左边,“巴黎”位于“比……大”的右边这个事实是说伦敦比巴黎大。然而,只有当这个事实加上英语语法才能说出任何此类的事情。言说在命题中所做的事情,正是命
题记号与其他能够达到相同目的的一切命题记号的共同之处;这是什么,只能 209
通过指出和明确默认的英语惯用法的方式被描述出来,假如这样做可行的话。

假如我思考某一思想;我对这个思想的思考将存在于某些心理因素当中,后者或许是心理意象或内在印象,它们彼此处在某种关系之中。在科学视野之内,此类处在这样那样的关系当中的因素将是一种心理学的事实。然而,这些因素将会拥有它们所拥有的意义,这并非一个科学事实。意义只是通过我们,通过惯例给予符号的。但是,通过设置惯例给予意义的意志行为在哪里呢?它们不在肤浅的心理学所研究的经验心灵当中:介于那个意志与任何一个对象之间的任何关系都将是科学研究的一个对象,因此上述关系将不能赋

予这个无法言说的行为以意义。当我赋予我所使用的符号以意义之时，做这件事情的我必须是形而上学的我，而不是内省的心理学所研究的那个我。与语言不同，思想将会拥有相应的复杂性，以便描绘世界上的事实。但它的复杂性只是给予这种描述以可能性。一个思想的确在描绘着什么，无论它是对还是错，这都取决于其因素的意义，而后者则是由超心理学的意志给予的，这个意志又赋予那些因素以某种应用和用途（*TLP* 5.631 ff.）。

意向性

《逻辑—哲学论》呈现的心灵哲学是不成熟的也是不足信的。这是维特根斯坦后来认识到的事情；然而，在这本书刚一面世就阅读过它的许多读者，必然会发现它忽略了被许多同时代人视为心理行为和过程之核心的东西，这就是意向性。源于中世纪的这个意向性概念被布伦塔诺在19世纪引入哲学当中，它在胡塞尔的《逻辑研究》（1901—1902）和《观念》（1903）中取得了突出的地位。

在《从经验的观点看心理学》（*Psychology from an Empirical Standpoint*，1874）中，布伦塔诺试图寻找某种可以区分心理与物理现象的属性。他考虑并
210 拒绝了心理现象的特殊之处在于它缺乏外延的说法。于是，他提出了一个不同的区分标准：

> 每个心理现象的特征就是中世纪经院哲学家们称之为一个对象的意向性（或心理性）存在，我们不是十分模糊地称之为"与一个内容的关系"、"对象导向性"或"内在客体性"。（"对象"在这里并非指现实。）每一个这样的现象自身都包含着如某一对象之类的东西，尽管每种包含的方式都不

> 尽相同。在想象活动中某物被想象,在判断当中某物被接受或拒绝,在钟爱中某物被钟爱,在仇恨中某物被仇恨,在欲望中某物成为一个欲望的对象等等。
>
> 这样的意向性存在是心理现象所独有的一个属性;没有哪个物理现象会呈现出任何与此类似的东西。于是,我们便可以这样来定义心理现象,说它们是那些在意向上包含一个对象的现象。(*PES* II.1.5)

这一著名的段落意思并不完全清晰。的确是这样,哪里有爱,哪里就有某物被爱,哪里有恨,哪里就有某物被恨,但是,这是否等同于说,如果有加热的现象发生,那么就有某物被加热了呢?而“热”并非一个心理学意义上的动词。当“对象导向性”似乎是一切语法意义上的及物动词即接第四格的动词所共有的一个特征时,布伦塔诺怎么能说,它为心理现象所独有呢?

如果我们看看布伦塔诺的经院主义渊源,答案就清楚了,经院主义区分了内在和过渡两种行为。过渡行为是改变对象的行为(加热是一种过渡行为,它使对象变热)。内在行为不改变对象,但改变其行为者。要看医生是否治好了他的病人,我们就得去检查病人;要看他是否爱上了他的病人,我们必须去观察医生。布伦塔诺对物理与生理现象的区分对应于他对内在与过渡行为的区分。①

胡塞尔从布伦塔诺那里继承了意向性这个经院哲学的概念,并在1901年后使这个概念成为其体系的核心内容。在《逻辑研究》第五版中,他告诉我们,意识由意向性经验或行为构成,他对意识中存在的多种因素做出了一系列区分。一个行为的意向性是它所关乎的东西;它也被称为行为—内容、意义,以及后期著作中的意向对象(*noema*)。一个心理事项的意向性是由一个意指 211

①参看 Aquinas, *Summa Theologiae*, 1a 18.3 ad 1.

(*Meinen*)行为所给予的。意指有两种意义:一种是给予一个单词以含义,另一种是给予一个命题以意义。"每种意指……或是一个命名意指,或是一个命题意指,更准确地来说,或是一个完整的命题意指,或是这样一个意指的可能构成部分"(*LI* vi. 1)。

每一个心理行为都将是某种属于一个特定类别的行为,其类别取决于其内容如何。有关一匹马的每一个思想,无论它是谁的思想,都属于同一类别;准确地说,马这个概念是所有这些思想所归属的类别;同样,任何人无论在什么时候做出血浓于水这个判断,那么这个判断即血浓于水这个命题的意指正是所有此类判断行为所归属的类别。假如 A 同意 B 的判断,那么尽管 A 的判断和 B 的判断是相互不同的个别的心理事件,但因为它们拥有相同的内容,于是他们就是同一个属的单例。在后期著作中,胡塞尔将个别的行为称为意向行为(noesis),而特定的内容则是意向对象(noema)。

除了内容之外,行为还具有品质。不仅单词和命题,而且与之对应的心理行为和状态,如认识和相信的行为都具有意义。感知、想象、情绪和意愿亦如此。我注视房子和我想象房子是具有相同内容或意向对象的行为,但是由于注视不同于想象,它们是不同品质的行为(*LI* vi. 22)。

胡塞尔的意向性理论是一个丰富的理论,他对这一理论的说明包含许多敏锐的观察和有价值的区分。但是,支撑心理现象全域之意指行为的本质依然十分神秘。在 1920 和 1930 年代,一些哲学家试图完全撇开意向性于不顾,提出一种心灵哲学。在《心的分析》中,伯特兰·罗素针对欲望提出了一套解释,后者使欲望可以依据达成它的事件得到定义。"任何一种心理事件,如感性、意象、信念或情绪",他写道,

> 或许是造成一系列持续行为的一个原因,除非被打断,它就一直持续到一些或多或少确定的事态得以实现之时。这样一系列行为我们称之为"行

> 为循环”……引起这样一种事件循环的属性，我们称它为“抑郁”……这个循环结束在一种寂静状况之中，或者结束在这种倾向于保持现状的状况之中。寂静状况在其中得以达成的事态被称为这一循环的“目的”，包 212
> 含抑郁的最初心理事件对带来寂静的事态而言是一种“欲望”。当一种欲望伴随着一种有关带来寂静事态的真实信念之时，这种欲望被称为“有意识的”；否则它就被称为“无意识的”。（*AM* 75）

按照罗素的看法，行为循环以具有抑郁特征的心理事件为诱因。在他的体系当中，这些事件的本质并不清晰。但是，其他哲学家和心理学家在解释欲望和情绪时全都放弃了心理事件。对行为主义学派而言，特别是自巴普洛夫在1927年提出条件反射理论以来，心理与身体事件的关系不再是一种因果关系。行为循环并非心理事件的效果，它们是诸如欲望和满足此类事物的真实组成部分。行为主义者把对心理行为与状态的报道看成是被伪装起来的对身体诸行为的报道，或者最好是看成以某种方式展开的身体行为倾向。这样，意向性便从心理学中消失了。

维特根斯坦后期的心灵哲学

正是在罗素对欲望和期待提供的解释所引起的负面反应当中，维特根斯坦形成了其后期的心灵哲学。他说，罗素的解释正是错在它忽视了意向性；他同意胡塞尔的看法，假如我们想要理解语言和思想，那么意向是非常重要的。对此做出一种正确的解释是哲学的主要问题之一。

> 那是“他”（这一图像再现了“他”）——包含了再现的整个问题。什么是

判断这个图像是那个对象的肖像,即它意欲意指后者的标准？如何证实它？并非相似性使这个图像成为肖像(它或许是与一个人明显的相似处,然而却是另一个与他不太相似之人的肖像)……当我记起我的朋友并在“我的心灵之眼里”看他时,什么是记忆中的意象与其内容之间的联系？它们二者之间的相似之处？(*PG* 102)

维特根斯坦在心灵哲学方面的成就是提出了这种解释,它在保留被行为主义
213 者拒绝的意向性的同时,接受了胡塞尔的解释根植其中的笛卡尔意识图像。

维特根斯坦像,摄于他为其最后的心灵哲学工作的时期。

描述维特根斯坦的心灵哲学贡献的一种方法就是，说他以无与伦比的敏感展示了人类的心灵并不是一种精神，甚至不是一种成为肉身的精神。首先，不存在如笛卡尔的 ego，一个自我，或 moi（法文，“我”——译者）这样一个在第一人称言说中被指称的东西。这并非因为单词“我”所指代的是一个自我之外的东西；而是因为“我”根本就不是一种指称性的表达。自我是哲学家出于对反身代词的误解而说出的废话。

当笛卡尔认为他可以怀疑自己是否拥有身体之时，他并不能怀疑自己的存在，对他的论证而言，必不可少的是，他有可能用“我”指代不属于其身体任
何部分的某种东西。我的“自我”并非自己的一部分，甚至不是自身的一个核 214
心构成部分；非常明显，它就是自身。我们在谈论“我的身体”，但是物主代词并非表示有一个“我”存在，它是一个非我自身的身体的主人。我的身体不是我所拥有的身体，而是我所是的身体，正如罗马城并非罗马所拥有的城市，而是罗马所是的城市一样。

说心灵并非精神意味着第二件事情，即前者不是某种幽灵式的中介，或者仅由内省可以通达的心理事件与过程的居所。维特根斯坦时常反对我们易于接受的一种有关心灵本质的神话。我们想象，在我们内心中有一种机制在其神秘的中介中工作得十分完好，但它却非常不具有智能，假如我们只从一般意义上理解一个机制的话。维特根斯坦认为这是一种隐蔽或者潜在的废话。把潜在废话转变为明显废话的方法就是想象真有这个机制存在。

举例来说，在某种诱惑之下我们会认为，当你认识某人时，你所做的事情就是去询问关于她的一种心理图像，并检验你现在所看到的东西是否与这一图像匹配。维特根斯坦指出，假如内心里存在这种没有意义的思想，我们就会让自己看到它是无意义的，看到无论如何它也无法解释认识行为。如果我们假定上述在现实世界中发生的过程只伴随一种真实的而非仅仅是心理的图像，那么我们起初提出的问题就又回来了。我们如何识别一个人的

图像，以便用这个图像识别她呢？在这种情形当中，唯一给出虚幻性解释的事情是那个最初设定的模糊本质；即假定这个过程发生在心灵鬼魅一般的中介当中这个事实。

按照某些哲学家和心理学家的看法，心灵科学理论的任务是建立一种相互关系原则，它介于心理状态和过程事件与其在大脑中的发生二者之间。这种关系只有当心理事件（如思想或者理解的闪现）自身能够以测量生理事件的方式得到测量之时才成为可能。然而，在一种心理中介中，思想和理解并非是在生理中介当中发生的过程，如同在物理介质中发生的电解和氧化一样。思想和理解根本就不是过程，维特根斯坦通过对词语“思想”和“理解”之用途所做的艰难
215 分析表明了这一点。例如，我们判定某人理解某个句子与否的标准不同于判定当他在说出或写下这个句子时究竟发生了什么心理过程的标准。（*PG* 148）。

在那些把心理看做一种鬼魅般的中介、把思想和理解看成发生在那里的过程的人看来，也只有通过内省才能进入这一中介。基于这个观点，心灵至少是一个与外部空间一样值得我们探索的内部空间。然而，如果给出足够的时间、金钱和能量，那么每一个人都能够探索相同的外部空间，而我们每个人却只能探索自身的内部空间。我们这样做是以向内观察我们本身可以直接通达的某种东西为手段的，而其他人则只能通过接受我们的言词证据，或者通过从我们的生理行为加以推导的方式间接地了解它。基于这种看法，一方面是意识，另一方面是言语和行为，二者之间的关系是一种纯粹偶然的关系。

摧毁这个概念是维特根斯坦最大的贡献之一。如果意识与表达的关系仅仅是偶然的，那么就我们所知道的一切而言，宇宙中的每件事情或许都是有意识的。这与意识是某种私已的东西的想法非常吻合，我们只能通过它在我们自身情况中与某物发生接触，这也与我们现在所坐的椅子或许是有意识的想法相吻合。就我们所知道的一切而言，难道它们不是处在极度的疼痛当中吗？当然，果如此，那么我们就不得不额外地假设它也展示出一种斯多亚式的刚

强。然而为什么不呢？

假如意识的确只是偶然与其行为表达发生联系，我们能否有信心将之归于他人呢？关于人类是有意识的，我们拥有的唯一证据是当我们每个人向内观察自己时，会看到意识就在那里。但是，一个人怎么能够如此不负责地概括自己的情形呢？他不能观察他人的内心：内省的本质是我们所有人为自己所做的某种事情。我们不能就他人的行为做出一番因果演绎。当处在他人的意识与其行为之间的相互关系中的这第一条内容在原则上不能被观察时，那么这种相互关系便无从建立。

维特根斯坦写道，“只有对人，只有对（其行为）类似于人的东西而言，我们才可以说：他拥有感性；他看见；他看不见；他听见；他听不见；他是有意识的或者是无意识的”（*PI* I. 181）。这不意味着他是一个行为主义者；他并不把经验认同为行为，甚至认同为行动的意愿。关键在于，一个人能够有什么样的经 216 验，这取决于他能够怎么样行动。只有会下象棋的人才能有舍车保帅的欲望；只有会说话的人才能被想要发誓的冲动所征服。只有会吃的生灵才能饥饿，只有会区分光明和黑暗的生灵才能拥有视觉的经验。

某种类型的经验与以某种方式行动的能力之间不仅仅是一种偶然的联系。在能够证明我们获悉事态的两种证据之间，维特根斯坦做了区分，即征候（symptoms）和标准（criteria）。当某一类型的证据与由此得出的结论之间的联系是通过论证和归纳而获得的经验发现之时，这一证据可以被称为此事态的一个征候；当证据与结论之间的联系不是通过某种经验调查所发现的东西，而是必须由对这种事态有把握的人来把握的东西之时，那么这个证据就不仅仅是征候，而是此事件的一个标准了。布满晚霞的天空或许是次日晴朗天气的一个征候，然而次日没有乌云、阳光灿烂等等并非只是好天气的一个征候而且是一个标准。同样，抓挠是瘙痒的标准，吟唱《三只盲鼠》是了解这支歌曲的一个标准——尽管不是每个感到瘙痒的人都会抓挠，一个人或许多少年来都知道这支曲子的节奏但却从来没有唱过它。

在标准这个观念方面的探索使维特根斯坦在二元论与行为主义之间摇摆不定。他对二元论者有关特定心理事件并不与身体行为相伴随的观点表示认可;另一方面他又同意行为主义者的看法,即把心理行为归于人们的可能性取决于在一般情况下此类具有行为表达的行为。

把心灵认同为行为是错误的,按照维特根斯坦的观点,把心灵认同为大脑更是错误的。事实上,这种唯物主义与行为主义相比是一种更大的哲学错误,因为心灵与行为的联系比心理与大脑的联系更为紧密。心灵与行为之间的关系是一种标准关系,它先于经验而存在;心理与大脑之间的联系则只是一种偶

217

威尼斯圣马可教堂的一幅马赛克图画描绘了上帝将一个灵魂注入亚当体内的形象,这个灵魂是一个长有翅膀的小精灵。

然关系，它可以通过经验科学来发现。一切在心脑关系方面的发现，必须始于我们用来描述心灵的日常概念，即被嫁接到行为标准之上的概念。

维特根斯坦以来的心灵哲学发展足以显示出唯物主义的错误与二元论的错误二者是可能混合在一起的。在心灵本质方面，人们最普遍的误解之一便是心身关系的图像，一面是一个侏儒或小精灵，另一面则是一个用具、工具或机器。当中世纪时期的画家用出自圣母玛丽亚之口的一尊小圣女像来表现圣母之死时，我们会之为发出微笑；然而，大致同样的想法也可以出现在最不相同的地方，其中包括从事认识论研究的科学主义者们的著作。

当笛卡尔报道视网膜意象事件的时候，他警告我们不要为意象与对象间的相似性所误导，以至于认为在我们的大脑之中有另外一双眼睛注视着对象。 218
但他本人认为，注视可以通过灵魂在松果腺中与意象相遇的说法得到解释。这是被称之为“小精灵之误”的一个特别突出的版本——它试图以在普通人心中设定一个小人的方式来解释人类的经验和行为。

“小精灵之误”错在何处？意象在于大脑中的说法本身并没有什么错误，如果它是指存在大脑中的模式的话，这些模式可以被神经病理学家所观察，并且可被映射到可见环境的特征那里。产生误导的是认为这些映射是种种再现和可被心灵看见的东西，以及注视在于对这些意象的心灵感知的说法。

误导之处是，这样一种解释声称可以用来对注视进行解释，然而，这一解释却恰恰再度引发了它所要解释的那些令人困惑的特征。因为，只有当我们认为位于松果腺中的一个心灵与一个意象的关系类似于我们在特定环境中所注视到的人与图像的关系之时，我们才认为谈论心灵与意象的相遇具有任何解释力。然而，为解释人类所需的任何东西都会转变为令人发笑的、不可解释的人的外形。

现如今，当我们在努力建构一种新的认知心灵科学之时，正是我们的整个大脑或者部分大脑常常让小精灵发挥了作用。我们或许会被告知，我们在用大脑提出问题、解决问题、破解信号和做出假设。那些把人类整体的能力归于部分人类的人并没有理会维特根斯坦发出的警告，“只有对人，只有对（其行为）类似于人的东西而言，我们才可以说：他拥有感性；他看见；他看不见；他听见；他听不见；他是有意识的或者是无意识的”。但是，亚里士多德早在一千多年前就提出了同样的看法，他写道，“说一个灵魂发怒就如同是说它织就或建造了一所房屋一样。或许，我们最好不要说灵魂同情什么、了解什么或者思考什么，而要说拥有灵魂的人在做这些事情”（《动物篇》408b 12—15）。

事实上，维特根斯坦的心灵哲学比当代唯物主义心理学来说更接近于亚里士多德的心灵哲学。在某种意义上，他允许大脑中有缺乏任何关联的心理
219 行为的可能性存在：

> 对我来说，再也没有比大脑中没有与联想和思维相关之过程的假设更为自然的了；所以我们不可能把思维过程从大脑过程中排除……某种心灵现象完全有可能不能从生理学角度进行研究，因为生理学领域里没有与之对应的东西。多年之前，我看见过这个人；现在我又看见了他，我认识他，我想起了他的名字。然而，为什么在我的神经系统中非要有一种有关这一记忆的原因呢？……为什么应该没有一种心理规则与一种生理规则相对应呢？……如果这颠覆了我们有关原因的概念，那么这正是颠覆它的时候。（*Z* 608—10）

正面攻击必然有与心理现象对等的生理现象存在的思想，其目的并不在于为任何类型的二元论辩护。从事联想、思维和记忆的实体并非一个精神实体，而是一个拥有肉体的人。但是，维特根斯坦看起来的确构想了一种作为可能性出现的亚里士多德式的灵魂或实体（entelechy），其运作不依赖任何物质中介——一种没有任何机械有效原因与之对应的形式和目的因。

第九章

伦理学

最大多数人的最大幸福

在大多数道德体系当中,幸福是一个被赋予很高重 220
要性的概念。许多哲学家把自己的根源追溯到柏拉图和亚里士多德那里,他们将幸福看成至高的善,某些伦理学家还更进一步肯定人类在其所有的选择当中都追求幸福。①在挑战幸福的优先性方面,康德可谓不一般。在其基本著作当中,康德声称职责而非幸福才是至高的伦理目标。乍一看来,当边沁宣称我们视每个行为倾向于增加或减少幸福的程度如何来评估它时,他只不过重复肯定了一个长久以来形成的共识而已。然而,如果我们详加检视,就会发现边沁的最大幸福原则与传统的幸福主义有所不同。

①参看本书第一卷,81 页;第二卷,272 页。

首先,边沁把幸福认同为快乐:快乐是行为的至高动力。《道德与立法原则导论》一书是以下面这段著名的语句为开端的:

> 自然把人类置于两个拥有主权的主人统治之下,这就是痛苦与快乐。只有以此为出发点,我们才能指出我们所应当做的,决定我们将要做的事情。一方面是正确与错误的标准,另一方面是原因与效果的链条,二者被一同系于主人那里。它们控制着我们的一切所做、所说和所想:我们为摆脱其奴役所做出的每一种努力都只是对它们的证明和肯定而已。(*P* 1.1)

因此对边沁而言,使幸福最大化就等同于把快乐最大化。功利主义者可以把
221 柏拉图视为先驱,因为在《毕达哥拉斯篇》中,柏拉图把美德在于正确选择快乐与痛苦这一观点置于讨论当中。①亚里士多德在另一方面区分了幸福与快乐,特别是拒绝将幸福认同为感官的享乐。相比照而言,边沁不仅把幸福当做快乐的对等物加以处理,而且亦把快乐本身当做是一种感觉。“在这种事物上,我们不需要精细,也不需要形而上学。我们不必去询问柏拉图,亦不必去询问亚里士多德。痛苦和快乐是每个人都会感觉到的东西。”

边沁谨慎地指出,快乐不仅是一种出自于吃、喝和性享受的感觉,而且亦可由其他多种原因所致,而其程度也会随着财富的获得、对动物的仁慈,以及对一个至高存在的信仰有所变化。这样一来,认为边沁的幸福主义是召唤感性享受的批评家们可是大错特错了。不过,对亚里士多德这样的思想家而言,快乐被认同为享受的行为,对边沁来说,一个行为与其产生的快乐之间的关系则是一种因果关系。然而,对亚里士多德而言,快乐的价值与享受行为的价值是同一回事儿,但是,对边沁来说,各种快乐的价值都是相同的,无论它是由什

①参看本书第一卷,263 页。

么原因引起的。"幸福的数量是相等的",他写道,"大头针和诗歌同样是好的。"对幸福所说的同样也适用于痛苦:痛苦的数量是衡量其贬值与否的尺度,而非其原因。

因此,幸福和痛苦的量化对一个功利主义者来说是头等重要的事情:在决定采取一个行为或实行一项政策之时,我们要评估它所产生的快乐与痛苦在数量上的多寡。边沁明白,这样的量化做法并非是无关紧要的任务,他就快乐与痛苦的剂量开出了处方。假如快乐 A 的程度更集中,或者持续得更长,或者更为确定,或者更为直接,那么快乐 A 的数量就比快乐 B 的数量要多,在"幸福的运算"当中,这些不同的因素都必须被考虑进去,彼此加以权衡。在就产生快乐的行为所做的判断过程当中,我们必须考虑快乐的多产性和纯粹性:当能够产生快乐的一个行为似乎能够产生一系列前后相继的快乐之时,它就是多产的;当它似乎不能产生一系列前后相继的痛苦之时,它就是纯粹的。当我们就自身的事情进行运算之时,这一切因素都被考虑了进去;当我们在考虑一项公共政策之时,我们必须进一步考虑另外一种被边沁称之为"扩展"的因素, 222
这就是痛苦和快乐在多大幅度上能够惠及人群。

边沁编制了一个口诀,以帮助人们进行运算:

> 集中、长久、确定、即时、丰富、单纯——
> 这样的标志在快乐和痛苦中经久保存。
> 为私要寻求这样的快乐,
> 为公则需扩展开来做。
> 无论着眼于什么,这样的痛苦应当避免,
> 倘若痛苦必然要来,就让它与少数人相见。

在以决定公共政策为目标而对幸福进行运算的过程当中,扩展是关键的因素。

"最大多数人的最大幸福"是一个给人留下深刻印象的口号;然而,当它面临检验时,却充满着模棱两可之处。

它引起的第一个问题是"最大数量的什么?"我们应加上"选民"或"公民",或"男性"或"人类",或"感性存在"? 在我们提供的答案中间会产生巨大的差异。纵贯功利主义200年的历史,每个献身功利主义的人大都会对之以"人类",这最像边沁本人给出的答案。他不主张妇女拥有选举权,但这只是由于他认为这样将会引起混乱;他原则上认为,在最大多数的原则这个基础上,"性别(妇女)的诉求如若不是较好的,那么它至少与另一性别一样好"(*B* ix. 108—9)。

近年来,有许多功利主义者把幸福原则扩展到了超乎人类之外的其他感性存在那里,声称动物与人类拥有同样的诉求。尽管边沁是一个极为热爱动物(特别是猫)的人,但他本人并没有在这条道路上走得如此之远,他会拒绝动物拥有权利的思想,因为他不相信任何类型的自然权利存在。不过,通过把最高道德标准规定为感性事物的方式,边沁使动物与我们人类同属于一个道德共同体的想法成为可能,因为,动物与人类一样都能够感知快乐与痛苦。从长远来看,这是边沁与经典基督教道德传统决裂所产生的最重要的后果,在后者那里,最高的道德价值不在于感性,而是在于理性当中,它把非理性的动物看
223 成是道德共同体之外的东西。

功利原则的第二个问题在于:个人或政治家在根据最大幸福原则行事之时,是否应当试图对享有(无论是怎么来定义的)幸福之人的数量加以控制? 将幸福扩展到最大多数人那里是否就意味着我们应当尽力使更多的人(或动物)生存下来? 我们如何回答这些问题,这将与第三个更为棘手的问题相关联:当我们在衡量一群人的幸福之时,我们是否只是考虑到了整体上的幸福,或者我们也应当考虑到平均的幸福呢? 果如此,那么我们就必须在幸福的数量和人口的数量之间构造一种艰难的平衡。

这与其说是政治哲学所面对的一个问题，不如说是道德哲学所面临的一个问题。但是，即使我们把思索的范围收缩到个人道德事务方面，在上引《导论》起始一段中提出的问题依然存在。在那里，幸福论是在双重意义上被提出来的：有一种心理学上的幸福主义（快乐决定行为），亦有一种伦理学的幸福主义（快乐是正确与错误的标准）。在心理学的幸福论中被引起的快乐是个人的快乐；在伦理学的幸福论中被引起的快乐（无论它是如何被量化的）则是整个道德共同体的快乐。如果事实上在每个行为上我都预先决定要使我本人的快乐最大化，那么同时又告知我本人有义务使共同的善趋向最大化，这是什么意图？这个问题尚需在功利主义传统之内的某些边沁的继承者们付出努力予以解决。

边沁通过与其他伦理体系展开比照来称颂功利主义。《导论》第二章题为“论与功利原则相反的原则”。他列举了两种这样的原则，其一是禁欲主义原则，其二是同情或厌恶原则，禁欲主义是功利主义的反面，它对行为的肯定到了倾向于降低幸福数量的地步。另一方面，接受同情或厌恶原则的人对行为好坏的判断延伸到了它们是否与自己的情感相符的境地（*P* 2.2）。

边沁的禁欲原则树立了一个稻草人。宗教传统的确赋予对自我的否定和对肉体的耻辱感以崇高的价值；然而，即使是在宗教的牧师们中间，我们也很
难发现一个人把对本人施加痛苦的折磨看成是引导每个行为的价值。① 无论 224
是在宗教徒还是在普通人当中，从来也没有人就如何追求最大多数人的最大苦难提出过任何一项政策。边沁本人承认，“禁欲主义从来就不是、也从来不可能是任何存活的生物所不懈追求的目标”（*P* 2.18）。

同情和厌恶的原则是一种无所不包的原则，它包括类型非常不同的道德体系，边沁说，人们或许会给同情和厌恶许多梦幻般的名字：道德感、常识、理解、法制、事物的适宜性、自然律、正确的原因等等。边沁认为，将自身置于这

①其中之一便是十字架上的圣约翰，不过即便他也把这看成是达到可能的巨大幸福的手段；参看本书第三卷，251 页。

样的旗帜之下的道德体系都只是把一个宏大的场景置于对个人主观感觉的求助之前。“它们都由多重的谋划构成，以期规避借助任何外在标准的义务，以及奉劝读者把作者的情感或观点看成是原因本身”（*P* 2.14）。我们不能求助于上帝来决定某事正确与否；我们必须首先知道它正确与否，以便决定它是否合乎上帝的意志。“被称为上帝之乐的东西不多不少地都必然是（启示的内容另当别论）一个人好的快乐，无论这个人是谁，他都会表白他所相信和声称的上帝之乐的东西”（*P* 2.18）。

在功利主义与其他的道德体系之间，边沁并没有指出什么真正的差别。我们可以把道德哲学家分为绝对主义者和后果主义者两类。绝对主义者认为，某些类型的行为本身就是错误的，我们从来就不应当不计一切后果地去做这些事情。后果主义者认为，行为的道德性应当根据其后果来判断，没有哪种行为范畴在特定情境当中不能由其后果来判断。边沁之前的许多哲学家都是绝对主义者，因为他们相信一种自然法或自然权利。如果真有所谓自然权利和一种自然法的话，那么当某种行为冒犯了这些权利，或者与自然法相冲突，那么无论其后果如何，它都是错误的。

边沁拒绝了自然法的观念，根据是没有人在它究竟是什么方面达成一致。
225 他嘲笑自然法，认为真正的权利只能由成文法来给予；其最猛烈的嘲笑指向那些以为自然权利不可逾越的思想。“自然权利只是废话：自然的和不能被规定的权利，修辞意义上的废话——踩在高跷上废话”（*B* ii.501）。如果没有自然法和自然权利，那么就没有哪类行为可以在人们考虑它在特定情况下所引起的后果之前就被排除在外。

容易看出，边沁与此前的道德主义者的区别是非常有意义的。亚里士多德、阿奎那和几乎所有的基督教道德主义者相信，通奸总是错误的。但对边沁而言则不然：一个特定的通奸者对后果的预判必须在他做出道德判断之前就应该被考虑到。一个相信自然法的人在听到有人说某一个叫做哈罗德或尼罗的人屠杀了5 000位公民而没有罪责之时，他可以毫不犹豫地说，“那是一桩恶行”。一个彻底的后果主义者在做出这样一个判断之前，会追问更深的问题。大屠杀会产生什么样的后果？君主有什么样的预见？如果他允许这5 000人存活的话，那会发生什么事情？

功利主义的修正

与边沁一样，约翰·斯图亚特·密尔是一位后果主义者。但是，他通过另一种方式削减了边沁学说中最富攻击性的方面。在他年近60岁时所写的论文《功利主义》中，他认可了许多人的说法，人生没有比快乐更高的价值只是与猪才相配的一种学说。他回应道，拒绝人类具有比人与动物共有的能力更高的能力是愚蠢的。这使得我们不仅要区分快乐的数量，而且也要区分快乐的质量。“承认某些类型的快乐要比其他类型的快乐更使人向往、更具有价值，这契合于功利的原则”(*U* 258)。

那么，我们如何划分不同类型的快乐级别呢？密尔说，“假设有两种快乐，所有或几乎所有体验到这两种快乐的人都倾向于其中的某一种，无论他们出于什么样的道德义务倾向于它，那么它便是更让人向往的快乐。”以上述区分为武器，一个功利主义者就可以在自身与猪之间拉开距离。鲜有人想被变为一种更低等的动物，即使有人许诺给他一种无穷的兽性享乐。“与其做一头满足的猪，不如 226
做一个不满足的人。”再者，没有一个有智力和受过教育的人想不计任何代价变成一个愚蠢之人。“与其做一个满足的蠢人，不如做一位苏格拉底”(*U* 260)。

按照密尔的说法，幸福不止包含满足，而且也包含一种尊严感，没有尊严感的低级快乐再多也并非意味着幸福。因此，最大多数人的幸福原则应当这样加以重述：

任何其他事情都应参照之，并以之为目的而为人所向往的最终目标（无论我们是在考虑我们自身的还是在考虑他人的益处）是尽可能地免予痛苦、尽可能地在质和量两个方面享受快乐的一种生存；质量的检验，衡量与数量相对之质量的尺度、有机会体验快乐的人们所偏重的这些东西最好应加以比较，必须辅之以他们的自我意识和自我观察的习惯。（*U* 262）

假定一位批评家同意密尔有关功利主义不必是感官享受的说法，那么他依然会认为功利主义不必求助于人性中最美好的东西。美德比幸福更为重要，自我断念和自我牺牲的行为是人类最为光彩的行为。密尔认为，能够为他人放弃自身的幸福是高尚的，但是如果不相信英雄或殉道者的牺牲能够增加世界上的幸福数量，那么他们如何可能牺牲？一个基于其他任何目的拒绝享受人生快乐的人，“不比坐在柱子上的禁欲者更令人羡慕”。

对功利主义的反对意见出于两种形式。作为一种道德法典，人们认为它过于苛严，或是过于松散。抱怨它过于苛严的人说，坚持在每个单独的行为中人不仅要考虑他自己的，而且还要考虑普遍的幸福，这就要求人具有一定程度的利他主义，后者超出了除圣人之外的人力所能及的范围。事实上，即使筹划在某一特定时刻可行的最幸福的选择，也超出了超人式的计算能力。那些认为功利主义过于松散的人说，在各种各样的行为方面，取消一切绝对的禁忌就为道德当事人打开了一扇方便之门，如果他们喜欢这样做，他们就会借此说服自己是处于特定的情境当中，这使某种逾越行为变成了正当的行为。他们会引述密尔本人在与哈利特·泰勒（Harriet Taylor）结识之后写

227 给后者的语句：

哪里有真正的、强烈的欲望去做某种有利于全体幸福之事，那么，一般性法则在那里也只是在帮助人们去思考选择哪种手段，而非选择强制性的

义务。只要假设欲望是正当的,“想象就是高尚的和高雅的”;假设人们对所有错误的鄙视看起来都是“纯粹的话,那么所有的事情也都是纯粹的”。①

在《功利主义》中,密尔就来自两方面的攻击进行了辩护。针对过分严苛的指责,他敦促我们区分道德的标准和行为的动机:功利主义尽管提出普遍的幸福作为最终的道德标准,但它不要求后者成为每个行为的目标。而且,没有必要在每种情形当中都贯彻一种幸福的计算:“似乎在某人感到想要去抢夺他人的财产或生命的时刻,他才第一次开始考虑究竟是谋杀还是偷盗会对人类的幸福构成伤害的问题”,这种说法荒诞不经(*U* 277)。对于那些指责功利主义过于松散的人,密尔以“你也一样”(tu quoque)做答:所有的道德体系均为相互冲突的义务留下了余地,有用性并非只是这样的信条,“它能够为我们做坏事提供借口,是欺骗我们自己良心的手段。”

在功利主义所面临的困难当中,密尔本人最严肃地加以面对的指责是,功利主义是偏好谋利而非正义的处方。密尔答道,正义的指令的确构成了普遍利益领地的一部分,但在什么是谋利、什么是道德和什么是正义之间没有差异。如果某种事情是谋利的(在构造普遍福祉的意义上而言),则它应当基于功利主义的原因而被做出,然而,这里面没有必要包含任何职责的问题。如果某件事情不仅是谋利的,也是道德的,那么一种职责就出现了;一个人可能在正当的强迫下去履行某种职责,这是职责观念的一部分。不过,并非所有的职责均会在他人那里产生相关的权利,正是这一额外的因素造成了普遍的道德性与特殊的正义之间的差别:“正义并非只暗示我们做某事是正确的或者是错误的,而且它还是一些人向我们所要求的、作为其道德权利的东西”(*U* 301)。

---

①F. A. Hayek, *John Stuart Mill and Harriet Taylor* (London, Routledge, 1957),59.

对密尔而言,重要的是指出正义与道德权利之间的差别:因为他强调可以有非
228 正义的法律权利,亦可以有与法律相冲突的正义。

密尔解释了与正义相关的多种因素——应得、公平、平等是如何与功利主义的谋利原则取得和解的。考虑到品质,密尔引述了边沁的一句格言,“每个人都着眼于自己,没有人着眼于他人”,于是每个人的幸福与他人的幸福同样多地被考虑到了。然而,他并没有触及最大多数原则的内在问题,即它为忽略个人的苦难而去求得共同体整体幸福的做法留下了余地。

事实上,在《功利主义》中,密尔在分配正义方面很少展开讨论,这仅仅限于注意到那些因社会体制不同而有所变化的供给形式:

> 在某些共产主义者看来,共同体的劳动产品应当按照除绝对公平之外的任何原则来分配,这种作法是非正义的;另一些人则以为,那些最需要的人应当得到的最多;还有一些人坚持谁付出的劳动越多,或生产的东西越多,或谁对共同体的贡献越大,谁就应当在产品分配上获得更大的份额。每个持此类观点的人或许都会求助于自然的正义感。(*U* 301)

叔本华论断念

叔本华的伦理学说与其形而上学密切相关,特别是与经验世界是虚幻的,真实的现实和物自身则是普遍意志的观点密切相关。我们看到,个人出于虚无而获得了生命,这如同是得到一件礼物一样,他在死亡之际失去了这件礼物,于是又重新回到了虚无当中。如果以哲学方式看待人生,我们就会发现意志和物自身在所有现象当中丝毫不受生与死的影响。

> 自然关怀的不是个人，而是人种，她尽力保存后者，并为之带来极度的繁荣……相反，个人对自然来说既没有也不能具有任何价值，她的王国是无穷的时间和无穷的空间，在这无穷的时间和空间里有着无穷可能的个人。因此，她总是准备让个体消亡，因此后者不仅面临着以最不经意的偶然事件所表现出的千百种方式被毁灭，而且他原本就命该于此，从自然刚刚用他来实现保存人种之目的的那一刻起，个体就被自然引向那里。(*WWI* 276)

229

叔本华的一幅肖像，摄于1850年左右。

我们不应当困扰于我们的个体性在死亡时将为其他个人所代替，如同我们不应困扰于我们在人生的每时每刻吃下新鲜食物的同时也排出废物这个事实一样。死亡只是个体在其中被遗忘的一次沉睡。只有作为现象，人与人之间才有差别。“作为物自身，他是出现在每个事物当中的意志，死亡摧毁了把我们的意识与他人的意识分离开来的幻象：这就是来世或不朽”（*WWI* 282）。

230 道德是品格训练的结果；按照叔本华的看法，只有当我们接受康德有关自由与必然之融合的学说时，我们才能够理解道德的构成。作为物自身，意志是永恒自由的；但是包括人在内的每个自然物均受必然性所决定。正如无生命的自然是依照规律和力量运行的，每一个人都拥有一种品格，从这种品格出发，不同的动机必然会召唤不同的行为。如果我们完全知晓一个人的品格，以及呈现在他面前的动机，那么我们就能够筹算出他未来的行为，如同我们能够预测日食或月食一样。我们相信可以通过不同的途径进行自由选择，因为在选择之前，我们不知道意志将如何做出决定；但相信漠不关心的自由则是虚幻的。

假如我们的所有道德行为都是由一个人的品格所决定的东西，那么试图修身的做法似乎是枉费工夫，最好是顺从每一个人的本能所驱使。叔本华在拒绝上述假设的同时区分了多种不同的品格。有他称之为知性品格的东西支撑着现实，它超乎时间之外，决定着我们对呈现于眼前的情境的反应。也有经验品格，即我们和他人在经验当中对我们知性品格之本质的了解。最后还有习得的品格，即了解其自身之个人品格的本质及其局限的人们所得到的品格。这些是在最佳意义上的有品格之人：认识自身的强弱并对自己的计划和雄心做相应调整的人们。

我们的意志从不可改变，但是对意志的意识则会表现出许多不同的等级。与其他动物不同，人类拥有抽象和理性的知识。这并不能使其免予相互冲突的动机对他们的控制，但动机使他们意识到了冲突，这就构成了选择。例如，懊悔从不源于意志的改变，这种改变不可能发生，它源于知识的改变，源于更加清醒的自我意识。“对我们自身的心灵、它所拥有的每种能力及其不可改变的限度的了解，是我们取得最大可能自我满足的最可靠途径”（*WWI* 306）。

即使人类中最优秀的分子，在叔本华看来，也没有太大的希望能够获得满足。我们都是意志的动物，意志本质上是无法得到满足的。一切意志的基础是需要和痛苦，直到需要得到满足之前我们都经受着痛苦。然而，假如一旦意志得到了满足从而失去了欲望的目标，那么人生就变成了一种由厌恶而来的 231
负担。“这样，人生就如同一个钟摆，在痛苦与厌恶之间回荡”（*WWI* 306）。走路只是经常在防止摔倒；我们的肉体生命也只是对死亡的一再推迟；我们的心灵生活只是在经常推迟厌烦的到来。缺乏食物是对工人阶级的惩罚，缺乏娱乐是对时尚世界的惩罚。所有的幸福从事实和根本上来说就是否定性的，从来就不是肯定性的。

逃避意志暴政的可靠办法是完全断念。意志所意愿的东西永远是生命；这样，如果我们放弃了意志，我们必定会放弃生存的意志。这听起来像是在怂恿自杀；但实际上，叔本华批评自杀是逃避俗世苦难的迷途。自杀只能源于过分看重个体的生命；它受到了消除生存意志之动机的怂恿。

断念是对自身的断念，而道德的进步在于削减利己主义，就是说，削减那种把个人当做世界的中心，并且为一己的生存幸福不惜牺牲其他一切事情的倾向。所有的坏人均是利己主义者：他们肯定自己的生存意志，拒绝意志在他人那里的呈现，毁坏或许摧毁他人的生存，假如后者阻碍他们的话。有人不仅是坏，而且是邪恶；他们超出了利己主义的范围，以他人的苦难为乐，把他人的苦难不仅看做是达到其自身目的的手段，而且也看做是目的本身。叔本华把尼禄和罗伯斯庇尔视为达到这一层残酷性的例证。

一个普通的或者寻常的坏人，视自己的人格与他人的人格如同被一个鸿沟隔离开来一样，但是他依然模糊地意识到他自己的意志只是在所有人那里活动的唯一意志的显现而已。他模糊地看到自身就是这整个意志，因此，他不仅是痛苦的施予者而且也是痛苦的承受者，他与这种痛苦只能通过时空的梦幻被分离开来。这种清醒的意识通过懊悔表现出来。在坏人那里，懊悔是退让的对应物，而退让又是好人的标志。

在好人和坏人之间，有一种过渡性的品格：正义的人。与坏人不同，正义之人并非把个体性看成是将自身与他人分隔开来的一堵墙。对他来说，其他人并不只是与自己决然不同的面具。他乐于承认生存意志在他人那里与在自
232 己那里是一样的，直至不去伤害他的人类同伴。

在真正的好人那里，个体性的壁垒在更大的程度上被穿透了，个体性原则不再是一堵绝对的分隔墙。好人看到，自己与他人之间的区别在坏人看来是如此巨大的鸿沟，而在他自己这里却只属于一种飘忽不定的幻象。“他似乎不太想要别人去饿死，而他自己则保持富有而省吃俭用，如同任何一个人今天的忍饥挨饿是为了明天能够更加享受富足一样”（*WWI* 373）。

但是，乐善好施并非是最高的伦理状态，于是好人马上就会超出这些举动之外。

> 假如他像关注自己的痛苦一样关注他人的痛苦，那么他不仅做到了最高程度的善，甚至准备牺牲自己的个体性，如果这样一种牺牲能够挽救相当数量的他人，那么随之而来的则是，这样一个人，他在所有的存在中认识到了内在的和真实的自我，必然也会将所有遭受苦难之人的无穷苦难看成是自己的苦难，以自己的身体来承担整个世界的苦难。（*WWI* 379）

这将会引导他超越美德走向禁欲主义。爱他人如同是爱自己，这还不够：他将体验到来自整个自然的一种荣誉，而他本人作为现象的存在正是前者的表达。他将放弃作为这个苦难世界的核心的生存意志。他将尽其所能地放弃

表现在其身体当中的世界本质:他将实施一种完全的禁欲,采取自甘贫穷的态度,采取禁食和自行禁欲的做法。叔本华心目中的理想之人的确采取了被边沁所鄙弃的禁欲原则:“他迫使自己不去做任何他想要去做的事情,去做一切他不想去做的事情,甚至除了服务于扼杀其意志之外并没有什么更进一步的目的”(*WWI* 382)。叔本华说,这样的禁欲主义并非空洞的理想;它能够得自于受难之中,并为许多基督徒,也为更多的印度人和佛教徒、圣人所身体力行。

在许多圣人的一生中的确充满着最荒诞不经的迷信。叔本华相信,宗教体系是真理神秘的外衣,而其赤裸的形式则不为盲目的大众所通晓。但是,他说,“正如一位哲学家不必成为一位圣人一样,一位圣人也不必成为一位哲学家”(*WWI* 383)。 233

叔本华散文的感染力及其比喻的魅力赋予其伦理体系以崇高的印象。但它建立在一种错误的形而上学之上,从而导致了一种自相矛盾的结论。没有理由相信世界只是一个虚幻的表象,或者没有理由接受无法满足的意志是最终的现实。在欲望与满足的交替当中,叔本华认定人生是苦难和厌烦的历史;从同样的前提出发,他或许以同样的理由做出结论,人生是由激动与满足构成的历史。为了区分意志的世界与表象的世界,为了通达物自身,他不得不规劝我们每一个人说,我们的个体性是根本的现实;为了劝说我们由美德向禁欲主义提升,他必须让我们接受我们的个体性只是幻象而已。

为什么我们应当采取其结论所说的禁欲主义方案?除了一种有利于悲观主义的偏见之外,叔本华没有提供令人信服的理由。可以肯定的是,一个人越是热爱人类,那么她就越能够认同他人的生活;但是为什么她只是认同于他们的苦难,而不认同于他们的欢乐呢?亚细细的圣方济各像印度神秘主义者一样残酷地折磨自己的肉体,但他的祈祷词却是,他将以希望、光明和欢乐来代替失望、黑暗和悲伤。

叔本华向我们召唤完全放弃意志的行为看起来是一个矛盾之举;因为假

如断念是自愿的，那么它自身便是意志的行为，假如它是必要的，那么它就不是真正的断念。叔本华试图在逃避，不求助于康德就必要的现象与自由的物自身所做的区分。然而，自由的意志是超乎时间之外的，而任何自我克制的圣人又都从属于现象的世界。一个也是同一个自我拒绝的行为不能既是内在的，又是外在的。

克尔凯郭尔论道德提升

克尔凯郭尔的道德体系在许多方面类似于叔本华的道德体系。两位哲学家均对普通人的伦理状况持一种悲观主义观点，他们都主张从事一种导致断
234 念的精神事业。但是，叔本华的体系建立在一种无神论形而上学之上，克尔凯郭尔的体系则发展于一种基督新教的背景之下。对他而言，断念作为伦理生活的顶峰只是通向信仰之最终一跃的前奏。叔本华设计的方案被用来指向对个体性的抹除，而克尔凯郭尔的方案目标则是使个人完全掌握其自身的人格，如同后者是上帝的唯一创造物一样。

至于克尔凯郭尔精神之旅的最后阶段，我们将在本书第十二章予以论述；我们现在的关注点则在于其前一阶段——介于美学与宗教之间的伦理阶段。克尔凯郭尔的审美人受制于自己的情感，他看不到精神价值；但我们不可把他想象为一个耽于感官享受的粗人，一个目不识丁的饕餮，一个荒淫无度之人。正如《非此即彼》(*Either/Or*)所描绘的两个人物中的一个，他是一个有文化、守法的人，在社会上受到欢迎，同时也不缺乏对他人的关怀。他与一个严肃的道德人的区别是，他避免任何限制其追求及时享乐能力的束缚。为了保留其选择的自由，他拒绝服务于任何公共的或私人的领域；他避免任何深度的交往，特别是婚姻。

克尔凯郭尔论道，当审美人认为其生存是自由的之时，他就受骗了；事实上，其生存受到了极端的限制。

> 比如一个人想象一所由地下室、底层和二楼构成的房子是这样被占用，或者不如说是这样被安排的，以致可以设置某种区别来显示居住在不同楼层里的人们的级别；比如一个人就这所房子和如何作一个人加以比较，那么不幸的是，人们在自己的家里喜欢住在地下室里，这是大多数人令人遗憾和可笑的状况。灵魂与肉体的结合在每个人那里都是按照他能够成为精神之人这个观点被计划的，建筑便是如此；但是这个人喜欢住在地下室里，这受制于感官的享受。他不仅喜欢住在地下室中，而且喜欢到了如此的程度，以致当有人建议他居住在空置的拥有客厅的楼层之时，他会发怒，因为实际上他住在自家的房子里。（*SD* 176）

克尔凯郭尔说，这个人处在失望的状态之中。在《致命的疾病》（*Sickness unto Death*）和其他著作当中，"失望"不是被用来指一种灰心或压抑状态；审美人实际上或许十分相信他自己是快乐的。一个失望的人，在克尔凯郭尔的术语中，是指一个除了现实生活之外不抱有任何更高希望的人。失去希望就是缺乏对 235
一种更高精神生活之可能性的意识。如果这样理解，那么失望就不是一种罕有的，而是一种近乎于普遍的现象。克尔凯郭尔明确地说，许多人"把自己典当给了世界"。"他们运用他们的才能，积累财富、处理俗务、精心筹划等等，他们在历史当中被提及，但他们不是自己；从精神上来理解，他们没有自我，他们没有可以为任何事情冒险的自我"（*SD* 176）。

通往治疗的第一个步骤是认识到一个人处在失望之中。在暗暗放弃审美人的幸福之中，就已经存在着一种令人焦虑的恐惧。渐渐地，他会认识到这一放纵是一种自我放纵。他将面临要么把自己置于失望之中，要么让自己采取一种道德生存方式的选择。

这种生存的本质,以及承担它的必然性在《非此即彼》第二部分的虚构作者即法官威廉(Vilhelm)的通信中得到了最充分的展示。威廉本人是一个全职的伦理协会成员:他婚姻幸福,是四个孩子的父亲和民事法庭的法官。对读者来说,不幸的是,他也具有一种沉重和繁琐的写作风格,它十分不同于克尔凯郭尔赋予《非此即彼》第一部分作者的机智和新奇的风格,这位作者现如今是正在编辑的这封信的收信者。

威廉对审美和伦理品格二者进行了深入的比照,并以下面的语句作为总结:

> 我们说每种审美的人生观都是失望的;这是因为它建立在或在或不在的基础之上。伦理的人生观则不然,因为它把人生建立在以存在为其基本性质的东西之上。我们说审美的人生观是一个人直接是他所是的东西;伦理的人生观则是一个人借此成为他所能成为之人的东西。(*E/O* 525)

克尔凯郭尔极为重视自我这个概念。人们常常希望拥有他人的智慧或美德;但他们从没有认真地希望自己能够成为另外一个人,拥有一个非其本人的自我(*E/O* 517)。在审美阶段,自我尚未展开和分化;即一种在尚未实现的和相互冲突的可能性之间的纠结:生命是狂放的一系列没有结果的经验。审美的人处于一种永恒的孕育状态:他总是在艰辛地劳作,却从未诞生过一个自我
236 来。进入道德阶段就意味着要担负构建一个真实自我的重任,而"自我"则指类似一种自由选择之品格的东西。不是简单地发展某种才能,而是要追逐某种职业。道德的人生是职责的人生;而职责不是被强迫的,而是我们在内心中认识到的东西。个人的发展包含普遍规律的内在化。

> 只有当个人本身是普遍的，道德才能被实现。这是良心的秘密；个体生命与其本身所共有的这个秘密，正是一个也是同一时刻的个体人生与普遍人生……用道德观点看待人生的人看到了普遍的人生，以道德方式生活的人以普遍的方式表达了人生；他使自己成了普遍的人，这并非借助于剥离他的聚合，因为那样的话他便化为乌有，而是借助于把自己装扮成他的聚合，并使这种普遍渗透于这种聚合的结果。（*E/O* 547）

在外语语法当中，某些特定的词汇被用来作为说明名词变格和动词变位情况的范型。被选用的词汇并不比其他名词或动词更具优先性，但它们教会了我们有关每个名词和动词的知识。同样，威廉说，“每个人如果他想如此，他就会变成一个典范的人，不是去除其偶然性，而是停留在偶然性当中并使之高贵化。然而，他是借选用它而使之高贵化的”（*E/O* 552）。他树立起来供人模仿的模式经历了私人美德、社会美德的获取，最终以宗教美德作为完结。克尔凯郭尔最常用苏格拉底作为道德人的模范。他的人生说明道德阶段或许会对个人提出苛严的要求，并召唤英雄式的自我牺牲这一事实。

法官威廉没有为我们提供克尔凯郭尔就道德所做的最终论断，因为在他的体系当中，道德阶段并非最高范畴。克尔凯郭尔既没有从事过一项工作，也没有结婚，这是道德人生的两个标志。由于他自己和家庭历史的缘故，他感到不能完全分享在他看来为一个良好的婚姻所必不可少的全部秘密。面对道德人生所提出的要求，克尔凯郭尔告诉我们，个人渐渐能够深切地体会到人类的脆弱；他或许试图通过意志的力量去克服它，但却发现自己不能这样做。他意识到自己的力量不足以满足道德律的要求。这使他产生了一种负罪感和一种
罪恶意识。如果他要逃脱，他就必须从道德领域上升到这一宗教领域：他必须 237

做“信仰的跳跃”。①

尼采与价值的重估

尼采赞同克尔凯郭尔的说法，对基督徒生活的召唤是某种不能由理性加以合理化的事情。但克尔凯郭尔的结论是，“只有理性是如此之糟”，而尼采的结论则是，“基督教的召唤是如此之糟”。这不是说尼采花费了大量时间来证明基督教是非理性的：他对基督教的主要抱怨毋宁是指向其基础及其贬值的状况。在《道德系谱学》(*The Genealogy of Morals*)这样的著作当中，尼采不太寻求驳斥基督教道德的诉求，而更多的是在追踪其卑劣的谱系。

尼采说，历史展现出两种不同的道德。在早期，强大和拥有特权的贵族感到其地位高于随从的级别，并把自己的品质——高贵的出身、勇敢、真诚、白皙——描述为“善”。他们把平民的特征——庸俗、怯懦、虚伪和灰暗——看做是“恶”。这是主人的道德。穷人和弱者怨恨贵族的力量和财富，于是就把这个体系调转过来。他们设置了与主人形成比照的价值体系，一种适用于畜群的道德，其优先性被放在诸如卑躬屈膝、同情和仁慈之类有利于弱者的价值之上。他们把贵族型的人不仅看成是坏的(*Schlect*)，而且从正面把他看成是恶的(boese)。这个新体系的建立被尼采称为“一种价值的重估”，以犹太人为靶子，他指责了这种价值重估。

> 正是犹太人翻转了这个贵族的方程式(善 = 高贵 = 美丽 = 快乐 = 被神所眷爱)，敢于以令人震撼的执著提出与之相反的方程式，露出最仇恨(无力

①克尔凯郭尔的信仰和宗教学说将在下面的第十二章讨论。

> 者的仇恨)的牙齿来坚持这个方程式。正是他们宣称"只有不幸才是善;只有贫穷、软弱、低贱才是善;只有苦难、匮乏、病态、丑陋的人才虔诚,才是受到伤害的人,拯救只是针对他们的。你,另一方面,你,高贵的人,强者,永远是邪恶的、残酷的、贪婪的、无法满足的和不敬神的人,你将永远 238
> 是不幸的,永远受到控诉和诅咒。"(*GM* 19)

始于犹太人的奴隶造反伴随基督教的兴起取得了胜利。在罗马这样一个贵族美德诞生的地方,如今的人们则在四个犹太人面前打躬作揖:耶稣、玛丽、彼德和保罗(*GM* 36)。

基督教把自己树立为爱的宗教,但是,按照尼采的看法,它实际上根植于软弱、恐惧和恶意之中。其主导的动机是怨恨(*ressentiment*),以及弱者报复强者的欲望,它把自己打扮成惩罚罪者的愿望。基督徒将自身树立为神圣命令的执行者,但这只是为了遮盖其泯灭的良心。基督徒称赞同情是美德,但当他们去帮助那些受苦人时,这通常是因为他们乐于在受苦人身上施展自己的力量。即便热爱人类本身并非虚伪,但它让受苦者感到低贱的方式所带来的伤害不亚于积善。同情是一剂毒药,它以他人的苦难感染了一个有同情心的人(*Z* 112)。

基督教的成功导致了人类的堕落。对弱者表现出的整体上的怀柔降低了人类普遍的健康和力量。作为后果,现代人只是变成了一个懦夫,失去了想要真正成为男人的意志。世俗和平庸成为规范;仅仅是在罕有情况下,才会有一种高贵理想的体现闪现出来。

> 欧洲畜类人标榜自己是唯一能够被接受的人的类型。他称颂那些使其变得羞涩、温顺和有益于畜类人的品质,如同这些是真正的人类美德一样:无私、仁慈、慎思、勤劳、中庸、谦卑、宽容、同情。但是,也存在着一个领导

> 人或领头羊不可或缺的情况;在这样的情形之下,人们保持着试图设立一群聪明的畜类人来代替真正发号施令者的做法:举例来说,这就是议会宪政的起源。然而,对这些畜类欧洲人来说,一个绝对发号施令者的出现是多么幸运的事情,无论如何,这是从日益沉重不堪的负担中走出来的多么轻松的解脱!就在最近,当拿破仑出现在舞台上之时,其效应展示了这一点。拿破仑的影响史可以说就是这整个世纪在其最有价值之人和最有价值的时刻里得到最高幸福的历史了。(*BGE* 86)

如果人类能够从颓废中被解救出来,那么这第一步便是颠覆基督教的价值,引进一种价值的再度重估。"软弱和失败将会消失:这是我们人类之爱的首要原
239 则,"尼采在《敌基督》(*Antichrist*)的扉页上这样写道。

人类落入两种类型:"上升"的人们和"下降"的人们,这就是说,分别代表人类向上和向下演化轨迹的人们。人们往往不易说出哪个究竟属于哪个——只有尼采本人拥有能够区分二者的完美嗅觉——然而一旦它们被识别出来,那么下降的物种就不得不为良好的物种让路,尽可能把后者当成一个小小的空间、能量和阳光予以避让(*WP* 373)。

然而,必须被推翻的不仅仅是基督教的道德。我们必须超越作为任何奴隶道德特征的善恶对立。不止是基督徒才视真理为一种基本价值。尼采论道,我们不应当只因为这个判断是错误的就起来反对它。

> 问题毋宁说是这一判断在多大程度上促进了生命、保存了生命、保存了物种,甚至是增进了物种的繁衍。我们在原则上倾向于主张最错误的判断——包括先验综合判断在内——对我们来说最必不可少。人类如果不接受逻辑的虚构便无法生存……放弃错误的判断将是放弃生命、拒绝生命。承认非真理是生活的一个条件。拒绝传统价值多么危险!敢于这样

来做的一种哲学就已经将自己超越于善恶之外了。(*BGE* 7)

真理是假如缺少它某种特定的生物便无法生存的错误。生命是其他价值借以评判自身的最高价值。尼采写道,“当我们在任何时候谈论起价值时,我们都是在生命的启发之下、从生命角度出发的。生命迫使我们去建立价值;正是生命在我们设立价值时通过我们进行估价”(*TI* 24)。人类的生命是生命迄今为止出现的最高形式,而在当今的世界它却下沉到了先前的某些形式之下。我们必须肯定生命,并把它推向一个新的水平,推向一种超越主人与奴隶正反题的综合,超人(*Ubermensch*)。

超人宣言是尼采的神谕代言人查拉图斯特拉的预言性信息。超人将是生命的最高形式,是对生存意志的最终肯定。但是,我们的生存意志必然不像叔本华的生存意志那样倾向于弱者;它必然是权力意志。权力意志是一切生命的秘密;每一个生物都寻求释放其力量,给予其能力全面展开的范围。快乐只是释放力量的意识。知识——就绝对真理不存在的情况下知识所能达到的范 240
围而言——只是力量的工具而已。人类力量最大程度的实现是对超人的创造。

尼采一部著作封面上的超人形象。

人类只是通往超人之路的一个阶段，超人是赋予世界以意义的东西。“人类是某种必须被超越的东西：人是一座桥而非目标”（*Z* 44）。不过，超人不是通过演化的力量，而只是通过意志的操练而成活的。“让你的意志说‘超人将成为大地的意义。’”

查拉图斯特拉说，“你肯定能够创造出超人！或许不是你自己，我的兄弟！然而，你可以将自己转变成为超人的先祖：让它成为你最精美的创造！”超人的到来将是世界的完善，他将赋予世界以意义。然而由于永恒的复归之故，它并非是历史的终结。超人将拥有第二个、第三个以及无穷无尽的后裔。

超人将会像什么？这是我们需要知道的，假如其品格可用作评判人类美德和邪恶的标准的话。但是，查拉图斯特拉并没有告诉我们太多关于他的事情，在后期的哲学著作中，尼采不再使用这个概念了。不过，他依然在谈论“较高的人类”，我们的印象是，他的理想是歌德与拿破仑的合并，其中每个人都会以不同方式把自己多样化的才能发展到极致。与他曾经在题为“拥有基督灵
241 魂的罗马的凯撒”的笔记中所描绘另一种合并相比，这种合并更为合理。

我们难以对尼采的伦理学做出一种批评性的判断，因为其写作常常有意呈现出混乱的状态，学者们对他的解释和评价也相当不一，这并不令人吃惊。比如，我们不易发现尼采在诸如残酷性的道德问题上所持的立场。在拒斥奴隶道德中罪责所起的作用之时，尼采带着强烈的愤怒描绘了借破害异端之名所施加的酷刑。但他对贵族“白种野兽”的过分之举却表现出温和的态度，这个名称或许“出自于对杀人者的致命一击、放火、奸淫和酷刑，肆无忌惮且带有一种道德上的镇静，如同某些性情狂野的学童的恶作剧所展示的那样。”

在涉及战争时，尼采的确是一个狂热分子。“放弃战争”，他写道，“就是放弃伟大的生命”（*TI* 23）。战争是一种自由的教育，教育意味着从胜利中获取快乐的男性本能战胜了任何其他的本能，其中包括幸福的欲望。“被解放的人，甚至是被解放的精神，把店主、基督徒、懦夫、女人、英国人和其他拥护民主

者所梦想的令人鄙视的舒适踩在脚下”(*TI* 65)。

某种情形下的自杀也使尼采心中充满了羡慕。医生应当提示他的病人,生病的人是寄生在这个社会上,终有一天他们会感到再继续活下去是不文雅的。

> 如果不能骄傲地生存下去,那么就骄傲地死去。自行选择的死、死得其时,会为孩童和见证者们带来欢心愉悦——因此,一种真正的告别依然是可能的,当一个就要告别的人依然在世的话;一种对自身成就和雄心的真正评估、一种对自己一生的总结——这一切与基督教在临终之际所制造的垂死和可怜的喜剧形成了比照。(*TI* 65)

尼采得出了结论,如果你放弃了自身,那么你就正在做一件最令人羡慕的事情:它几乎为你赢得了生存的权利。

然而,尼采终究是一位伦理主义者吗?他是一位持高调反传统的美德和邪恶观的道德主义者,还是一位不关心对与错的彻底的非道德主义者?一方面,他清晰地运思在与某些伟大的道德家相同的领域:他的人类理想类似于亚里士多德《尼各马科伦理学》一书中那个拥有伟大灵魂的人。另一方面,他不仅承认自己提出了新的善恶观,而且也完全超越了那些范畴。他称自己是一位非道德主义者,告诉我们不存在道德的事实,他尽力使构成大多数道德体系 242
的两个核心概念即正义和罪责,趋于贬值。

我想,上述问题的答案是,尼采与传统道德一样对人类的繁荣有一种终极的关怀,他之所以谴责种种传统道德,原因是它们阻碍而非促进了一种有价值人生的达成。但在偏好伟大而非善良,偏好贵族而非绅士方面,他则显示出一种审美的而非道德的美好生活标准。他的理想人类不止是不喜欢邻居:他根本就没有邻居。

分析伦理学

作为伦理学家，摩尔（G. . E. Moore）站在与尼采立场相反的另一个极端。他将善放在道德概念之金字塔的顶端，他对与这个概念的起源和发展相关的系谱学问题丝毫不感兴趣。在《伦理学原则》（*Principia Ethica*）一书中，摩尔认为自己只是借助于对“善”这个词所指代的对象或理念进行审查的方式回答了“如何定义善?”这个问题。他认为，这个问题是根本性的，在追问我们究竟应当采取什么行动之前，我们必须面对它。因为，与其他可能的选择相比，我们应当采取的行动更能导致善的普遍存在。

于是，在我们追问什么事情是善的之前，我们必须追问善本身的属性如何。摩尔坚持认为，这个问题不能由任何善的定义来回答，因为善是一种简单的、不可定义的观念，如同黄色的观念一样。然而，与作为事物一种自然属性的黄色不同，摩尔以为，善是一种非自然的属性。如果我们思考善以及任何其他与之类似的属性，比如快乐，那么我们将会看到，“我们拥有两种呈现在心灵面前的不同观念”。即使每一件善事实际上都是快乐的，那么这些也并非意味着“善”和“快乐”是相同的东西。把善认同为任何诸如快乐之类的做法导致了一种谬误的产生：即将一种非自然的属性与一种自然属性混淆起来的自然主义谬误。

虽然摩尔坚持认为善不是一种自然属性，但他并不拒绝它是自然物的一
243 种属性。实际上，决定哪种事物拥有这种非自然属性是道德哲学的一项主要任务。经过长时间的研究，摩尔得出了结论，只有拥有内在之善的事物才是友谊和审美体验。

在《伦理学原则》一书中，这些议论非常单薄，摩尔后来承认，“我的确没

有提出任何可信的解释来说明我所说的‘善不是一种自然属性’是什么意思。”①但是这部著作尤其是通过两类重要的崇拜者产生了显著的影响。布卢姆茨伯里小组，特别是凯恩斯（J. M. Keynes）、里顿·斯特拉奇（Lytton Strachey）、福斯特（E. M. Forster）推崇此书为一种生活风格的宪章，它颠覆了传统的体面和纯正观念。此外，职业哲学家虽然不能接受善是一种非自然属性的观念，但也用“自然主义谬误”作为咒语来诋毁他们所不赞成的道德理论。

在逻辑实证主义的影响下，一些哲学家开始拒绝承认善是任何一种属性，无论这种属性是自然的还是非自然的，进而宣称伦理的言说绝非事实的陈述。因此，艾耶尔（A. J. Ayer）主张，假如我说“偷钱是错误的”，

> 我就制造了一个没有实际意义的命题——没有既可为真亦可为假之命题的表达式。它就如同是我写下“偷钱了！”一样——在此，感叹号的外形和厚度通过一种合适的约定表明，一种特殊类型的道德不满是被表达出来的情感。清晰可见的是，在此没有什么既可以对亦可以错的东西被说了出来。另一个人或许会不赞同我说偷盗是错的，意思是他或许不会具有与我对偷盗行为所表现出的情感相同的情感，他或许会在对我的道德情感的解释方面与我发生争吵。但严格地来说，他不能与我相左。（*LTI* 107）

这种伦理言说观点被称为“情感主义”。尽管艾耶尔强调个人情感表达的重要性，但其他情感主义者则把鼓励他人表达情感和态度视为道德语言的功能。但是，没有哪位情感主义者能够就上述情感特征给出一种令人信服的解释，或者能够揭示出当我们用“因为”和“所以”之时，逻辑是以什么方式进入道德推

①P. A. Schilpp (ed.), *The Philosophy of G. E. Moore* (Chicago: Open Court, 1942).

244 理当中去的。

黑尔(R. M. Hare,1919—2002),一位牛津大学的导师,后来又成为了怀特道德哲学教授,他急于在伦理学中为逻辑学保留余地。《道德语言》(*The Language of Morals*, 1952)和《自由与理性》(*Freedom and Reason*,1963)提出,有一种不亚于断言逻辑的祈使逻辑,黑尔用它来解释一种道德推理的理论。他区分了规定的和描述的意义。一个描述命题是其意义被促成其真理的事实条件所定义的命题。一个规定命题是或许与描述命题结合起来,至少包含着一个命令的命题。同意一个命令便是规定某一行动,告诉自己或者他人做这做那。规定性的语言表现为两种形式:直接命令和价值判断。

价值判断或许会包含一个如"好"或者如"应该"这样的词汇。称某物为"好"即命令它;称某物为一个好 X,就是说 X 之类应当被任何一位想要 X 的人所选择。针对数个 X 和数个 Y 的好,会有不同的标准,但这并非意味着"好"这个词在意义上有差别,这已经被"好"的命令功能所穷尽。"应该"命题——黑尔跟随休谟认为它从来不出自于"是"命题——承担着命令。"A 应当 Φ"承担着一个 Φ 的命令,它不仅向 A,而且也向任何其他处在与此相关和类似的一种情形当中的人所发出的命令,其受命者包括命题言说者本人在内。如果恰逢其时,言说者遵从命令的意愿是判断他在言说命题时是否真诚的标准。应然命题不仅是规定性的,而且与普通的或有限的命令不同,它们可以被普遍化。

黑尔区分了伦理学和道德。伦理学是对道德语言之普遍特征的研究,其规定性和可普遍化是最重要的;道德判断是对特定行为的规定和禁止。伦理学在原则上中立于不同的和相互冲突的道德体系。但这并非意味着伦理学在实践上是空洞的:一旦一种伦理学的理解与对某个现实的道德主体的欲望和信仰结合起来,那么它就可以导向具体和重要的道德判断。

黑尔解释规定性和可普遍化进入现实道德判断的方式就是这样。尽管除了我本人的选择之外没有东西能够赋予我的道德判断以权威，但我的选择在道德语言的逻辑属性之外使某种类似黄金法则的东西得以产生。让我们假定A 欠 B 的钱，B 又欠 C 的钱，没有人处于在规定的时间内偿还债务的位置。B 或许做出“A 应当进监狱”的判断。但因为这个判断能够被普遍化，B 也处在与 A 相同的位置上，对 B 来说，这个判断就必然包含着“我应当进监狱”——一个不像是要征得其同意的判断。黑尔主张，此类考虑将会导致人们采用一种近似功利主义的道德判断体系，因为他不太相信只有少数狂热分子愿意像对待他人那样对待自己。 245

在 1950 年代后期，黑尔的规定论遭到来自牛津大学的同事，特别是福德（Foot）、盖奇（Geach）和安斯康姆（Anscombe）的毁灭性批评。

菲里帕 · 福德（b. 1920）在《道德信念》（*Moral Beliefs*，1958）和《善与选择》（*Goodness and Choice*，1961）中攻击了上面对描述与评价判断的区分，她把注意力集中在个别美德和邪恶的名字上。她让我们来考虑如“粗鲁”和“勇敢”这样的词汇。我们难以用纯粹事实性元素来描述与这些形容词相匹配的行为；但说某人粗鲁或者勇敢明显是关乎评价的事情。

福德论道，一个判断不能只在可普遍化和规定性这样的形式特征基础上被当做道德判断加以对待。仅仅凭借做出一个恰当的选择，一个人不能在一小时内连续为一个善举三次鼓掌，或决定使一个人成为好人的东西是他长有红颜色的头发。道德信念必须关注对人类有益或有害的特征或行为。因为，究竟哪种特征或行为能够促进或削弱人类的繁荣，这不是人类能够决定的事情，道德判断亦不可只依赖人的选择。

在古代和中世纪的世界，对善恶的分析，以及对善恶与幸福之关系的探讨正是道德哲学不可或缺的部分。正是在很大程度上由于福德之故，数个世纪以来遭到忽视的美德理论才在最近数十年里再度占据了道德哲学的突出位置。

彼德·盖奇(b. 1919)在《善与恶》(*Good and Evil*,1956)中,以最普通的术语如“善”为例对描述性——评价性的区分展开了攻击。他声称,重要的区别
246 在归属性和断言性的词语之间。以“红色”这个断言性词语为例,一个人在不知道 X 是什么的情况下,就知道在 X 这里什么东西是红颜色的。这种情形不同于“大的”和“错的”这样的归属性词语。盖奇说,“好的”和“坏的”总是归属性的,不是断言性的词语。当我们说一个人 A 绝对善良之时,我们的意思是他是个好人,当我们说某个行为好时,我们的意思的确是指这一个美好的人类行为。因此,寻求某种被称为善的属性,或者某种被称为可敬的行为是愚蠢的,这些属性和行为常常在我们把某事称为善的时候才出现。

在《断言》(*Assertion*,1965)中,盖奇表明,“善”的意义不能被解释成为可敬,因为在许多上下文当中,我们是在不含可敬之意的情况下使用这个词的。“善”可以在比如说条件从句中被判断。不必向某个说“假如避孕是件好事,那么自由分发避孕套也是件好事”的人推荐避孕,或者推荐自由分发避孕套的行为。当然,“善”有时会被用作赞扬之语,但这并非说其首要的意义就不是描述性的了。

盖奇的妻子,伊丽莎白·安斯康姆在 1958 年撰写了一篇有影响的文章,题目是《现代道德哲学》(Modern Moral Philosophy)。这不仅是对黑尔也是对自西季威克(Sidgwick)以来整个英语世界的道德哲学的抨击。文章的第一段就提出了一个合理的主张:

> 义务和职责——就是说,道德义务与道德职责——的概念,以及道德上的正确与错误,还有“应当”的道德感概念,如果在心理学上是可能的话,那么就应当被舍弃;因为它们是早期伦理学当中已经不再普遍存活的概念遗存,或者由这些遗存而来的东西,假如没有这些陈旧的概念,那么它们则只会是有害的。(*ERP* 26)

亚里士多德就美德和邪恶谈论了许多，但他没有一个与我们所说的“道德”相对应的概念。正是基督教借用犹太教法的观念，引入了伦理的法则概念。遵从美德和避免邪恶由此成了一种神圣法则的要求。

除非你像犹太人、斯多亚主义者和基督徒一样相信上帝是一位立法者，否则你自然不可能拥有这样一个概念；但是，如果这个概念统治了数个世纪，那么当它们被舍弃时，“义务”，被法律约束和要求的概念就留存了下

247

伊丽莎白·安斯康姆和彼德·盖奇，20 世纪在思想上最令人钦佩的哲学伉俪。

> 来，尽管它们已经失去了根基；如果“应当”这个词被置于某种语境当中从而拥有了“义务”的含义，那么它也将依然被说出来，包含着一种特殊的强调和一种特殊的情感在里面。它就像“犯罪”的观念在刑法和刑事法庭被取消或遗忘之时依然留存下来一样。(*ERP* 30)

正如休谟以来的哲学家们所说，人们的确不能从“应当”——一种道德上的“应当”——推出“是”；这是因为一种神圣立法者的观念一旦被放弃，这个“应当”就变成了一个仅拥有虚幻力量的词语。

安斯康姆主张，由此导致的最显著的实践后果便是，哲学家们全都变成了后果主义者，相信正确的行为是那些最可能产生后果的行为。英语世界中每
248 一位有名的伦理学家都“营造了一种哲学，按照这种哲学，我们不可能主张，作为达到任何目的的手段，杀死一个无辜者是不对的，也不可能主张某个不这样想的人就是错的。”这就意味着他们所有的哲学都与希伯来—基督教伦理不一致，后者主张无论后果多么可怕，某些事情都是被禁止的。根据安斯康姆的看法，自西季威克以来个别哲学家之间的差别与上述不一致相比，都是无关紧要的和局部的。

安斯康姆主张，有关职责和道德的正误观念应当被舍弃，便于人们使用正义和非正义之类具有真正内容的观念。即使是这些概念，在我们尚未拥有一种令人满意的哲学心理学之前，还是很难解释清楚的。因为除非一个人对类似“行为”、“意向”、“快乐”和“需要”这样的术语做出一种令人满意的解释，否则我们便不可能正确地分析正义和美德的概念。安斯康姆通过自己的著作《意向》(*Intention*, 1957)在这一哲学领域里作出了里程碑式的贡献，以致它成了许多后世研究者的楷模。

在20世纪的后半叶，英语世界的哲学家们通过不同的路径开拓了伦理学的研究领域，在英国没有一位哲学家能够像在黑尔的时代一样成为首席的伦

理理论家。在反抗黑尔复活康德式道德的浪潮声中,一些哲学家把重点放在了对亚里士多德伦理学的改造上面。因此,菲里帕·福德强调美德在道德中的核心作用,给一个名为"美德伦理学"的学派带来了启示,伯纳德·威廉姆斯(Bernard Williams)提示哲学家们注意机缘在决定一个人的道德情境当中所起的巨大作用。

福德的出发点是,美德是许多人既出于自身也出于他人的目的而需要拥有的性格特征。与为发展——诸如健康和力量、智力和技巧——所必需的品质不同,它们不仅仅是能力,而且是受意志的约束。它们关注的事务令人类感到犯难,其所到之处存在着抵制的诱惑;基于康德的功劳,道德价值并非按照道德行为的困难程度来衡量。真正道德的人是那种不需付出任何努力就躬行善举之人:例如,一个真正仁慈的人是那种觉得非常容易而非很艰难为谋求他人的福祉付出牺牲的人。没有美德的人生是微不足道的,正如一个缺乏感觉能力的动物生命是微不足道的一样。 249

通过唤回在古代传统中幸福是如何被视为自足后果的方式,威廉姆斯开始了自己的论述:不在自我领域中的东西就不在自我的控制范围,因此它面临着机缘选择和破坏安宁的偶然因素的打扰。在近期的思想发展中,试图使整个人生免于机缘选择的理论被放弃了,然而,对康德来说,存在着一种至高的价值即道德价值,它被视为不可避免的东西:成功的道德生活是一种开放性的事业,这不仅是对天才们而言,而且也是对所有理性的存在均在同等程度上拥有的一种天才而言。威廉姆斯坚持认为,让道德免除机缘成分的目标终究会使人失望。我们与生俱来的幸运秉性中含有机缘的成分,我们生长在这种文化当中:它设置了我们的道德性情、动机和意向在其中运作的条件。也有——威廉姆斯非常详细地探讨了这一细节——偶然性的机缘存在,它被纳入到任何一种能够赋予一个成功的结论以道德重要性的计划当中。

伴随着本世纪的前行,哲学家们开始不再把注意力过多地集中在诸如道德语言的本质这样的高阶问题上面,或者集中在原则、品格、机缘和美德之间的关系上面,而是放在了诸如某一行为的正误这样的一阶问题上面:如撒谎、夭折、折磨和热情。福德和威廉姆斯对上述重点转移的发生起到了一种重要的作用,这也反应在类似医学伦理学和商业伦理学这样的课程在大学中不断增长的状况之上。

福德和威廉姆斯分别任教于大西洋的两岸。20 世纪下半叶美国最重要的道德哲学家是约翰 · 罗尔斯(John Rawls)。与福德和威廉姆斯一样,罗尔斯也是功利主义的对手,他认为功利主义体系并没有为我们在面临形形色色的不公平歧视现象时提供任何保护。他的方案是将一种全新的社会契约理论引入伦理学当中,从公平观念中推导出一种正义理论。因为其理论的主要内涵所涉及的是政治制度而非个人的道德,所以他的著作将在第十一章加以讨论。

第十章

美学

优美与崇高

第一位把美学提升为一门独立哲学学科的美学奠基者被公认为是亚历山大·戈特勒布·鲍姆嘉登(Alexander Gottlieb Baumgarten,1714—62)。的确是他,在写于1735年的一篇论述诗歌的短文中创造了"美学"(Aesthetics)这个词。对鲍姆嘉登来说,艺术的目的在于生产美,后者被规定为构成一个整体的各个部分之间的整饬关系。美的目的则在于提供快乐和激发欲望。最精细的美来自于自然,因此艺术的最高目标是模仿自然。 250

18世纪的其他哲学家也在寻求为美提出一种更为精确的分析。休谟在《人性论》(*Treatise of Human Nature*)的"论美丑"一章中,提出了下面的定义。

美是这样一种秩序和部分与部分的构成方式,它或

> 是通过我们本性的最初构成，或是通过习惯，或是通过贪婪，它适于为灵魂提供一种快乐和满足。这是美的区别性特征，它形成了自身与丑的所有差异，丑的天然倾向是产生不适。因此，快乐和痛苦不仅是参与美和丑的因素，而且也构成了它们的本质。(II. i. 8)

后来，休谟又不满于没有经过检视的习惯和没有受过教育的贪欲就能够决定美的看法；他试图在审美判断中为正确与不正确保留余地。在《论趣味的标准》(*The Standard of Taste*, 1757)中，他主张判断美的标准应当通过评价艺术
251 作品中那些最能够取悦欣赏者的特征来建立。

埃德蒙·柏克(Edmund Burke, 1729—1797)将崇高引入了美学，并把它与优美并列起来。与优美一样，崇高也可以成为艺术的目标：一种优美感觉是没有欲望之爱的形式，感觉某种东西是崇高的，就是某种东西让人感到惊奇而不畏惧。在《关于崇高与优美思想之起源的哲学探讨》(*A Philosophical Inquiry into the Origin of our Ideas of the Sublime and Beautiful*)中，柏克试图解释究竟是对象的何种品质能够激发我们的情感。他把对崇高的感觉追溯到了由自我保护的原始本能所暗含的害怕和恐惧那里。他认为，优美感的范型是对女性美的纯粹欣赏，它来自于社会交往的需要，最终来自于传宗接代的本能。

占据19世纪美学主导地位的论著是康德的《判断力批判》(*Critique of Judgement*, 1790)。在"美的分析"和"崇高的分析"两个章节中，康德寻求为美学做出贡献，就如同其早期的批判思想对认识论和伦理学做出的贡献一样。除了理论理性和实践理性之外，人类还拥有第三种能力，这就是判断力(*Urteilskraft*)或者趣味判断，它是审美体验的基础。

康德同意柏克的意见，不赞同鲍姆嘉登的看法，他把不涉功利看做审美反应的基础。他说，"趣味是判断某一对象的能力，或者是借助于完全不涉功利的满足或不满足来再现这个对象的方法。这种满足的对象就是优美"(*M* 45)。

康德区分了两种类型的满足:他把感性的喜悦命名为“愉悦”,而为不涉功利的美的享受保留了“愉快”这个观念。他写道,“让人感到愉悦的东西被称为取悦;只是让人感到愉快的东西则被称为优美;对他来说有价值的东西是善。”动物享受快乐,而只有人才能欣赏美。只有美的趣味才是完全不涉功利的,因为规定善的实践理性指向我们自身的舒适感。为了指出二者的区别,康德评论道,尽管我们能够区分善本身和只是作为手段的善,我们却不能在作为一种手段的美和作为目的的美之间做出相应的区分(***M*** 42)。

康德告诉我们,一种趣味判断不能如一个普遍的判断那样把某种经验归结为某种概念;它把经验与无功利的愉快直接关联起来。与某种感官愉悦的表达不同,它要求普遍有效。假如我喜欢马德拉群岛,我不会继而要求 252
其他每个人也都应当喜欢它;但是,如果我在思考一首诗,一个建筑物或者一首优美的交响乐,我就会赋予其他人以义务,要求他们也必须喜欢它。趣味判断在形式上是单独的(“这朵玫瑰是美丽的”),但在表达方面则是普适的;如康德所说,它们是“一种普适的声音”。但是,由于一种趣味判断不把对象归结为一个概念,所以我们就没有理由来解释它,也没有论据来说服他人同意。

价值判断与目的相关。假如我想知道某个 X 是否一个好的 X,那么我需要了解这些 X 可以用来做什么,这就是我说什么东西使一个刀子成为好刀子,或者使一个管道工成为一个好管道工等等的方式。对完善的判断也是如此:如果不了解一个 X 的功能是什么,我就无从知道什么是完善的 X。但是,美的判断却与此不太相同,因为它们不能把对象归结在任何有关 X 的概念之下。不过,康德认为美的对象展示了“无目的的合目的性”。他的意思或许是,尽管美没有目的,但它能让我们流连于对它的沉思当中。

当康德对不同类型的优美做出区分之时,这个模糊的观念就变得清晰了。有两种类型的优美:自由之美(*pulchritudo vaga*)和派生之美(*pulchritudo adhae-*

rens)。前者没有预设任何对象应当成为的概念;后者则预设了这样一个概念,以及与这个概念相一致的对象的完善性。前者被称为此物或彼物自足的美;后者则因依赖一个概念(有条件的美)而被归结为具有一个特殊目的的对象。一种不参照任何服务于某种目的之对象的审美判断是纯粹的趣味判断。一朵花在康德看来是自由的自然美典范。针对另一种类型的美,"人性(如一个男人,一个女人或一个孩子的)之美、马的美、或者一个建筑(教堂、宫室、仓廪或避暑别墅)的美预设了一个规定某物应当是什么的概念,因此它是有关此物之完善的一个概念;因此,它是派生之美"(*M* 66)。

在这一段中,我们清晰地看到康德的美学更精于自然美而非人工美。他主要关注的问题出自两个语境。一个审美判断,即一个不建立在理性之上的判断如何才能普遍有效?当我做出这样一个判断时,我没有要求每个人都认
253 同与我,然而我确实要求每一个人都应当如此。这种情况只有当我们拥有一种共通的感性(*Gemeinsin*)时才可能,因为这个共通感是规范性的,所以它不能从经验中推导出来,而必须是超验的。

康德是以区分两种类型的崇高开始其"崇高的分析"的,这两种类型的崇高被他(不情愿地)称为数学的和动力的崇高。在每种情形当中,崇高的对象都是庞大、宏伟、压制性的;但是在数学的崇高中,压制性的东西是我们的感知,在动力的崇高中,压制性的东西是我们的力量。任何在数学意义上成为崇高的东西都过于宏伟,而为我们的感觉所无法接纳;它唤醒了我们心中一种超出感觉走向无限的情感能力。任何在动力意义上成为崇高的东西,我们对它的抵抗都是徒劳的,但它又能让我们能够在没有恐惧的情况下处于一种安全状态。

> 险峻、高悬,仿佛有威胁的岩石,高高汇聚在天边、挟带着闪电雷鸣的乌云,火山以其毁灭一切的暴力,飓风连同其毁灭的轨迹,没有边际的咆哮

> 的海洋，一条巨大河流形成一个高高的瀑布，诸如此类都使我们反抗力与它们的强力相比较变成了微不足道的渺小之物。但是，只要我们处于安全的地带，那么这些景象越是可怕就越是吸引人；而我们愿意把这些对象称为崇高，因为它们把心灵的力量提升到其习惯的高度之上，并揭示出我们心中的一种十分不同的抵抗能力，这使我们有勇气能与自然这种表面上的强力相较量。(*M* 100—1)①

自然既可以是优美的，也可以崇高的，但艺术则只能是优美的。那么，自然之美和艺术之美二者之间有什么关系？康德的回答是细致的。一方面，自然之美源于它与艺术的相似。另一方面，假如我们倾慕一件优美的艺术作品，那么我们就必须意识到它是人为的而非自然的。不过康德告诉我们，“艺术作品的形式合目的性必然看起来脱离了人为规则的束缚，如同它只是自然的产品一样。”(*M* 149)对优美作品的判断来说，趣味是需要的；但对优美艺术的产生来说，所需要的则是天才。

生产美是艺术作品的目的，但人为之美是一个优美的事物，或者是对一个优美事物的表现。美的艺术的确可以把自然中那些丑恶或令人厌恶的东西表现为美的东西。有三种类型的优美艺术，它们各自拥有不同的美的产品。有语言艺术即修辞和诗歌艺术。有康德所说的赋形艺术即绘画、雕塑和建筑造 254
型艺术。也有制造一种感觉游戏的第三种艺术：其中最重要的是音乐。“在所有艺术门类当中，”康德说，“诗歌(其根源几乎全然来自于天才，至少被规则和典范所引导)是位居头等的艺术”(*M* 170)。

如果把康德的美学观念与数年之后英国浪漫主义诗人所表达的美学观念加以比较，这将是有趣的。在处理艺术作品时，康德是从欣赏者出发走向生产

---

①康德：《判断力批判》，邓晓芒译，人民出版社，2002，100 页，译文有改动。

者的，他以对批评家的判断分析为开端，而以从中推导出为天才所必需的品质（即想象、悟性、精神和趣味）为终点。另一方面，浪漫主义者则以生产者为起点：对他们来说，艺术首先是艺术家自身情感的表达。华兹华斯在《抒情歌谣集序》（*Preface to Lyrical Ballads*）中告诉我们，诗人与普通人的区别在于他拥有一种不依赖于外界刺激的思想和情感自发性，并且拥有表达此类思想和感情的能力：

> 诗是强烈情感的自然流露。它起源于在平静中被回忆起来的情感。诗人沉思这种情感直到一种反应使这种平静逐渐消逝，于是就有一种与诗人所沉思的情感相似的情感逐渐发生，它确实存在于诗人的心中。

当这种情感被表达于诗歌当中时，诗人的根本任务在于把当下的快乐传达给读者。

柯勒律治赞同上述看法。“一首诗歌，”他说，“是这样的复合物，它与科学相对立，以当下的对象而非真理为乐。”但是，在描述诗歌天才的本性之时，柯勒律治则在康德和华兹华斯的基础上有所改进，把前者看成一种特殊的、必要的天赋。虽然康德和早期的作者们都把想象力看做全人类共有的东西，即对日常生活经验的回忆和整理能力，但柯勒律治则愿意称之为平庸的“幻想”能力，如果它重要的话。真正的想象是艺术家特有的创造性天赋：就最初的形式而言，它并不次于“一切人所具有的那种活力和最初的动力，如同有限心灵
255 当中的永恒行为在无限的自我当中的一种表现一样”。柯勒律治在写于1817年的《文学传记》（*Biographia Literaria*）一书的第十三章中如是说。从那时起到现在，批评家和哲学家们一直就这一高级能力的准确性质争论不休。

叔本华的美学

与叔本华相比，没有一位哲学家在其整个体系当中赋予美学以如此重要的作用。《作为意志和表象的世界》第三卷以相当大的篇幅论述了艺术的本质。叔本华告诉我们，跟随康德的脚步，审美的愉快在于对自然和人为作品的无功利沉思。当我们观赏一件艺术作品时，比如一尊裸体雕塑，它能够激起我们心中的欲望：这或许是性的欲望，或许是想要得到这座雕像的欲望。假如这样，那么我们就依然在意志的影响之下，还没有进入一种沉思的状态。只有当我们不具自身的欲望和需要去欣赏某种东西并为其优美所倾倒之时，我们才能把它当做一件艺术作品来对待，并享受到一种审美的体验。

无功利沉思让我们摆脱了意志的暴政，前者拥有两种形式，叔本华分别以两种不同的风景为例来描述它们。如果我正在沉思的风景无需我付出努力就吸引了我，那么这正是我的美感被激发了起来。如果这个风景是可怕的，我们不得不挣扎着摆脱恐惧，从而进入一种沉思状态，那么我们遇到的则是一种崇高而非优美的事物。与康德一样，叔本华举出数例来说明崇高的感觉：在乌云密布的天空之下、悬崖峭壁之间咆哮的河流；惊涛拍岸、水波四溅、电闪雷鸣的海上风暴。在这样的情形当中，叔本华说：

> 在尚未崩溃的欣赏者那里，其意识的二重本质上升到了最明显的程度。一方面，他把自己感知为一个个人，感知为意志的脆弱现象，哪怕是来自这些力量的最轻微的触动也会使它完全被摧毁，他无望地背对着强大的自然，他依附于自然，成了偶然的牺牲品，一个在自然的伟大力量面前变成了正在消失的虚无；同时，另一方面，他把自己又感知为永恒的、静默的认识主体，作为每一个对象的条件，他是整个世界的维系者，自然令人可

怕的斗争只是他自身的表象,而他自身则在对对象的沉思中从一切欲望和必要性中摆脱并分离出来。这就是崇高全部的印象。(*WWI* 205)

256 通过上述方式产生的印象或许可以被称之为"动力学的崇高"。但是,当我们于夜晚沉思星空之时,同样的印象也可以产生在对时空广袤的静思之中。这种崇高印象(叔本华借用康德那个无助于其表达的概念,称之为"数学性的崇高")既可以产生于罗马圣彼得大教堂那种庞大密集的空间之中,也可以产生于年代久远的风物那里,如金字塔。在每种情形当中,我们的感觉来自于我们自身作为个人所表现出来的渺小和轻微与我们作为纯粹认识主体所创造出来的那种强大之间的对比。

崇高可以说是优美的上限。其下限则是被叔本华称之为"魅力"的东西。崇高从与我们意志为敌的东西中制造出一个供我们沉思的对象,魅力则将一个沉思对象转化为某种吸引意志的东西。叔本华举出的例子是雕塑,"裸体形象,其姿态、穿着和整体的处理旨在引起观赏者的激情",以及荷兰的静物画,"牡蛎、鲱鱼、螃蟹、面包和黄油、啤酒、烧酒等等",后者没有太强的说服力。由于此类人为作品使审美目的归于消失,它们一并遭到了谴责(*WWI* 208)。

在与优美的每次相遇之中均有两种因素存在:一个没有意志的认识主体和一个作为表象为主体所知晓的对象。在对自然美和建筑的沉思当中,愉快主要来自于知识的纯粹和轻松,因为主体遇到的表象是意志低级的显现。但是,当我们在沉思人类(比如以悲剧为中介)时,愉快则来自于多变的、丰富的和有意义的表象。以此区分为基础,叔本华就艺术划分了门类。

建筑位列末等,它产生出诸如重感、坚固和轻盈之类的低级表象:

建筑之美体现在各个组成部分与整体的明显相配,每一部分的位置、规模和形式拥有一种关系是如此的必要,以致假如抽掉其中的某些部分,那么

> 整体将会不可避免地崩溃。因为只有每个部分在尽可能方便的情况下承
> 担得更多,在其应受到必要支撑的地方得到支撑时,这种对立的游戏,这
> 种坚固性和重力之间的冲突,这种构成石材的生命及其意志显现的东西 257
> 才能使自身展现出最完美的外观。(*WWI* 215)

当然,建筑既服务于实用的又服务于审美的目的,但是一个建筑的宏伟性通过这种方式显现出自身:它不顾必然要满足顾客需要这一事实而实现了纯粹的审美目的。

在叔本华看来,表现艺术所关注的是全体而非部分。他以为,以动物为内容的绘画和雕塑显然关注于种群而非个体:“最典型的狮子、狼、马、羊或者牛常常也是最美丽的”。然而,就以人类为表现内容的绘画和雕塑来说,事情则更为复杂。主张艺术通过模仿自然获得美感的看法是非常错误的。假如一位艺术家的心目当中事先没有一个优美的模型,那么他怎么才能找到一个完美的模型加以模仿?自然可曾生出一个在各个方面都堪称完美的人?艺术家所理解的东西只是自然吞吞吐吐地说出来的东西。雕塑家“通过坚硬的石头表现出自然千百次试图生产却没有生产出来的形式美,并把它呈现在自然面前,它仿佛告诉自然‘这就是你想要说的东西’”(*WWI* 222)。

人性的普遍理念必然被雕塑家和画家表现为一个个人的性格,它能够被表现为各种类型的人。在某种类型的绘画当中,“大臣们是否在地图上讨论国家和民族的命运,或者乡野村夫是否在酒馆里因赌博而发生争执,这都无关紧要”。同样无关紧要的是,一件艺术作品所表现的人物是真实的还是虚构的:与一个历史人物的联系会赋予一幅绘画以正常的意义,而非真正的含义。

> 例如:摩西被埃及公主所发现是一幅画作的正常意义;它表现了历史当中

一个最重要的时刻；而另一方面，这幅画真正传达给观赏者的真实含义是，一个被遗弃的孩子被一位伟大的妇女从漂浮的摇篮中救出，这个事件也许发生过不止一次。(*WWI* 231)

因此，叔本华最激赏的文艺复兴时期的绘画所表现的不是一个特定的历史事件(如耶稣的降生和背负十字架)，而是站在救世主身旁的清静无为的圣
258 人群体。在他们的面庞和目光之中，我们看到受压抑之意志的表现，它是一切艺术的高峰。

叔本华的艺术理论合并了柏拉图和亚里士多德的因素。艺术的目的，在叔本华看来，并非在于表现一个特定的个人和一个抽象的概念，而是一个柏拉图式的理念。尽管柏拉图诅咒艺术作品是对理念的二度偏离，是对那些本身就是理念之模仿的东西的模仿，但是，叔本华却认为艺术家比手艺人和历史学家更接近于理想。诗歌和戏剧就是这样，它们是最高的艺术门类。历史与诗歌的关系相当于素描与历史绘画之间的关系：前者在个体中赋予我们以真理，后者在普遍中赋予我们以真理。与亚里士多德相似，叔本华的结论是，更为内在的真理应当在于诗歌而不在于历史。在所有的历史叙述当中，他认为最有价值的是传记，他的这个决定有些另类。

克尔凯郭尔论音乐

"aesthetic"这个词及其同源词经常出现在克尔凯郭尔的著作当中。不过对他来说，"aesthetic"更多地是一个伦理学而非审美的范畴。审美人是把全部生命都投入到追求及时行乐当中的人；他所追求的快乐可以是自然的(如饮食和性)，也可以是艺术的(如绘画、音乐和舞蹈)。在讨论对人生的感性态度

（尤其是在《非此即彼》中）时，克尔凯郭尔的主要兴趣在于强调其表面上根本无法获得满足的性质，强调一种由伦理的抑或是宗教的介入所带来的深刻诉求。但是，在对感性人生做细致表述的过程当中，克尔凯郭尔有机会对狭义的审美课题进行讨论，它涉及了艺术的本质。例如，《非此即彼》一书的第一部分包含了一长段以“音乐性情色”为副标题的文字。

这段假托一位热情倡导感性幸福主义之人所写的文字很大程度上是对莫扎特的歌剧《唐·乔凡尼》（*Don Giovanni*）的沉思。唐璜是情欲最大的人格化，莫扎特的歌剧是其独特的完美表达。我们被告知，音乐是所有艺术当中最能够表现纯粹感性的艺术。对此，克尔凯郭尔出人意料的理由是，音乐是最抽象 259
的艺术。与语言一样，它诉诸耳朵；与口语一样，它在时间而非空间中展开。尽管语言是精神的表达，但音乐则是感性的表达。

克尔凯郭尔假托的作者进一步提出了一个令人惊奇的诉求。虽然宗教的纯粹论者怀疑作为感官之音的音乐，喜欢聆听出自精神的文字，但音乐的发展与感官的发现事实上都应归功于基督教。当然，感官之爱是古希腊人生活中的因素，无论它是属于人的还是属于神的；但基督教通过感觉与精神的比照使前者分离了出来。

> 如果我把感官的情色想象为一个原则，一种力量，一个以精神为特色即一个以被精神排斥为特征的王国，如果我把它想象为集中在一个单独的个人身上，那么我就拥有了感官情色的精神这个概念。这是古希腊人所没有的一个观念，是基督教第一次将它引入世界，假如这种引入方式只是间接的话。
>
> 假如感官情色的精神需要完全直接的表达，那么问题是：什么中介引导它自身趋向于表达？特别是在内心这里必然要产生的是，它要求直接地表达和表现。在其间接状态下，在它于其他事物中的反射里，它会形诸语

> 言，变成伦理范畴的内容。在其直接状态下，它只能被表现在音乐当中。(*E/O* 75)

克尔凯郭尔抽取莫扎特歌剧的特征来说明情色追求出现的多种形式和状态。对感性的首次唤醒采取了一种没有任何目标的忧郁和发散形式：这就是《费加罗的婚礼》中的凯鲁比诺所表达的梦幻阶段。第二个阶段表现在《魔笛》中帕帕基诺的欢快、有力和响亮的尖音当中：爱在寻求一个特定的目标。然而，上面这些阶段不过是唐·乔凡尼的前奏，而他才是感官情色的化身。歌谣和传奇把他表现为一个个人。“当他成为音乐所解释的对象时，另一方面，我的确不再拥有一个具体的个人，我拥有自然魔鬼般的力量，它以稍稍厌倦于引诱的方式或以引诱的方式行事，如同风倦于狂暴、海倦于腾涌，或者瀑布倦于从高处泻下一样”(*E/O* 90)。

因为唐·乔凡尼不是以策略，只是以纯粹的欲望来引诱，他就没有落于任何伦理范畴；这就是其力量只能通过音乐来表达的原因。整个歌剧的秘密在
260 于，其主角是激发其他人物的力量：他是太阳，其他人物只是围绕着他转的行星，它们有半面处在黑暗之中，只有朝向他的那一面才是光明的。唯有解说者才是独立的；但他外在于歌剧的内容，是其前奏和后续，无论是生前还是死后，他均是精神发出的声音。

由于唯有音乐才能适应于感性欲望的直接表达，所以在《唐·乔凡尼》中，我们看到了内容与创造性形式的一种完善的匹配。克尔凯郭尔说，内容和形式是一件艺术作品所必需的东西，尽管哲学家们此时会强调这一点，彼时又会强调另一点。因此，即使《唐·乔凡尼》孤独地站立在那里，这已经足以使莫扎特成为一个经典的作曲家和一位绝对不朽的艺术家了。

一张《唐·乔凡尼》在布拉格首演时的门票，克尔凯郭尔认为这是一出尽可能最完美的歌剧。

尼采论悲剧

对青年尼采来说，瓦格纳的歌剧才是最高的，而非莫扎特。这是由于他们共同得益于叔本华的学说。1854 年，瓦格纳在写给弗兰兹·李斯特的信中说，叔本华来到他的生命之中就如同上天赐予他的礼物一般。“其主要观点即生命欲望的最终否定，灰暗得令人可怕，但是他向人们指明了唯一可能的拯救方
式。”①在《悲剧的诞生》(*The Birth of Tragedy* ,1872)中，尼采也同样把他的美 261
学理论建立在叔本华的悲观主义人生观之上，而把古希腊神话中的迈德斯王对半神半羊的森林之神的询问作为文本加以解释。

当森林之神最终强大起来之时，国王问他究竟什么是人类最好的和最渴

①A. Goldman, *Wangner on Music and Drama* (New York: Dutton, 1966).

求的事情。这位魔王陷入了沉默，面容显得僵硬和无动于衷，但是当国王再次问起这个问题之时，他却抱之以可怕的冷笑，然后说："不幸的、稍纵即逝的人类，苦难和机缘的牺牲品，为什么你要迫使我说出你们最好听不到的事情呢？所有的事情当中最好的，是你们所达不到的：不要降生在这个世上，根本就不要生长，不要成为任何东西。次好的事情是尽早地死去。"(*BT* 22)

叔本华曾经主张艺术是逃脱生命暴政的最可行的方式。

尼采也认为艺术起源于人类想要掩盖人生苦难的需要。他告诉我们，古希腊人为了能够生存，"就不得不把奥林匹亚诸神光芒四射的梦幻般诞生置于自身和生存的恐怖之间。"(*BT* 22)有两种逃脱现实的方法：做梦和陶醉。按照尼采的观点，在古希腊神话当中，这两种形式的幻象体现在两尊不同的神灵身上：阿波罗，光明之神；狄俄尼索斯，酒神。"艺术的发展和进程起源于阿波罗与狄俄尼索斯构成的二元性，正如生产活动基于两性构成的二元性一样"(*BT* 14)。

阿波罗式的艺术家原型是荷马即史诗的奠基人；他是奥林匹亚神灵精彩的梦幻世界的创造者。阿波罗是一位伦理之神，他基于美的利益赋予其追随者以尺度和秩序。但是，阿波罗的神奇马上就被狄俄尼索斯浪潮所吞没，后者是冲破堤坝和束缚的生命之流。狄俄尼索斯的追随者在激情狂放中唱歌跳舞，享受生命乃至于过度。音乐是狄俄尼索斯精神的最高表达，如同史诗是阿波罗精神的最高表达一样。

雅典悲剧是古希腊文化的光荣，它是阿波罗与狄俄尼索斯的后裔，是结合音乐与诗歌的艺术。古希腊悲剧中的合唱队代表着狄俄尼索斯的世界，而对话则是在一种明晰的阿波罗式的意象世界中展开的。在埃斯库罗斯的戏剧(特别是《被缚的普罗米修斯》)和索福克勒斯(特别是《俄狄浦斯王》)中，希腊精神找到了它最高的表达。但是，随着第三代著名悲剧作家欧里庇得斯的出现，悲剧死在了他的手里，因为它受了理性的毒害。这一谴责必须被置于苏格拉底的门前，正是他开启了一个视科学高于艺术的新时代。

按照尼采的看法，苏格拉底是所有让希腊成就伟大之事的对立面。其本能全然是否定的和批判性的，而非肯定的和创造性的。在弃绝狄俄尼索斯的同时，苏格拉底摧毁了悲剧的综合作用。“我们只需来看一看苏格拉底的格言‘美德即知识，一切罪恶均出自于无知，品德高尚的人便是快乐之人’就足够清楚了。在这三种基本的乐观主义公式当中，悲剧死去了”（*BT* 69）。在欧里庇德斯那里，悲剧经历了迈向市民戏剧的死亡一跳。弥留之际的苏格拉底通过见识和理性摆脱了对死亡的恐惧，成了科学神秘教义的信仰者。

那么，在现代德国，有没有可能去医治这种出自苏格拉底的疾病，重新恢复阿波罗与狄俄尼索斯的联合呢？尼采并不欣赏小说，自19世纪以来，它或许被看成是最富于有益幻象的体裁，这些幻象在尼采看来正是艺术的功能。他以为，小说根本上就是一种苏格拉底式的艺术形式，它使诗歌臣服于哲学。令人感到奇怪的是，他斥责了小说在柏拉图那里的起源。“柏拉图的对话可以被描述为一只救生船，破碎的旧诗以及所有从中逃出的孩子，拥挤在一个狭隘的空间里，心怀恐惧地听从唯一的船长苏格拉底发出的指令……柏拉图给予后世一种新艺术形式——小说——的模型”（*BT* 69）。对意大利歌剧，尼采也没有什么较高的评价，尽管它融合了诗歌和音乐的因素。他抱怨道，宣叙调和咏叹调的分离破坏了歌剧，因为前者使对白因素优先于音乐因素。

> 在德意志精神的狄俄尼索斯土壤上，一种新的力量产生了，它与苏格拉底文化的产生条件丝毫没有共同之处：那种文化既无法解释它，也无法为它辩解，相反，它发现后者是恐怖的和无法解释的，有力的和充满敌意的——德意志音乐，正如我们先前在其伟大的太阳光环之下所了解的那样，从巴赫到贝多芬，从贝多芬到瓦格纳。（*BT* 94）

《悲剧的诞生》最终落为对《特里斯坦与伊索尔德》(*Tristan and Isolde*)一剧第三幕所做的一系列狂放的和矛盾的注脚。再没有人比尼采本人更加有力地攻击过这本书的弱点了,从瓦格纳的魅力中解脱出来之后,他为这本书后出的版
263 本配上了题为“自我批评的尝试”的序言。在那里,他追述了他将希腊天才与虚构的“德意志精神”二者联结起来的尝试。但是,他却没有放弃被他视为这本书的基本主题的东西,即艺术而非道德是人的形而上学活动,世界的存在只能作为一种审美现象才能被合理化。

艺术与道德

对尼采来说,艺术不仅是自主的,而且也位居道德之上。在尼采的对立面,站立着两位19世纪的美学家,在他们看来,艺术与道德交织在一起,不可分离。其中一位是约翰·罗斯金(John Ruskin, 1819—1900),另一位则是列夫·托尔斯泰(Leo Tolstoy, 1828—1910)。

罗斯金把艺术视为一种非常严肃的事情。在大著《现代画家》(*Modern Painters*,1843)中,他写道:

> 艺术,正如它被称呼的那样,不是娱乐;不能在闲暇时间加以学习,也不能在我们没有其他更好的事情去做时才去追求。它不是画室桌上的苦差事,也不是对闺室无聊的排遣;它应当被严肃地理解和从事,否则根本就不要去从事这项活动。去倡导它,人必须付出生命,去接受它,人必须付出心灵。①

①John Ruskin, *Selected Writings* (London: Dent, 1995).

然而,艺术要求的合理化只能通过其道德目的即揭示宇宙基本特征的严肃性来实现。美是客观的存在,不止是习惯的产物。美的经验始自对自然的一种真实的感知,走向一种对神圣的理解。只有当一位艺术家本身是一位道德高尚的人时,他才能够以一种纯洁的方式传达这一启示,才能把上帝的荣光置于我们面前。但是,在一个堕落的社会——罗斯金认为 19 世纪的工业社会便是一例——无论是道德的纯洁还是艺术家的纯洁几乎都难以达到。无论是从事创造的想象力,还是从事理解的"理论"能力均从根本上堕落了。工作被现代的劳动分工引向堕落,工人被剥夺了其作为一位手艺人的身份追求完美的权力。

罗斯金把他有关艺术的道德化理论具体应用到两种艺术门类上面:绘画和建筑。对他来说,绘画基本上是一种语言形式:技艺无非是对语言的掌握, 264
绘画的价值取决于它所表达的思想价值。罗斯金试图通过对特纳(J. M. W. Turner)绘画的仔细检视来说明这一意图。在《建筑的七盏灯》(*The Seven Lamps of Architecture*)里,罗斯金提出了他据以判断哥特式建筑高于文艺复兴时期的艺术和巴洛克艺术的标准。"灯首先是道德的范畴:牺牲、真理、力量、服从等等类似之物"。因为,在他的定义中,建筑是一门支配和装饰居所的艺术,它们的外观能增进人们的心理健康、力量和快乐。而心理健康的基本因素在于对人在一个由神性支配的宇宙当中的位置进行正确的估价。

对托尔斯泰来说,艺术只有当它具有一种道德目的时才是好的。在《什么是艺术?》(*What is Art?*)中,他从人们为其付出的金钱和艰苦劳动的角度,描述了同时代艺术家们的花费,特别是歌剧的花费。他认为,此类艺术只能建立在对大批人的奴役之上;他追问其中所包含的社会花费在道德上是否合理。艺术只能吸引上层阶级的情感,它只能使傲慢、性和无聊得到延伸而别无他用。

托尔斯泰拒斥了此前作家们所宣称的艺术的目标是优美,而优美是由艺术提供的享受那里得到确认的说法。艺术的真实目的是人类之间的交流。尽

管他拒绝了浪漫主义有关艺术必须提供快乐的思想,但他赞同华兹华斯的艺术本质是情感共享的看法:

> 举一个最简单的例子:一个人笑,另一个听到他笑的人感到快乐,或者一个人哭,另一个听到他哭的人感到悲伤。一个人兴奋或者激动,另一个目睹他这样的人会被带入一种类似的心灵状态之中……一个人面对特定的对象、人或者现象表达他的羡慕、忠诚、恐惧、尊敬或爱恋之情,另一个人则会受到感染,面对相同的对象、人或现象,他会表达出相同的羡慕、忠诚、恐惧、尊敬或爱恋之情。(*WA* 66)

从广义的世界来说,艺术浸透着我们的生活,我们的生活充满着各种各样的艺术作品,从摇篮曲、笑话、模拟、服饰、房屋和用具到教堂仪式和胜利游行。但是,这些艺术作品借以感染我们的情感则有好有坏。艺术只有当其注入的情感是好的情况下才是好的;那些情感只有当它们是基本的宗教情感,并且能够
265 增进人类普遍友爱之意时才是好的。

艺术所传达的感情是为全人类所共有的感情,而不是骄奢的精英分子才有的感情。如果不是这样,那么我们或许拥有了一种坏的艺术或伪艺术。19世纪最伟大的小说,在托尔斯泰看来,是《汤姆叔叔的小屋》(*Uncle Tom's Cabin*),它能够跨越不同种族与阶级的界限传达普遍的友爱信息。

贝多芬的第六交响曲也在托尔斯泰诅咒的艺术作品行列。它是否传达了最高的宗教情感? 不:任何音乐都不能。它使所有人都在一种共同的情感中联合起来了吗? 不,托尔斯泰回答道:"我无法想象,一群正常的人们能够理解任何如此冗长、混乱和虚假的产物,除了分散在一汪无法理解的海洋中的一个片段之外。"作品的最后环节是席勒的一首诗歌,它所表达的是情感,特别是欢乐把人们团结在一起的思想。"尽管在交响曲的末尾,这首诗得以朗诵,但音

乐与诗歌所表达的思想并不一致;因为音乐是排斥性的,它不能使所有人联合起来,而只是借着把一小部分人与其余人分离开来的方式把一小撮人联合了起来”(*WA* 249)。

为艺术而艺术

托尔斯泰有关艺术的道德观点很快就在20世纪失去了影响力。艺术的自主性如果不是占据着尼采所说的至尊地位,它至少也广为人们所接受:一件艺术作品可以是好的艺术作品,但即使是伟大的艺术作品在道德或政治上也会出奇地糟糕。一件作品的艺术价值甚至被用来挽救其在伦理上的暧昧性,许多国家纷纷立法禁止有“堕落和腐化”倾向的艺术作品的生产和发表。

20世纪最有影响的美学家之一便是意大利哲学家本尼狄托·克罗齐(Benedetto Croce,1866—1952)。在形而上学方面,克罗齐是一位观念论者,它与乔凡尼·金蒂莱(Giovanni Gentile, 1875—1944)共同提出了一套黑格尔式的体系,直到两人于1925年因法西斯的问题分道扬镳。金蒂莱变成了一位法西斯的理论家,而克罗齐既是前法西斯时期也是后法西斯时期的意大利政府内阁部长,在1930年代,他是反对墨索里尼的知识分子领袖。 266

对克罗齐来说,艺术介于历史和科学之间。与历史相同,它处理的是个别的情形而非一般的规律,但它的个案是想象的而非真实的,与科学相同,它所解释的是普遍真理。从1902年发表的《精神哲学》(*Filosofia dello Spirito*)第一卷到1936年发表的《诗学》(*La Poesia*)为止,克罗齐把他的美学理论划分为四个发展阶段。但是,有多个主题是其每个思想阶段所共有的东西。

在克罗齐看来,艺术的核心是直觉。直觉不同于情感,任何一个实证论者都会这样说:情感需要表达,而表达是一种认知性的,而非感情性的问题。在人类当中，艺术不同于动物的情感，它是某种精神性的，不止是感情的东西。一方面，理性主义美学家错误地把美看成是某种知性的东西：它通过意象而非思想概念来运作。于是，克罗齐一方面与浪漫主义，另一方面又与古典主义分离开来。

艺术直觉从根本上来说是抒情性的。克罗齐主要是通过比照来解释这个意思。艺术既不（如逻辑那样）关注于真实，不（如经济学那样）关注于有用性，也不（如道德那样）关注于善。艺术有自己的对象即美，这与其他三种对象并列，独立地占据着自己的位置。（对克罗齐而言，崇高只是一个伪概念。）一种艺术性的表达只有当它仅仅关注于美时才是抒情性的。于是，如卢克莱修的《物性论》这样一首饱含科学和道德信息的诗歌，并非某种抒情性诗篇，而只是一篇文学作品。真正的诗歌必然不具有功利的、道德的和哲学的内容。

类似于克罗齐的观点是通过柯林武德（R. G. Collingwood，1889—1943）为英语世界所知晓的，后者为 1928 年版的《大英百科全书》翻译了克罗齐的美学论文。柯林武德，一位杰出的古典主义者和考古学家，在 1936 年成为了牛津大学维尼弗莱特（Wayneflete）讲座教授。他以对哲学史的贡献而知名，在这方面他特别有资格从事写作，但其《艺术原理》（*Principles of Art*，1938）则是对美学理论做出的一项重要贡献。

这本书的大部分篇幅被用来解释艺术不是什么。艺术不是娱乐；即使许多假艺术之名行世的东西只是娱乐，真正的艺术是某种不同的东西。艺术不是如战争舞蹈那样的一种神秘程序。神秘的意思，柯林武德解释道，是为达到
267 某种预期目的而唤起感情的一种程序，如爱国主义的感情或无产阶级的狂热。最重要的是，艺术必须与手艺或技巧区分开来。艺术不是模仿或表现（*mememsis*），因为后者依然是手艺。当然，一件伟大的艺术作品也是一件手工艺品，但是，使其成为一件艺术作品的东西并非使其成为一件工艺品的东西。

假如艺术是手艺，我们将会在其中区分目的和手段。假如艺术拥有一个

目的，那么这只能是对感情的唤起；后者不是那种能够被单独地从艺术活动中识别出来的某种东西，如同鞋子不能被单独地从某种修补的行为中识别出来一样。艺术不应当被看成唤起感情的活动，而应当被看成表达感情的行为。真正的艺术作品实际上是艺术家自己的感情表达。成功的艺术家的成功在于他们自己的想象，其意象在一件公众艺术作品中的外化只是一件工艺品。

内在的作品，真正的艺术作品在于把某种前意识的东西、一种无法言说的情感提升到一种明晰的和言说的状态当中。追随克罗齐的思想，柯林武德在这个基础上接受了想象和表达是一件也是同一件事情的看法。通过语言，前意识被转换为言说出来的东西；在这个意义上，一切艺术表达从根本上来说都是语言学的，无论它所采用的中介是什么。

柯林武德论道，假如艺术是感情的表达，那么艺术家与受众之间的区别将会归于消失。

> 举例来说，如果一个诗人表达了一种恐惧感，唯独能够理解他的听者是那些能够体验那种恐惧本身的人们。因此，当某人在阅读和理解一首诗时，他不仅是在理解诗人本身的表达和诗人的情绪，而且也在用诗人的语言表达着自己，这种语言变成了自己的语言。正如柯林武德所说，我们借以知道一个人是诗人的途径是他使我们成为诗人这个事实。(*PA* 118)

诗人和读者分享和表达着相同的感情：二者的区别在于，诗人能够解决如何表达它的问题，而读者则需要诗人来向他指明如何来表达。通过我们自己（被帮助或未被帮助）所创造出的一种想象的经验或行为，我们表达了我们的感情，这便是我们称之为艺术的东西。

克罗齐和柯林武德与托尔斯泰不同，这是由于他们把艺术视为某种与道

268 德分离并独立于道德而存在的东西。但所有这三位作家都共同拥有艺术是情感表达的概念。20 世纪的大多数哲学家都拒绝接受托尔斯泰把艺术的功能看成是情感交流的观点。比如说，维特根斯坦就曾这样写道：

> 从托尔斯泰有关艺术传达某种“情感”的错误理论中，我们可以学到许多。假如艺术并非某种特殊情感的表达，那么你可以称之为一种情感表达，或者说一种被表达的感觉。你也可以说那些理解它以致与之产生“共鸣”的人们回应了它。你可以说，艺术作品并不寻求传达其他什么东西，而只是它自己。当我造访某人，我并不希望在他心里引起这样那样的情感，首要的只是造访于他——尽管我当然也希望受到欢迎。
>
> 真正的荒诞始于艺术家在被阅读时需要其他人感觉他在写作时所感觉到的东西。我的确认为我理解了一首诗歌，比如说，按照作者想要他人做如此理解的方式理解了它。但是，他在写作时所感受到的东西根本就不是我所要关注的任何东西。(*CV* 67)

艺术作品相对其创作者表现出的独立性，无论是在英语世界还是在欧洲大陆都成了一个突出的主题。任何试图以作者的传记、心理或动机因素为基础，而不以独立的文本因素来理解文本的方式，在美国批评家看来，均构成了“意图谬误”。在法国，哲学家们甚至在谈论“作者之死”。他们认为文本是首要的对象；作者的观念毋宁说是一种经济学的和法律的建构。就阐释所及的程度而言，一个文本在数代读者中的接受会比最初撰写它的人的传记因素更富有意义。

在英国哲学界，作者之死的主张并没有受到热切的欢迎。但是，在作品的阐释当中，作者没有任何特权的思想曾经为 19 世纪的英国人所预见到。维多利亚时期的诗人阿瑟·雨果·克鲁夫(Arthur Hugo Clough)创作了一首描述耶稣复活的诗，名为《复活节》（Easter Day），有人认为它是亵渎神灵之作。在之后创作的一首诗歌当中，他想象自己在追问这首诗的意思：它旨在反讽或者刺激吗？他回答道：

> 我不能解释它，但我却写下了它。

第十一章

政治哲学

功利主义与自由主义

在引入最大幸福原则时，边沁并不关心为个人的道德选择提供一套标准的问题，而是着眼于指导统治者和立法者如何管理共同体。但是，正是在这一领域，当我们不仅要思考一个共同体之内的幸福总量，而且也要考虑到其分配情况之时，最大幸福原则本身便不再能够提供一套可信的决策程序了。 269

假设我们无论运用什么手段成功地建立了一套衡量幸福尺度的等级：这个等级由 0 分排到了 10 分，其中 0 分代表最大苦难，10 分代表最大幸福，5 分是适中状态。想象由我们自己来设计一个社会当中的政治和法律机构，我们拥有两种可供选择的模式。采用模式 A 的结果是 60%的人会得 6 分，40%的人会得 4 分。采用模式 B 的结果是，80%的人会得 10 分，20%的人会得 0 分。面临这样一个选择,每个关心平等或人性的人肯定都希望选择模式 A 而非模式 B。不过,如果我们以明显的方式按照边沁的幸福计算法来运算,那么模式 A 将只得 520 分,而模式 B 总共将获得 800 分。

我们对最大多数人的最大幸福原则的寻求显然会导致不同的结果,这取决于我们究竟要使幸福最大化,还是要使幸福之人的数量最大化。假如我们不容许出现对分配正义造成极大危害的后果,那么这个原则至少需要通过限
270 制好坏两种情况之间的不等数量,以及限制坏的苦难等级的方式做出补充。

尽管边沁的大原则有问题,这些问题被留给了他的继任者们去争论,但是边沁在政治哲学方面作出了非常重大的贡献。借用密尔的话来说,他擅长的是"组织和调节社会安排中那些仅仅属于事务性的部分。"在这样的话题方面,他可以写得尖锐而且灵活,可以做出精明的区分、可以揭示出共同的缺陷、可以把议论的厚重包裹进简洁明了的段落当中。在论述国家惩罚方面,他的天才得到了绝好的运用。

他问道,刑罚的目的是什么?

> 惩罚直接的目的主要是控制行为。这个行为或者来自犯人,或者来自他人:惩罚对于犯人的行为控制是通过控制这一行为的影响进行的,或是在意志方面进行控制,在这种情形当中,我们说它是以改造方式进行的;或者在身体力量方面进行控制,在这种情形当中,我们说它是以使其丧失能力的方式进行的。对于他人行为的控制,惩罚只能通过影响其意志的方式来影响他;在这种情形当中,我们说它是以树立典范的方式进行的。(*P* 13.1)

如果惩罚就是施加痛苦,那么它是一种恶,只有当它能够排除更大的恶时,它才能被允许使用。边沁拒绝接受有关惩罚的报复理论,按照这一理论,正义要

求作恶的人应当承受恶果。除非惩罚的实施对犯人或其他人造成某些震慑和改造的效果，否则报复只是一种以恶惩恶，它会增加这个世界恶的数量，而不能恢复正义的平衡。

即使对犯人的惩罚没有起到任何震慑和改造的效果，它也无疑会给受害者或服从法律的公众带来一种满足感。与其他的快乐类似，这必须被放在功利主义的天平上加以衡量。但是边沁说，没有任何惩罚应服务于报复的目的，因为惩罚带来的快乐从来就不能与它所带来的痛苦等同。

因为惩罚的主要目的是震慑，如果惩罚对犯人或其他人不能起到震慑的
效果，它就不能被实施，也不能超出震慑的必要限度来实施。边沁说，当惩罚 271
无效（不能震慑）或无益（将导致比它所要防止的伤害更大的伤害）或没有必要（伤害可以通过其他手段加以避免）时，它就必然不能被实施。

在本书第十四章里，边沁制定出一套规则，设定了惩罚与犯罪二者的比例关系，这不是基于"以眼还眼，以牙还牙"的报复原则，而是建立在惩罚的前景对一个潜在罪犯的理智所造成的影响之上。边沁想象一个即将从事犯罪活动的罪犯会计算犯罪的得失，他把刑法的功能看成对损失超过所得的确保。因此，法律必须实施足以产生震慑的惩罚，用边沁的话来说，法律必须节俭。

震慑是惩罚的主要目的，此外，边沁还允许法律有附带的目的，诸如对罪犯的改造或使其丧失能力。在最实际的监狱条件下，改造过去未曾、现在也不太可能达到目的；但是，边沁还是在具体的改造制度方面提出了一些建议。收监入狱的确具有使罪犯暂时失去能力的效果，但是使犯人丧失能力显然是死刑所取得的最有效结果。边沁看到，"同时，这种惩罚措施显然处于一种特别不节俭的程度之上；在任何除了非常极端的情形之下，它构成了许多反对应用它的理由当中的一个。"（*P* 15.19）

约翰·斯图亚特·密尔的政治哲学与其道德哲学一样，从边沁那里受益良多，但在这个领域当中，他感到有义务来缓和其导师严格的功利主义思想。

伴随对自然权力的否定，边沁的体系从原则上来说，在特定情形之下为高度独断的政府和对个人自由的实质性侵犯提供了理由。密尔本人在年轻时期所接近的早期社会主义形式也是如此，后者造就了奥古斯特·孔德(August Comte)的实证主义体系。成年时期的密尔非常看重限制社会系统对个人独立性的约束，无论这种约束从原则上来说多么有益。他把实证主义的政治体系描述为一种措施，“通过它，由精神教师和统治者组织起来的团体所操控的公共舆论

272

边沁的“自我形象”：其遗体以蜡像的形式被保存在伦敦大学学院中。

之轭，将凌驾于任何行为之上，后者是就人类的可能性范围之内的每一位共同体成员的每一种思想而言。”他指斥孔德“提供了迄今为止由人脑想象出来的一套最完善的精神和世俗专制主义”。在《论自由》（*On Liberty*）中，他设置了一个普遍的自由主义原则，以防止权威主义对个人的非法侵害，无论这种非法侵害是由功利主义、社会主义还是由实证主义所推动的。

密尔认为，用负责任的民主制来代替独断的君主制不足以保护自由，因为在一个民主社会之中，多数将会对少数实施暴政。为政府权威设置界限亦不足以保护自由，因为社会可以实行其他更为细致的强制措施。

> 同样需要防止由流行的见解和情感所带来的暴政；防止社会通过民事刑 273
> 罚以外的其他方式将自己的思想和实践当做行为规则强加于不服从者的做法；防止尽可能阻碍任何与其方式不合拍的个人发展和教育的做法。（*L* 30）

为了限制暴力或公共舆论造成的强制，我们必须坚持一项基本的原则，即一个人身上只有能够被计入社会的部分行为才与他人相关。在只涉及其自身的部分当中，他的独立性是绝对的。

对这项原则最重要的应用在于思想的自由及其附带的言论和出版自由。按照密尔的看法，任何权威，无论它是独断的还是民主的，都没有权力去压制观点的表达。“假如全人类除一人之外都坚持同一个观点，唯有这一个人持相反的观点，那么全人类使这个人保持沉默并不比这个假如拥有力量的人使全人类保持沉默的做法更为合理。”（*L* 273）因为压制一种观点就是对整个人类的掠夺。众所周知，被压制的观点或许会成为真理，因为我们任何人都不可能没有错。假如这个观点并不全对，那它或许也包含着一部分被人们忽视的真理。即使一个完全错误的观点也具有一种挑战相反观点的价值，从而确保真理不仅仅被看成是一种偏见或者信仰的一种形式。密尔总结道，自由的观点以及观点的自由是心理健康的人类所必不可少的东西。

但是，观点的自由并非人们所需要的全部。人们可以按照自己的观点自由行事、并把它贯彻到他们的生活当中，而不会受到来自其伙伴们的阻碍，无论这种阻碍是暴力的还是道德的性质。当然，自由不应被扩展到伤害他人的权力——即使表达的自由也必须在它要引起麻烦的地方加以裁剪。但是，性格的多样性以及生活方式的试验应当被给予较大的空间，如果它们只涉及个人的事务或者只涉及他人的事务而不伤及“他们的自由、自愿而不受蒙蔽的认可和参与”。个人的行事规则应当是他或她自己的性格，而非其他人的传统或
274 习惯。假如人们拒绝了这一原则，“那么我们就会缺少构成人类幸福的主要成分，这是促成个人与社会进步的相当主要的成分”(*L* 185)。

没有了个人，人类将只会变成一台机器，服从一种无从控制的模式。但是，“人性不是一个依据模式建造出来的机器，后者只是完成人们为它规定的任务，而是一棵要求全面成长和发展自身的树木”(*L* 188)。假如不允许古怪的行为出现，那么由此招致的损失将不仅仅是受约束之个人的损失，而且也是作为一个整体的社会的损失。我们或许都能从不寻常的性格那里学到东西。“我们往往不需要人们只是去发现真理，指出曾经是真理的东西已不再是真理，而且也需要人们从事新的实践、设立更为明智的人类生活行为、趣味和感觉的典范”(*L* 193)。有活力的和非正统的性格在一个由公共舆论控制着世界、个人为群体所淹没的时代尤为需要。必须允许天才在思想和实践中展现自身。

当密尔要求进行“生活实验”时，他心中想到的究竟是什么东西？令人感到遗憾的是，他只是借助于众多雄辩的比喻而没有举出对人们有益的古怪行为作为例子来说明上述观点。当他就其原则提出实际应用的方法之时，他只是囿于反对限制平常人古怪之举的法律，而非约束天才发展的条款。他认为，

诸如对禁食猪肉和禁止饮用含有酒精的烧酒,或者不允许在星期天旅行和进行舞蹈戏剧表演此类的禁令都是糟糕的法律规定。

当密尔鼓励不一致行为时,他心中默想的例证无疑是自己在婚前与哈利特·泰勒(Harriet Taylor)之间长期保持的非传统关系。但奇怪的是,他所举的有关生活实验的一个例证恰恰是他自己从内心里不同意的做法:摩门教对多妻制的认可。他承认这种实验直接与他所主张的自由主义原则相冲突,这"只是对共同体一半人口的束缚,却使另一半人摆脱了对前者的相互义务"(*L* 224)。然而,世俗习惯教导说对女人们来说婚姻是一种需要,他则教导说,可以理解,许多妇女应当更倾向于做多个妻子中的一个而胜过于不结婚。密尔不赞成多妻制;他只是在敦促人们不应采取强制措施逼迫摩门教放弃这种制 275
度。必须指出的是,他对当时英国的多妻现象与对盐湖城的多妻制度一样感到厌恶。

在他自己结婚的1851年,他撰写了一份抗议书,反对赋予缔结婚姻的一方以契约方式对另一方实施人格与财产控制权的法律。"鉴于我没有任何法律手段远离这些让人厌恶的权力,我感到有义务对现行赋予此权力的婚姻法提出抗议,同时做出庄严的承诺,不在任何情形当中、不在任何环境之下使用这一权力"(*CCM* 396)。他把对英国婚姻法所做长篇反对言论写入了《妇女的屈从》(*On the Subjection of Women*)这个小册子中。在法律上,对异性的臣服原则上说是错误的,它是人类进步的一个主要障碍。一位妻子注定只是丈夫的奴仆;她必须向他臣服一生,她所获得的任何财产都将即时地归他所有。从某种意义来说,她的境况比奴隶还要糟糕。在基督教国家里,一个奴隶还拥有权利和职责反抗出自主人的性侵犯;而一个丈夫却可以在妻子身上强化"一种对人类的最低级的贬抑,他违背妻子的意愿把她降为只发挥动物功能的工具"(*L* 504)。

女性对男性屈从的根源无外乎来自男性的力量,它只是借助男人的自我利益在一个文明时代得以继续。没有人能够说，经验表明现行主张男性优先权的体系就比其他的选择更加让人乐于接受；因为其他的选择迄今还没有得到尝试。女性通过早先数个世纪以来的规训，已经被纳入这个体系当中。

> 假如我们把三件事情放在一起——第一，两性之间自然的吸引；第二，妻子对丈夫完全的屈从，她拥有的每一项特权或每一种快乐均是丈夫的恩赐或者完全依赖于他的意志；第三，人类追求的主要目标、思考以及社会抱负的所有目标，一般来说都只能通过她经由他来寻求或实现——假如吸引男性的目标不是女性教育和性格塑造的方向，那将是奇迹。(*L* 487)

276

《潘趣》杂志刊出的一幅漫画，讽刺密尔为两性平等而奋斗的漫长历程。

如果女性确实想抛开自己的枷锁，那么反抗她的主人将会比反抗任何暴君都困难。丈夫们拥有的权力比任何一个君主为防止臣民造反而拥有的权力都大，他们的臣民生活在他们的眼皮底下和手心当中。男性的暴政比其他非正义的权威更加持久，这一点也不奇怪。

克尔凯郭尔和叔本华论女人

《妇女的屈从》一文在时代大气候当中的意义，可以在两位大陆哲学家克
尔凯郭尔和叔本华各自的著作对婚姻和女人的看法中得到揭示。克尔凯郭尔
在《非此即彼》中用一篇长达 90 页的论文来肯定“婚姻的感性有效性”。这就
是说，它在劝说读者走入婚姻不需要降低，实际上或许会增进初恋的狂喜。罗
曼谛克的歌谣和小说错误地将恋爱描写成为一种超越种种障碍和考验从而在 277
婚姻中达到目标的要求：婚礼是真正罗曼蒂克恋爱的开端而非结局。这篇文
章采取了一封书信的形式，收信者是一位从根本上反对教会婚姻观念、具有罗
曼蒂克情调的人。

克尔凯郭尔想象当中的反对者说：

我能够为之倾倒和膜拜的女孩，我感觉她的爱能够将我从一切混乱中摆脱出来，赋予我新生，我带着她进入主的祭坛，她站立在那儿仿佛是个罪人，应当对她说，她就是诱惑亚当的夏娃。在她的面前我放下了我骄傲的灵魂，只有她才能使我放下它，应当对她说，我将要成为她的主人，她将服从于她的丈夫。这个时刻到来了，教会已经将手伸向了她，在把她归还给我之前，应当在她的双唇上印上新郎的吻，这不是我给予所有人的那种吻；教会已经把双手伸向她并拥抱了她，但这一拥抱将使她的美丽顿时失

> 色,之后它将把她抛还给我,并说“祝愿多子多孙”。是什么力量突入于我和我的新娘之间,我自己选择的新娘,谁选择了我?这一力量将命令她对我保持忠贞;她就应当被命令吗?她之所以忠诚于我,只是因为第三方在命令她如此,因此她爱它胜过于爱我?它命令我对她保持忠贞;而我必须被命令如此做吗,一个以全部的灵魂从属于她的我?这一力量决定了我们彼此之间的关系;它说我将询问,她将做答;假如我不想问,假如我感到这样做太过屈辱了呢?(*E/O* 408)

法官威廉,这个被克尔凯郭尔塑造为维护传统婚姻的人,敦促收信人接受在婚姻中他只能是主人、而他的妻子只能是与其他女人一样的罪人的看法,接受第三方力量只意味着感谢上帝赋予新郎和新娘以爱的看法。直到走入婚姻,丈夫才明白真正的爱是一生中的每一天所拥有的,而非由一种短暂的激情所带来的非自然力量;他把她视为上帝赋予他的礼物而非自己的俘虏,这使“妻子能够与被爱的一方保持适度的距离,以便能够屈从于他”(*E/O* 411)。

威廉强调,值得走入婚姻的唯一动机是对配偶的爱。他列举和拒绝了用于解释许多人结婚或被敦促结婚的其他理由:婚姻是性格的学校,一个人具有使人类繁荣的责任,一个人需要有个家。从审美的到伦理的观点来看,这样的动机中没有一
278 个是充足的。“如果一个女人结婚是为了给世界带来一个拯救者,”克尔凯郭尔告诉我们说,“那么这种婚姻正是非审美、非道德和非宗教的”(*E/O* 417)。

与罗曼谛克的恋爱不同,婚姻带有责任。但责任不是恋爱的敌人,而是它的朋友。在婚姻当中,“责任在这里就是一件事情,带着心中所有的诚意去爱,责任如恋爱本身一样是蛋白质,当责任就是爱的责任时,它宣称每一件事情都是神圣的和善的,当责任不是爱的责任时,它便拒绝了每一件事情,无论这件事情多么令人愉快和特殊”(*E/O* 470)。

如果《妇女的屈从》是女权主义的经典,法官威廉对《非此即彼》的贡献是

对传统婚姻的经典维护，那么叔本华写于 1861 年的《论妇女》(*Essay on Woman*)则是男性沙文主义的经典之作。文章开篇就说，女性的天职是生育、照料孩子、服从男性，对男性来说，她应当成为一个病人和可爱的伴侣。女人比男人更擅长喂养孩子，因为她们本身充满了孩子气：她们生活在当下，在心智上是短视的。上天赋予女人以足够的美貌来吸引一位男性来养活她们，而当她们生下一两个孩子之时，上天又睿智地夺去了她们的美貌，好让她们心无旁骛地培育她们的家庭。

按照叔本华的看法，女性的根本缺陷在于缺少一种正义感。作为弱小的性别，她们不得不用狡猾的方式赢得生存。“就像上天让狮子长有爪子和牙齿、让大象长有象牙、让野猪长有刺、让牛长有角、让墨鱼长有黑色的汁水一样，它赋予女人一种伪装的力量作为招引和防卫的工具”(*EA* 83)。女人们觉得她们欺骗单个的男子是合理的，因为她们首要的忠诚不是针对个人而是针对种群的，即针对作为她们全部天职的种族繁衍。

女人不仅在推理能力，而且也在艺术才能和理解能力方面低于男人。这不仅是说她们在欣赏戏剧和音乐时喋喋不休(这种事情的确深深惹怒了叔本华)，而且是说她们全都缺乏创造性的能力。

> 即使整个女性当中最聪明的头脑也向我们证明，她们不能取得一项真正伟大的、天才式的和原创性的艺术成就，或切实地创造出什么具有永久价值的东
> 西：在绘画方面，这一点尤为突出，因为尽管她们如同我们男人一样技巧熟练， 279
> 她们也确实在忙忙碌碌地画，却不能指出一幅伟大的绘画作品。(*EA* 86)

最糟糕的妇女类型是贵妇，她们被奉为偶像，接受男人们的殷勤逢迎，性格被塑造得高傲势利。欧洲的贵妇是一种不自然的动物，是东方人嘲笑的对象；她自身的存在使大多数同性的人深感不幸。

叔本华告诉我们,法律在赋予女性与男性同等权力的同时没有赋予她们与男性同等的推理能力,因此法律犯了一个巨大的错误。叔本华认为“平等权”并非如财产权和选举权那样令人无法容忍,而只是指一夫一妻制,它只允许每个性别的成员拥有一个也是唯一一个婚姻伴侣。实际上,多妻制是更为令人满意的安排:它保障每一位女性都会被照顾到,而在一夫一妻制下,有许多妇女因为年长色衰而遭人遗弃,或者被迫投入艰苦的劳动和皮肉生意当中。“仅在伦敦一地就有为数 80,000 的妓女,如果不牺牲在一夫一妻制的祭坛上,她们将会是什么呢?”多妻制对作为整体的女性有益,它协调了男性欲望的满足。“谁又是一夫一妻论者呢? 我们全都生活在多妻制之下,至少是暂时的,而且往往是有益的。”因为每个男人都需要多个女人,所以再合理不过的是他应当自由地,实际上是有义务去养活许多女人。

我们或许应当庆幸下一代人所跟随的是密尔而非叔本华。实际上,《妇女的屈从》作为自身成功的结果已经成为了过去。它在早期充当武器的战役久已取得胜利,至少在密尔为之写作的国度里是这样。密尔所拒斥的婚姻法已经长期被废止了,在所有的法律事务上,女性在每个方面都与男性取得了平等。我们不得不说,维多利亚时期对妇女施加的残酷禁锢之所以会走向终结,其原因与其说来自于密尔时代深重的焦虑,不如说来自于像艾略特和特罗洛普这样的小说家的叙述和对话作品。

相比照而言,密尔在《论自由》中所讨论的问题仍然最为重要,尽管当代自
280 由主义者在区分干涉个人自由的正当和不正当性时,与密尔有所不同。大多数自由主义者接受目标在于推动个人的舒适胜过于保护他人不受侵害的一套立法:比如,施加强制性的保障或给予保护性措施的法律。假如一个现代自由主义者认为其目标是为了保护个人不会变成社会的负担从而使这些法律合理化,而不是把它们看成旨在推进个人本身的健康和美好前景的法律,那么我们应当指出,给他人增加负担的贫穷和疾病的概率接纳了由纳税人的花费所提

供的整个社会服务网络的存在，对此，密尔的热心是有限的。

另一方面，密尔赞成将遭到多数现代自由主义者拒绝的对自由的诸多限制。例如，他认为，一个政府可以合法地限制家庭的规模，他以下述理由为根据把它与其自由主义原则相调和："在一个人口众多的、或者受到人口众多威胁的国家里，生育孩子超过了一个小数目，从而导致了由竞争所带来的劳动报酬降低的后果，这对所有以劳动收入为生的人们是一种严重的侵犯"(*L* 242)。许多自由主义者分享了密尔终生对通过避孕控制人口的措施所抱有的热情(他情愿因此入狱)。但是，当中国以立法的形式把家庭规模限制为一个孩子时，西方的多数自由主义者心怀恐惧地拒绝了它。

马克思论资本和劳动

在密尔撰写自由主义的思想经典的同时，在同一个城市里，马克思正在营造一个多世纪以来被视为自由主义最大敌人的共产主义理论。这一理论的基础是唯物主义：它主张每个时代里主导的经济生产和交换模式决定了社会的政治和思想历史。"物质生活的生产模式为普遍的社会、政治和思想生活过程提供了条件。不是人的意识决定着他们的存在，相反是他们的社会存在决定了他们的意识"(*CPE* p. x)。两种因素决定了历史的进程：生产力和生产关系。马克思用生产力来指生产资料、技术和制造一件成品必须付出的劳动；例 281
如小麦、石磨和磨坊工人全都是磨面必需的因素。另一方面，生产关系是控制这些生产力的经济安排，如石磨的所有权和工人的雇佣。生产关系不是恒定的；它随着技术的发展而发生变化。在手工磨面的时代，工人是封建主的农奴，被束缚在土地上；在蒸汽磨面的时代，工人则是资本家的流动雇员。生产关系不能随意选择；它们由生产力之间的相互作用来决定。假如它们在任何时候不适于生产力的发展,社会革命便会发生。

马克思把过去、现在和未来生产关系的历史划分为六个阶段,其中三个阶段是已经过去的,一个是现在的,两个是未来的。已经过去的阶段是原始共产主义、奴隶制和封建制。现在的关键阶段是资本主义。在资本主义不可避免地覆灭之后,未来将会是社会主义,最终共产主义会再次到来。

根据恩格斯所说,马克思认为,在早期的历史阶段,人类被组织成原始的共产主义部落,他们拥有土地而无私人财产,由一种母系制统治。然而,在铁器时代,社会变成了父系制,这使私人财富的积累成为可能,奴隶于是被引入社会当中。

奴隶制是经典古代社会的支配性经济特征。社会被划分为各个阶级:贵族和平民、自由人和奴隶。于是,阶级敌对的故事便开始了,后来它成为了人类社会的基本特征。希腊和罗马古典文化的繁荣只是意识形态上层建筑,它建立在阶级之间的生产关系之上。

随着领主和农奴、行会会员和熟练工之间关系的改变,古代世界让位于封建体系。同样,中世纪的哲学和宗教是一种由这个时代的经济体系所维系的意识形态上层建筑。从中世纪的农奴中产生了早期城市中特许的居民,这些居民便是最早的市民,即一个介于卑微的劳动者与高贵的土地所有者之间的
282 中产阶级。自法国大革命以来,市民社会战胜了贵族制。在封建社会废墟上产生的现代市民社会依然无法摆脱不同阶级的敌对关系。它只是在原来的位置上建立了新的阶级、新的压迫状况和斗争形式而已。

但是,我们所处的这个时代即市民时代拥有这些突出的特征:它简化了阶级之间的敌对关系。社会作为整体愈来愈分裂为两大敌对阵营,分裂为两大直接对立的阶级;资产阶级和无产阶级。(*CM* 3)

马克思相信他所处的这个资本主义社会到达了一种危机状态。资产阶级与无产阶级之间的对立将会变得越来越严重,并由此导致一种革命性的变革,

从而进入最后的社会阶段，先是社会主义阶段，所有财产都将归国家所有，在国家消亡之后则是共产主义。马克思坚持认为，资本主义社会正在经历的危机不是历史的偶然事实；它是资本主义本身的性质所致。他把这个结论建立在对经济价值的一种分析之上。

如何决定一件商品的价值？首先，我们说一件东西的价值是它与其他商品交换时的比率：1/4 英担的小麦值这么多的铁等等。但是，某件东西的真实价值必须区别于它在与其他无数商品交换时产生的无数不同的比率。我们需要一种表达商品价值的方法，这个价值是所有在它们之间进行不同的个别交换时所共有的，但它又区别于这些交换。

> 因为商品可交换的价值只是那些东西的社会功用，它与自然品质没有任何关联，我们追问：什么是一切商品的社会实体？它就是劳动。要制造一件商品必须有一定数量的劳动投入其上，或者劳作其中。我不止是说劳动，而且在说社会劳动。一个为服务于当下使用而制造产品并自行消费的人，创造出了一个产品，而非一个商品。作为一个自给自足的生产者，他无需与社会发生关联。但是，要生产一个商品，一个人必须不仅要生产出满足某种社会需要的东西，而且其劳动必然形成了社会所花费的劳动总量的一部分。它必须从属于社会内部的劳动分工。（*VPP* 30）

为了估定一个商品的价值，我们应当把它看成是劳动结晶的一部分。如何衡量劳动本身？通过劳动经历的时间。一方丝绸手巾之所以比一块砖头更值钱，因为制造它所需的时间长于制造一块砖头所需的时间。马克思这样来表述他的理 283
论："一件商品的价值与另一件商品的价值之间的关系就如同固着在一件商品上的劳动数量与固着在另一件商品上的劳动数量之间的关系一样"（*VPP* 31）。

两种资质必须被纳入到这一简单的方程式当中。一个懒惰或不熟练的工人制作一件商品所需的时间要长于一个精力充沛和技术熟练的工人:难道这意味着他的产品就更昂贵一些吗?当然不是:当我们说固着在一件商品上的劳动时,我们是指一位拥有平均的精力和技艺的工人制造一件商品时所必须花费的时间。此外,我们还必须把先期用来加工商品的原材料所需的劳动和技术投入计入方程式当中。

> 例如,一定数量棉纱的价值是在纺织过程当中附加在棉花上的劳动数量,先期花费在棉花本身上的劳动数量,在煤炭、石油和其他辅助材料上付出的劳动数量,以及在蒸汽机、纺锤、工厂建设等等上付出的劳动数量的结晶。(*VPP* 32)

当然,只有一定比例的纺锤价值将被计入特定数量的棉纱价值当中:精确的比例将取决于一个纺锤的平均工作寿命如何。

在特定时间里,一件商品的价值将取决于在这一时间里的普遍生产能力。假如人口的增长意味着不太肥沃的土地必须被开垦,那么农业产品的价值将会上涨,因为生产它们需要付出更多的劳动。另一方面,如果电力纺车的引入使生产一定数量的棉纱比从前容易两倍,那么棉纱的价值则会相应地有所降低。

当价值表现为货币时,它被称为价格。因为劳动本身拥有价格,它也必然拥有价值。但如何来规定这个价值呢?要回答这个问题,我们必须注意到劳动者出卖给雇主的东西并不是真实的劳动,而是其劳动力。假如一周60小时的劳动能让他得到10英镑的报酬,那么他就把自己60个小时的劳动力卖出了10英镑。但是,我们如何计算劳动力本身呢?

> 与每一件其他商品一样,其价值取决于生产它所付出的必要劳动。一个人的劳动力只存在于其活生生的个体那里。一个人必然需要特定数量的

> 生活必需品来维持成长和生活。但是，人同机器一样是会衰竭的，它必须
> 由其他人来代替。在维系自身所需的必需品之外，他还需要额外数量的 284
> 必需品来抚养一定数量的孩子以便在劳动市场上替代他，从而使劳动者
> 群体得以永恒地持续下去。（*VPP* 39）

由此可知，劳动力价值取决于保持劳动者的生存、舒适和能够再生产所需要的花费。

为了揭示资本家是如何剥削劳动者的，马克思提请我们思考上述例证。假定生产用于维持劳动者一周生活的必需品需要付出20个小时的劳动。在这一例证当中，他将花费20小时生产足够维持其生活的价值。于是，在20小时之外，为了换取工资，他要额外工作40小时。马克思把这些时间称为“剩余劳动”（*surplus labour*），而把在这段时间生产出的产品称为“剩余价值”（*surplus value*）。正是剩余价值产生了资本家的利润。利润是产品价值（6天的劳动）与劳动者的工作价值（2天的劳动）之差。马克思说，这就好比是一周内有两天是在为自己工作，其余四天是为雇主付出的无偿劳动。

随着技术的发展，生产力水平也相应地得以提高，剩余价值也在增加，劳动者为换取工资而付出的劳动比例也逐步减小。一个工厂产出的剩余价值分别为从事租赁的地主、赚取利息的银行家和获取商业利润的企业家所分享。落入劳动者手中的所有东西只是为维持其生存所必需的一个小份额。

> 现代工业的发展必然会逐步把这种级差转向有利于资本家一方，以便对抗工人，因此，资本主义生产的普遍倾向不是提升，而是降低了平均工资的标准，或者把劳动力价值多多少少推向最小的界限。（*VVP* 61）

鉴于资本主义体系不可逆转的倾向，因此呼吁“付出一天公平的劳动就应获得

一天公平的工资”是徒劳的。只有彻底切断雇主与劳动者之间的现金链条，才能获得一种公平的劳动回报。

工资体系当中普遍存在的这种整体剥削注定会达到使无产阶级因无法忍受起而造反的地步。资本主义将会被无产阶级专政所代替，后者将取消私人财产从而进入一种社会主义状态。在社会主义状态中，生产工具将被完全掌握在中央政府手中。不过，社会主义状态本身将只是社会演化的一个暂时阶
285 段。它终将消亡从而为共产主义所代替，在这个社会中，个人利益和公共利益是一致的。与基督教思想家们长期以来对地狱的描绘要胜过于对天堂的描绘一样，马克思对19世纪资本主义邪恶的描绘比他对终极幸福的共产主义状态的描绘要更加生动。我们被告知的一切是，共产主义社会“将使我在今天做一件事情，明天做另一件事情成为可能，早上打猎、下午钓鱼、晚上养牛，撰写我心目当中的批评文字而不必成为猎人、渔夫、牧羊人或批评家”（*GI* 66）。

马克思对剩余价值的分析发人深思，其中包含着深刻的哲学洞见。但是，如果把它看成一种预言性的科学理论，这是马克思希望看到的情况，它则拥有一种致命的缺陷。它没有为我们提供任何理由来解释，为什么资本家就应当只是支付劳动者以必需的工资，无论其获取的利润如何可观。但是，上述主张是构成革命乃资本主义体系内部技术发展不可避免的后果这一观点的一个基本要素。如果马克思的假设是正确的，那么革命早就应该发生在那些技术最为发达，因此也是剥削活动进行得最为深重的国家里。实际上，第一次共产主义革命却发生在落后的俄国，而在发达的西欧国家里，雇主们马上就开始、而且也一直不断地支付给工人以远远超过其基本生计水平的工资。但是，公平地说，如果没有处在不幸状态当中的产业工人高涨的意识，那么对工人阶级状况的改善就不会发生，对此，马克思与恩格斯的著作作出了重要的贡献。

在受到马克思和恩格斯的启发而觉醒，继而从事写作的许多哲学家当中，最有影响的莫过于列宁（V. I. Lenin），1917年俄国革命的领袖。尽管列宁是两

部论述唯物主义及其认识论著作的作者,但他的影响不是通过哲学写作,而更多的是通过其作为共产党领导人的身份所造成的。与其他相信可以坐等资本主义不可避免地解体的俄国共产主义者相反,列宁坚持认为应当由暴力革命加速新秩序的生成。他认为,党应当由独断的精英来领导,后者的思想将会塑造经济的变化,而不被经济变化所塑造。苏维埃民主制应当以暴力,而不是以多数人按照大多数利益对少数人进行统治为标志。 286

马克思逝世之前以他为内容的一张明信片。

封闭与开放的社会

当其他国家不能成功效仿俄国的榜样反抗他们的资本主义统治者之时，人们便开始对列宁产生了异议，他用资本主义对殖民地进行的帝国主义剥削来解释马克思有关资本主义经济崩溃的预言的失败，殖民地成了剩余资本的
287 输入口和廉价劳动与原材料的源泉。众所周知，他说帝国主义是资本主义的垄断阶段。列宁的后继者约瑟夫·斯大林愿意把自己的任务看成是在一国之内保存社会主义，在1941—1945年间，共产主义精英的权力借助全民族与纳粹德国展开斗争的爱国主义热情被维系和保持下来。

无论是在希特勒的德国还是在墨索里尼的意大利都没有出现具有持久价值的政治哲学著作。不过，把两种意识形态统统归在“法西斯主义”标签之下是错误的。的确，无论是希特勒还是墨索里尼都是相信极权主义国家的民族主义独裁者，但是纳粹的主导思想是种族主义，而作为意大利法西斯主义核心学说的统合主义则与种族无关。统合主义旨在形成一种职业的社会组织，在这个社会组织当中，个人为了实现获取代表权的目标而按照其不同的社会功用聚集起来。统合主义将协调资本家、工人和教会之间的关系，以求避免导致革命的阶级冲突。这一政治信念不同于主张一个种族高于其他一切种族从而支配和消灭其他种族的思想。当然，希特勒与墨索里尼是战争同盟；但斯大林与丘吉尔也是如此。

然而，第二次世界大战的确也产生了一部政治哲学的经典之作：《开放的社会及其敌人》(*The Open Society and its Enemies*)，其作者是奥地利流亡者卡尔·波普尔(Karl Popper)。波普尔在这本书中主张，如果一个政治组织想得到长久的繁荣，那么它的制度就必须为自我批评保留最大的余地。正如科学

进步是通过对不充分的假设不断进行修正来实现的一样，社会只有在政策作为实验可以被评估和中断时才能取得进步。因此，有两件事情非常重要：被统治者应当拥有大幅度的自由以便对统治者制定的政策进行讨论和批评；如果统治者不能推进公民的福利，就应当在没有暴力和流血的情况下使统治者的更换成为可能。这些是开放社会的核心特征，它们更多的是民主社会的重要因素，而非选举一个由多数人统治的政府。开放的社会是与战时的德国、意大利和俄国所实行的中央集权政策相反的一个极端形态。

但是，波普尔并不排斥一切形式的政府干预。没有节制的宽容会导致不宽容，没有约束的资本主义会导致无法接受的贫困水平。引发不宽容的行为因此应当被视为犯罪，国家必须保护经济上的弱小者不受经济上的强者所侵害。 288

> 这自然意味着不干预原则、没有约束的经济体系原则必须被放弃；如果我们想要得到保护，那么我们就必须要求无限制的经济自由为国家有计划的经济干预所代替。我们必须要求无约束的资本主义让位于一种经济干预主义。(*OSE* ii. 125)

无限制的经济自由无论如何在术语上都是一个矛盾：劳动市场上的无限制自由不能与工人无限制的自由合并一处。

在这部两卷本著作当中，波普尔攻击了被他视为开放社会之敌的两位哲学家，柏拉图和马克思。他对某些柏拉图式的政治制度的细致批评，或许只是对本杰明·周伊特(Benjamin Jowett)时代以来英国大学中对《理想国》盲目崇拜的一个修正而已。但他对马克思的批评则更为有效且更具影响力。波普尔的主要攻击目标是马克思的信念，即他本人发现了决定人类未来的科学规律，以及以铁一般的必然性导向不可避免之后果的倾向。波普尔揭示了《资本论》

发表之后的社会进程，这实际上证实了马克思做出的许多特定科学预测都是错误的。

马克思的决定论只是波普尔在晚期著作《历史决定论的贫困》（*The Poverty of Historicism*，1957）中抨击的一种更为普遍的错误例证。“我用‘历史决定论’来指一种社会科学方法，它假设历史预言是其主要的目标，假设通过发现支配历史演化的‘节奏’或‘模式’，‘规律’或‘潮流’来达到这一目标。”除了马克思主义之外，早期基督教对“基督复临”的信念、启蒙运动对于人类进步的不可避免性的信念都为历史决定论提供了例证。波普尔表明，历史决定论的所有形式都可以被一个简单的论证所驳斥。除了其他东西之外，未来所采取的形式将取决于科学进步所采取的形式。因此，假如我们要预言社会的未来，我们就必须预言科学的未来。但是预测一个科学发现的性质在逻辑上是不可能的；真要如此做就必须做出这一发现。因此，历史决定论是不可能的，我们在历史、现在和未来中所发现的唯一意义是由人类的选择通过随意、偶然和不可预见的方式所给予的。

为多数西方国家所追求的自由民主制度设定一种整体结构，这种最持久
289 的尝试是由约翰·罗尔斯在《正义论》（*Theory of Justice*，1971）一书中做出的。罗尔斯论道，功利主义不足以为自由国家提供一个基础，因为它把福利置于正义之前，忽视了被他称之为“权利高于善的优先地位”。“每个人都拥有一种不可侵犯性，它建立在即使是福利国家作为整体也不能逾越的正义之上。因此，在一个正义的社会里，由正义提供保障的权利不能屈从于政治交易或社会利益”（*TJ* 66）。作为给不可让渡的自由所提供的一个基础，罗尔斯提出了一种新型的社会契约来代替功利主义，这是类似于一种思想实验的思想契约。

想象在尚未有任何社会制度存在的情况下，我们起初全都是平等的。在这一“原初立场”上，我们忽视了将决定我们在有待设计的社会中所占据的立场这一事实。我们不知道我们的种族、性别、宗教、阶级、才干和能力；我们甚

至无法知道我们将如何构想我们的美好生活。在这个“无知之幕”当中，我们将以一种理性的欲望为基础制定一部宪法来推进我们自身的目标和利益，无论其结果如何。由于我们忽视了把我们与他人区分开来的因素，于是在想象的立场上，我们被带入对每个人命运的平等关注当中。

罗尔斯认为，宪法建构的参与者将选择遵从两条正义原则。第一条原则是，每个人均应当有权享有最宽泛的基本自由，这种自由与一种类似于所有人的自由相契合。第二条原则是，社会和经济方面的不平等被附着在公共的机构和职位上面，这些公共机构和职位在公平竞争当中面向所有人开放，这些不平等只有在其安排有益于境遇最差者时才是合理的。假如两个原则相互冲突，那么平等自由的原则要超越于机会平等原则之上。

在罗尔斯看来，没有人站在原初立场上会赞同包含奴隶制的一个体系，因为他害怕当无知之幕打开之际他会发现自己是个奴隶。但是，他也运用他的两条原则来处理一些富有争议的课题，如隔代的正义和公民的不服从问题。他坚持道，在一个多元的社会当中，很难有机会在伦理学上达成完全的一致；我们最希望的事情是建构一套共享的价值。然而，通过对我们的道德判断进行讨论、反思和调整，罗尔斯希望我们或许会在伦理课题上达成被他称之为“一种重叠共识”的东西。 290

罗尔斯抱定的目标是一种“反思的平衡”状态。不同公民的最初直觉会彼此冲突，实际上，一个单独个人的多重直觉的确也会出现不一致。不过，如果我们对这些直觉进行反思，努力把它们表述为可以辩护的原则，我们就会接近于一致和共识。当我们尽最大的努力去处理那些不愿服从我们所制定的规则的直觉时，我们就会希望为我们自己和我们的社会制定出比以往更加和谐的一套道德原则。

第十二章

上帝

信仰与异化

黑格尔将其体系视为哲学真理的一种成熟而确定的 291
呈现，它们在世界宗教中被赋予了流动和神秘的表达。在19世纪上半叶，反对黑格尔处理宗教方式的两种重要力量来自于哲学指南针的对立两极。路德维希·费尔巴哈（Ludwig Feuerbach，1804—1872）认为黑格尔过于同情宗教，索伦·克尔凯郭尔（1813—1855）则认为他对宗教抱以粗鲁的鄙视态度。

在批评黑格尔时，费尔巴哈运用了黑格尔的异化概念，即人们在其中把实际上属于自己的部分当做陌生的东西加以处理的状况。其《基督教的本质》（*Essence of Christianity*）一书的基本思想是，上帝是人类心灵的一种投射。人类是最高形式的存在，然而他们却把自己的生命和意识投射进一个虚幻的天堂之中。人们承担着自己的本质，想象它脱离了自身的界限，将其投射进一个想象的超验领域，并崇敬地视之为一种特出的和独立的存在。“上帝作为上帝，就是说，作为一种无限的、非人的，不受制于物质的、非现象的存在，他仅仅是一个思想对象”（*EC* 35）。

无论黑格尔就精神谈论什么，对费尔巴哈来说，人的真实本质是一种物质性的存在和自然的一部分。他的名言是“人就是他所吃的东西。”但是人区别于其他的动物；标志上述重大差异的是他拥有宗教。依赖自然的意识使人在最初就神化了如树木和山峦这样的自然对象。当人意识到自己拥有理性、意
292 识和爱的时候，把上帝看做人格神的一神论思想便应运而生。在宗教当中，人沉思他自己潜在的本质，然而却把它看成自身之外的某种东西。

> 宗教把人同自身拆解开来；他把上帝设立在面前作为自己的反题。上帝并非人所是的东西——人也并非上帝所是的东西。上帝是无限的存在，人则是有限的存在；上帝是完美的，人则是不完美的；上帝是永恒的，人则是短暂的；上帝是万能的，人则是软弱的；上帝是神圣的，人则是有罪的。上帝和人是两个极端：上帝是绝对积极的，是一切现实的总和；人则是绝对消极的，包含着所有的否定。（*EC* 33）

费尔巴哈赞同黑格尔的看法，宗教代表人类自我意识的一个基本但不完善的阶段。但是，按照费尔巴哈的观点，黑格尔本人的哲学依然是另一种形式的异化：它是神学的最后避难所。通过把自然看成是理念所设置的东西，黑格尔的哲学为我们提供的只是一种被掩盖起来的基督教创世教义。我们必须把黑格尔颠倒过来，将哲学放置在唯物主义坚实的基石之上。

与黑格尔的异化学说相同，费尔巴哈对宗教和唯心主义的批判对马克思和恩格斯产生了很大的影响。但马克思不是把宗教而是把资本主义视为异化

的最大形式——货币是资本家崇拜的对象，而非上帝。马克思说，宗教是人民的鸦片。他的意思并不是说宗教是一种幻想（尽管他认为是这样），而是说来世的信念是一副必要的麻醉剂，它使资本主义制度之下的劳动变得可以忍受。“宗教的苦难同时也是现实的苦难，以及对现实苦难的一种抗议。宗教是被压迫者的叹息，是一个无情世界的感情和无灵魂状况的灵魂。它是人民的鸦片”（*EW* 257）。

尽管黑格尔和叔本华把传统宗教信仰看成哲学真理通俗的寓言和神话式呈现，这些哲学真理只为被启蒙了的精英们所理解，尽管费尔巴哈和马克思把它看成被异化意识的虚幻投射，但克尔凯郭尔却总是把信仰置于人类进步的顶峰，认为宗教领域高于科学和政治领域。他教导我们，伦理学必须严格地从属于崇拜。

自柏拉图《欧谛弗罗篇》（*Euthyphro*）出现以来的几千年里，哲学家们就不
断地围绕着宗教与道德的关系展开争论。一个行为的道德价值难道仅仅取决 293
于它是否被上帝规定或禁止？或者只是因为某些行为本身就是善的或者恶的才被上帝命令或禁止？托马斯·阿奎那（Thomas Aquinas）认为十诫所有的内容均出自于一种自然法，就连上帝也无法予以赦免。另一方面，邓斯·司各脱（Duns Scotus）主张上帝可以免于惩治谋杀的法律制裁，当他命亚伯拉罕牺牲以撒时，他便是这样来做的。①

在《恐惧与颤栗》（*Fear and Trembling*）一书中，克尔凯郭尔采取一种新的方法来处理这个棘手的话题。在讨论中，他选取创世纪中亚伯拉罕与以撒的故事作为测试的个案。

神要试验亚伯拉罕，就呼叫他说，亚伯拉罕，他说，我在这里。

---

①参见本书第一卷 291—292 页；第二卷 273—274 页。

神说，你带着你的儿子，就是你独生的儿子，你所爱的以撒，往摩利亚地去，在我所要指示你的山上，把他献为燔祭。

亚伯拉罕清早起来，备上驴，带着两个仆人和他儿子以撒，也劈好了燔祭的柴，就起身往神所指示他的地方去了。

到了第三日，亚伯拉罕举目远远地看见那地方。

亚伯拉罕对他的仆人说，你们和驴在此等候，我与童子往那里去拜一拜，就回到你们这里来。

亚伯拉罕把燔祭的柴放在他儿子以撒身上，自己手里拿着火与刀。于是二人同行。

以撒对他父亲亚伯拉罕说，父亲哪，亚伯拉罕说，我儿，我在这里。以撒说，请看，火与柴都有了，但燔祭的羊羔在哪里呢？

亚伯拉罕说，我儿，神必自己预备作燔祭的羊羔。于是二人同行。

他们到了神所指示的地方，亚伯拉罕在那里筑坛，把柴摆好，捆绑他的儿子以撒，放在坛的柴上。

亚伯拉罕就伸手拿刀，要杀他的儿子。(《创世记·22:1—10》)

在亚伯拉罕献以撒的意愿中无疑包含有某种英勇的东西——这个儿子让他一直等了80年才出生，在这个儿子身上寄托着亚伯拉罕对后世的所有希望。但是，从伦理上来说，他的行为难道不古怪吗？他情愿实施谋杀，违犯一个父亲爱儿子的职责，在此过程中欺骗最亲近他的人。

克尔凯郭尔提醒我们，圣经和古典文学为我们提供了其他的父母牺牲孩子的例证：阿加门农牺牲自己的女儿伊菲吉尼亚，以阻止诸神对希腊远征特洛伊城的诅咒，耶弗也放弃了自己的女儿以履行一个仓促做出的诺言，布鲁图宣判宝贝的儿子以死刑。所有这些牺牲都是为了一个共同体更好而做出的：从伦理上说，它们是个人为达成普遍的目标所做出的一种让步。但亚伯拉罕的

 294

古斯塔夫·多雷(Gustav Doré)在1866年创作的表现亚伯拉罕献以撒故事的绘画。

牺牲不属于这一类型;它是上帝与他本人之间的互动。如果他过去曾经像其 295
他人那样是一位悲剧英雄,那么,在来到摩利亚山上时,他就应当把刀子插入
自己的身体而不是以撒。相反,克尔凯郭尔告诉我们,他完全走出了伦理的领

域，其行为是为了实现一个更高的目标。

这样一种行为被克尔凯郭尔称为“伦理的目的论悬置”。为了更高的目的或 *telos*，亚伯拉罕的行为逾越了伦理秩序，外在于伦理秩序。一个道德英雄苏格拉底为了实现普遍的道德律而献出了自己的生命，亚伯拉罕的英雄主义在于他对一个单独的神圣命令的遵从。此外，其行为不只是一种放弃，如福音中的那个年轻的富人放弃他的财富一样：一个人对他的金钱没有像对他的儿子那样要履行职责，亚伯拉罕正是在违背职责中显示了他对上帝的服从。

那么，他的行为有罪吗？假如我们认为每一种职责均是对上帝的职责的话，那么他无疑有罪。但是，这样一种把上帝与职责等同的方式实际上抽空了对上帝本身履行职责这个观念的内容。

> 人类的整个生存像一个球体一样圆满，伦理同时是它的界限和内容。上帝成为一个正在消失的看不见的点，一种无力的思想。在伦理中，他所仅存的力量是生存的内容。假如一个人以任何方式、在任何意义上显示出他想要去爱上帝，那么他就是浪漫的，他爱一个幻象，假如这个幻象只拥有说话的力量，那么
> 296 它会对他说，“我不需要您的爱。待在您所在的地方”。（*FT* 78）

如果有一位上帝存在，他不止是一种职责的人格化，那么必定会有一个高于伦理的领域存在。如果亚伯拉罕像《圣经》所描述的那样是位英雄，那么这只能是从信仰角度取得的结果。“因为信仰是这样一种悖论，个别的东西要高于普遍的东西。”

上帝与个人的唯一关系可以凌驾于出自一般法则的承诺之上，假如我们接受这个要求，那么一个关键问题就出现了。如果一个人受到违反一个伦理法则的召唤，那么他如何区分这是真正的圣命或者只是一种诱惑呢？克尔凯郭尔认为，没有人能够告诉他；这就是亚伯拉罕之所以不让撒拉、以撒和他的

朋友们知晓其秘密计划的原因。信仰上帝的骑士有保持孤独的可怕责任。但是,他如何知道或证实一个真正的圣命?克尔凯郭尔只是强调信仰的跳跃是在盲视中进行的。在越来越多的人感到身负圣命去牺牲自己以尽可能多地杀戮无辜者的时代,亚伯拉罕不能提供一个标准来供人们区分真正的和欺骗性的召唤,这是困扰着我们的一件事情。

对此,克尔凯郭尔沉默并非出于无意。在《哲学残篇》(*Philosophical Fragments*)和《总结性的非科学性附笔》(*Concluding Unscientific Postscript*)中,他提出了许多例证,大意是说信仰并非任何客观推理的结果。他所说的宗教信仰形式是基督教信仰,即耶稣通过他死在十字架上的方式拯救了人类。这一信仰包含确定的历史因素,克尔凯郭尔问道:"把一种永恒的幸福建立在历史知识上是可能的吗?"他给出了三种否定性的论证。

第一,客观的研究不可能获得任何历史事件的确定性;总有疑问的可能性存在,无论这种可能性有多么小,我们从来也只能得个大概。但是,信仰没有为怀疑留下余地;它是拒绝可能出错的决心。概率的判断对作为永恒幸福基础的信仰来说是不充足的。因此,信仰不能建立在客观的历史之上。

第二,历史研究从来就没有最终完结:它总是被细化和修正,困难总是在不断出现而后又得到解决。"每一代人从前代人那里继承了方法根本不会出错的幻想,但广博的学者还依然没有获得成功。"如果我们把一个历史文献当做宗教介入的基础,那么这一介入必然会被无限地推迟。 297

第三,信仰必须是一种自我的热情奉献,而客观的研究则包含着一种中立的态度。由于宗教要求拥有激情,克尔凯郭尔认为信仰内容的不确切性不仅不是信仰的障碍,而且是信仰的基本因素。信仰者必须要包容风险,没有风险便没有信仰。"信仰正是个人内在的无限激情与客观不确定性之间的矛盾。"错误的风险愈大,信仰包含的激情就愈大。我们必须抛弃对信仰的所有理性支持,"以便让荒诞的事情处于彻底的明晰当中,为了让个人能够信仰,如果他愿意的话”(*P* 190)。

假如信仰的不确切性是衡量相信它的激情的尺度,那么被克尔凯郭尔称之为“无限个人激情”的信仰就必须拥有某种无限不确定的东西作为对象。如亚伯拉罕的信仰,也就是在他挥刀朝向以撒的那个时刻,他还继续相信对后世的神圣诺言。当上帝的天使召唤他住手时,他的信仰得到了回报:从干柴堆边被拉回来的以撒后来成了许多国家的创立者。

鲜有信基督教者愿意接受基督教无限不确切的说法,克尔凯郭尔也没有为不信基督教者提供任何动机来接受信仰,更不用说理由了。矛盾的是,其非理性主义不是在信教者那里,而是在20世纪的无神论者那里产生了最显著的影响。存在主义者如德国的卡尔·雅斯贝尔斯(Karl Jaspers)和法国的让-保罗·萨特被其下述主张所吸引:一个人要拥有真正的存在,他必须放弃林林总总的东西,通过向理性之外的盲目一跳来把握控制自身命运的力量。

约翰·斯图亚特·密尔的有神论

在《总结性的非科学性附笔》出版15年之后,约翰·斯图亚特·密尔的著作促使英格兰的宗教哲学发生了一种极为不同的转向。耶里米·边沁和詹姆士·密尔确信宗教教育并非约翰·斯图亚特·密尔所受教育的一部分。与此一致的是,密尔在自传中说,他是“在这个国家里那种没有抛弃宗教信仰,但从来也没有宗教信仰的人中的极少例子”。也许正是由于这一点,他才不像其他
298 许多功利主义者那样对宗教怀有敌意。在他死后发表的《宗教三论》(*Three Essays on Religion*)一书中,他对种种有关上帝存在与否的论证、对宗教信仰的正负面后果持一种鲜明的冷静态度。

在放弃有关上帝存在的本体论和因果论证的同时,密尔严肃地采用了设

计论证的方式，这是建立在经验基础上的唯一论证。“在我们知识的现阶段”，密尔说，“对自然的适应提供了有利于知性创造的一种巨大的概率平衡。”不过，他不认为证据就能够使一个全能和仁慈的造物主的存在成为可能。一个全能的存在无需采取手段来适应支撑设计论证的目的；一个渗透于我们在这个世界上所发现的邪恶之中的全能存在不会是仁慈的。我们不能如此看待传统基督教中的上帝。在对父亲的回忆中，密尔在自传中这样写道：

> (他常常说)想象一个制造地狱的存在——他用无谬的先知创造人类，因此也带有这样的意图，即他们当中的大多数人将遭受可怕的和永久的折磨。我认为，当这种关于一个崇拜对象的可怕观念不再被等同于基督教时，它最后的时刻就要来临近了；此时，一切拥有任何道德善恶感的人们带着与我父亲同样的愤怒来看待它。(*A* 26)

密尔认为，我们不能把任何人都看成是善的，除非他在我们的同类当中能够具有构成善的品质——“假如这样一个人能够因为我不称其为善而宣判我进入地狱，进入我愿意去的地狱的话”。

但是，即使地狱的观念被当做神秘的东西加以抛弃，那么我们所知道的这个世界上的罪恶，在密尔看来，也足以消除有关全能之神的观念。在对我们所生活的这个世界下判断之时，密尔的确是一位乐观主义者：“在造成人类苦难的一切巨大根源中，在很大的程度上，有许多完全能够被人类的关照和努力所征服”(*U* 266)。然而大多数人生活在苦难当中，如果这在很大程度上是因为人类的无能和善良意识的缺乏，那么这本身就与我们全都生活在万能之神统治下的说法相违背。

密尔的《有神论》(*Theism*)一文的结尾是：

> 于是，这些成了自然神学在神圣属性问题上的纯粹后果。一个拥有伟大但有限力量的存在，至于如何限制或被什么所限制，我们无从揣度；它拥
> 299 有伟大而无限的心智，但或许其力量比这更为有限，他愿望而且偶尔关注到了其创造物的幸福、但他似乎拥有为他所关怀的其他行为动机，他几乎不能被假定为只为了这个目的而创造了宇宙。这是自然宗教指向的神灵，一切比这更有吸引力的上帝观念均来自人的愿望，或者来自于或是现实的或是想象的启示教义中。(3*E* 94)

果如此，我们如何谈论希望或者说是宗教信仰呢？密尔说，宗教作为个人满足和高尚情感的源泉对个人是有价值的，这无可辩驳。某些宗教将赢得不朽的前景看做道德行为的一种刺激源。然而，这一期待建立在不可靠的基础之上；随着人性的进步，它将渐渐沦为一种不太具有说服力的前景。

> 在人类生活的一种高级的，首先是幸福的状态当中，不朽才是令人感到厌烦的思想，而非毁灭，这不仅仅是可能的，而且也是可信的；人性虽然乐于现时，无论如何也不能忍受对现时的离弃，在人性不能通过永恒性与一种有意识的存在联结起来，而它也不能确知自己是否总愿意保存这一有意识存在的思想当中，人性会感到幸福而不是悲伤。(3*E* 122)

创造与进化

在密尔上述文章面世的1887年，宗教信仰者受到的来自进化生物学的威胁要比经验主义哲学所带来的威胁更大。《物种起源》(*On the Origin of Species*)和《人类的由来》(*The Descent of Man*)在某些基督教圈子里引起了恐慌。据赫胥黎

(T. H. Huxley)本人报道，在1860年举行的不列颠学会会议中，牛津大主教曾经询问这位进化论者究竟是从父亲一边还是从母亲一边的类人猿那里演化而来的。他——据赫胥黎本人说——回答道，他宁愿选择一只类人猿作为祖父，也不愿选择一个滥用他的才能以巧言辞令的方式阻碍科学发展的人。

300

约翰·斯图亚特·密尔及其继女，她在密尔去世后发表了其论述宗教的著作。

达尔文进化论与基督教基要主义的争论一直持续到了今天。达尔文的理论显然与圣经七日创世说的字面解释相冲突。此外,进化过程所必需的时间
301 长度大大超过了6,000年这个为基督教基要论者所相信的宇宙年龄。但是,对圣经的非字面解释很久以前就被正统神学家圣·奥古斯丁接受,今天的许多基督徒也愿意接受地球或许已经存在十亿年之久的说法。达尔文主义的信念与原罪信仰之间的调和非常之难。如果生存竞争在人类进化之前就已经进行了十亿年,那么人们就不可能接受正是人的第一次反抗和禁树上的果实把死亡引入世界的说法。

另一方面,人们常常错误地说,达尔文不相信上帝的存在。就达尔文揭示的内容整体而言,自然选择的整个机制也许是造物主对宇宙的部分设计。我们人类是上帝所创造的信念从来都与我们是父母所生的信念并不矛盾;这也同我们是类人猿子孙的说法并无什么矛盾之处。

对上帝的存在,达尔文至多会有一种论证方式,即有机体对环境的适应展示了一个慈悲的造物主的技艺。但即使这也夸大了事实。唯一的论证方式遭到了达尔文拒绝,即凡是在与环境相适应之处,我们均会看到一位知性存在的直接活动。但是旧的设计论证方式并不要求这样;实际上,这是论证低等动物和自然之物没有心智的最初步骤。上述论证只是说,对这种适应的终极解释必须在知性中寻找;如果这一论证不合理,那么达尔文的成功只是在有待解释的现象及其终极解释之间插入了额外的一步而已。

达尔文主义留待解释的东西很多。个体物种起源于其较早的物种可以通过进化的压力和选择的机制来解释。然而这些机制不能被用来解释物种本身。因为自然选择的解释的一个出发点便是有真正繁殖的数量即物种的存在。

许多达尔文主义者声称,世界的起源和结构、人类生命和人类制度的出现已经在科学那里得到了充分的解释,它没有为任何非自然力量的存在留下任

何余地。达尔文自己则更为谨慎一些。尽管他认为没有必要在解释复杂的器官和本能的完美性之时，援引“尽管与人类的理性相似实则高于人类理性的手 302
段。”在《物种起源》第二版的许多地方，他显然为造物主保留了余地。面对来自地理学上的反对意见，达尔文为他的理论辩护道，地理学记录的不完备性“不能推翻由少数被创造出来的形式那里加以变形的演化理论”（*OS* 376）。他告诉我们，“从相似性出发我推导出，一切从来没有在地球上生长过的有机物均是从某个原始的形式演化而来，而造物主赋予了这一原始形式以生命的气息”（*OS* 391）。

实际上，达尔文把与我们所知道的神性行为模式的一致性视为其体系的优点：

> 就我的内心所想，世界上过去和现在的居民的出生和死亡应当基于次要的原因，如决定个人出生和死亡的因素，这与我们所知道的镌刻在物质上的造物主的法则更趋一致。当我不把一切事物看成是特殊的创造物，而看成是在希留利亚体系第一地质层形成之前很久就已经存活的某些为数不多的物种那里按照线形演化而来的物种，那么它们在我看来就变成了高贵的物种（*OS* 395）。

达尔文反对的并非创造物，而是特殊的创造物。

当新达尔文主义者声称达尔文的洞见使我们能够解释整体宇宙的形式之时，在以下三个主要论点上就出现了哲学上的困难：语言的起源、生命的起源和宇宙的起源。

就人类物种而言，从自然选择的角度来解释语言的起源存在一个特殊的困难之处，假如语言是一套习惯体系的话。以自然选择来解释特定人群当中的某一特征，这预设了这个特征在某人群当中的某些个体那里频频出现这个事实。自然选择或许倾向于拥有某一长度的下肢,因此长腿个体的繁衍或许超出了其他的个体。如果对特征所做的此类解释要成为可能,那么我们必须想到这一特征会在单独的个体那里出现。这里不存在把一个单独的个体描述成长有 n 米下肢的问题。但是,这里存在着一个附带此类思想的问题,即或许只有一个单独的人懂得如何运用语言。

303

在《物种起源》发表 22 年之后,《潘趣》年鉴于 1882 刊登的一幅以达尔文进化论为内容的画作。

声称人群当中运用语言的个体比不运用语言的个体更有优势,并且在人数上也超过了后者,以此来解释人类是如何开始运用语言的,这并不容易。这不仅仅是由于我们难以看到自发的改变如何能够产生出一个运用语言的个体;而且还因为我们难以看到在一个语言运用者共同体形成之前任何人是如何被描述成为一个运用语言的个体的。人类语言是由规则控制的集体行为,它完全不同于非人类的符号体系。假如我们对语言的社会和习惯本质有所反思,那么我们必然发现,在语言之所以会发展乃是由于使用语言者比不使用语
言者更具优势这一思想当中有着某种怪异的东西。其荒诞之处如同下面的想 304
法,即银行之所以会发展乃是因为那些生来就会写支票的人强于生来就不会写支票的人。

语言并非是从实验和错误中学习的结果,因为这些学习预设了连续的尝试所实现的或者说未能实现的固定目标(正如一只昏头昏脑的老鼠或许能找到或许找不到食物团一样)。然而,并不存在任何一个作为手段的语言所要达到的目标:一个人不能以获取语言为目标,因为他需要包含这个愿望的一种语言。

假如我们难以看出语言是如何由自然选择而产生的,那么要看出生命是如何由自然选择而来的也同样困难。无论自然选择在解释个别生物的起源方面如何成功,但它显然根本就无法解释物种这样的事物是如何形成的。达尔文本人从来也没有说他解释了这一点;他没有提供给我们一种有关生命起源的解释。

相比照而言,新达尔文主义者则往往告诉我们生命是如何发端的,他们去臆测某种原始有机液体发生的电学变化。这些解释与达尔文本人的进化论解释极为不同。新达尔文主义者试图把生命解释成为由非生物质与力量遵循纯物理规律而生成的东西。这些解释无论有多大的说服力,也都不是自然选择的解释。

自然选择与知性设计二者互不相容，这与自然选择和创世记故事之间的不容是相同的。尽管“知性设计”一语在政治圈里被用作对圣经基要主义的委婉说法，但是在一种超宇宙的知性观念当中，没有任何东西会使人们相信犹太一基督信仰，或者任何其他的宗教启示。当然，对于这样一种知性之可能性的讨论并非属于科学课堂上的内容；果如此，知性将不再是一种超宇宙的知性，而是自然的一部分。但这并不是哲学家为何不应对此加以认真思考的原因。

倾向于设置任何一种超宇宙力量的最根本原因，肯定是出于解释宇宙自身起源的需要。说上帝给“为什么有东西存在而非虚无”这个问题提供了答案，这是错误的。这个问题本身就不恰当：“没有东西存在”这个命题没有被给予一个前后一致的意义，因此，我们无需去追问为什么它是错的。并非宇宙的
305 存在召唤着我们做出解释，而是其生成的过程。当哲学家和科学家们乐于接受宇宙永恒存在的观念时，那么就不存在寻求其发生原因的问题，而只是存在着寻求解释其本质的问题。但当我们假定宇宙源于过去某个可以计量的时刻时，那么只是耸耸肩膀，拒绝寻求任何解释的做法将是怪异的。就一个平常的存在物来说，面对它不具备生成原因的轻佻说法，我们会感到不安。除非我们接受康德对理性加以限制的观点，否则，当某一存在物是与宇宙一样无所不在的东西时，放弃这一态度似乎是不理智的。

纽曼的宗教哲学

如果接受宇宙的起源需要某种外在于自身的解释，那么这本身并不足以导致对居于伟大的一元论传统中的上帝的信仰。按照某些信仰者的看法，这甚至也是不必要的。即使如约翰·亨利·纽曼（John Henry Newman）这样虔

诚的哲学家也会写道:“无神论在哲学上究竟是否与物理世界的现象一致,这的确是一个大问题,从后者本身来看,它是有关创造和管制力量的一种学说”(*US* 186)。

对于纽曼,正如他在《同意的文法》一书中所说,宗教信仰的合理化来源于与此迥异的资源。“信仰”在纽曼看来拥有一种非常精确的意义。信仰上帝不止是相信世上存在着一个上帝。信仰上帝没有必要完全介入上帝:马洛(Marlowe)的浮士德即使身在被诅咒的边缘依然相信会得到拯救。信仰与理性和爱形成了比照;能够使信念成为信仰的一种特征是,它是对上帝所启示的东西的一种信念,是对以上帝之言说出的命题的一种信念。这就是纽曼的信仰概念。它是一种天主教的概念,与我们在克尔凯郭尔那里遇到的路德宗概念不同。

如果把信仰理解为信念而不是介入,那么信仰便是一种思想而非意志和情感的运作。然而,这究竟是一种合理的思想运作,还是一种冒失的和非理性的运作?纽曼认为信仰建立其上的证据本身是脆弱的。它只能说服那些原本就同情于证据内容的人。 306

> 信仰并不要求证据如此充分……如同必须把信念建立在理性上面一样;为什么呢?由于下面的原因,即它主要是被事先的思考……事先的注意和定见,以及(在一种善意上的)偏见所动摇。有信念的心灵是基于自身的希望、恐惧和既有观点而行动的。(*US* 179—180)

纽曼非常清楚,他对内心准备之需要的强调或许会使人们觉得信仰看起来无非是一种随意的思想而已。但是,他强调证据与介入、与事先态度的重要性之间的不匹配不仅仅在宗教信仰当中存在,而且也同样存在于其他信念当中。

> 假定我们在大街上听到，或者在公共杂志中读到一则报道，我们对证据一无所知；我们不了解见证，或任何关于这些见证的事情：而我们有时会暗暗地相信它，有时却又不相信它。假如一则谣言在叙利亚或南欧的一场毁灭性的地震中传播，那么我们就会轻易地相信它；既因为它很容易就是真实的，也因为假如它是真的我们也无所谓。如果这则报道与我们邻近的国家相关，那么我们就应该追踪和确认它的真实性。直到事先推算的概率失败为止，我们不需要寻找证据。(*US* 180)

即使对信仰的接受并非如依赖于事先推算的概率那样依赖于证据，信仰也是合理的，针对纽曼的上述主张存在着两种反对意见。其一是，事先推算的概率或许同样适用于真实的东西和只是声称为真实的东西。它们不能为判断真正的和虚假的启示提供任何可以理解的尺度。

> 如果一种关于奇迹的主张恰好是由于它被提出来而为人所认可，那么印度和巴勒斯坦的奇迹为什么不这样呢？假如在特定的情形下，有关一个启示的抽象概率就是其真实性的尺度，那么在穆罕默德和使徒的情形中为什么不这样呢？(*US* 226)

纽曼，一个在面对批评自己的观点时无与伦比的雄辩之人，并没有就这一反对意见做出过一个令人满意的回应。

其二，关于在宗教信仰与我们在日常生活中予以认可的、即使根据并不充分
307 但仍为合理的信念之间存在着一种差异，这或许也会遭到反对。用纽曼自己的话来说，基督教"被人们接纳和支持为真实的，这是建立在其神圣性的根据之上，而非建立在内在的根据之上，它并非可能是真实的或者部分是真实的，而是绝对确定的知识，这种确定性是在任何一种其他东西均不可能确定的意义上而言

的。”在日常情形当中，我们常常准备去考虑与我们的信仰相违背的证据；但信仰宗教的人则采取了一种确定性，它容不得任何反对信条的东西存在。

纽曼对此的回应是，即使在世俗事物当中，我们也有理由把反对意见视做松散的幻象加以拒绝，无论一位固执的反对者多么顽固地坚持它们，也无论其本身通过一种多么顽固的想象表现出来。

> 我自然应当非常不宽容这样一种观念，即我将会在某一天成为法国的国王；我应当认为这过于荒诞而不能不令人发笑，在我能够以此为乐之前，我必然会发疯。假如有人劝我说，背叛、残酷和忘恩负义如同诚实和克制那样值得人们称赞，假如有人劝我说，一个生同奴仆死如牲口一样的人对未来的报应无所畏惧，我应当认为自己没有任何需要来听从他的规劝，除非我怀着转化他的希望，尽管当我拒绝进入其诡辩之中的时候，他会称我为固执己见的人和懦夫。

当然，另一方面，一位信教者会探究支持或反对其宗教立场的论证。这样做并不包含任何对信仰力量的削弱。然而，一个人的探究会不会导致他放弃自己的信仰？的确会这样，但是：

> 在我的研究过程当中，我关于颠覆我的信仰之可能性的模糊意识，在这些研究进行之时并不能干涉这一信仰的真诚性和确定性，正如同对我所乘坐的火车就要颠覆之可能性的认可是我就要经历这起如此之大灾难的一种意图证据一样。（*GA* 127）

在此，我们无需详细追述纽曼尽其所能地证明接受天主教是一个理智人之举的论证过程。他主张，犹太教和基督教在人类事务的变化无常当中艰难行进

的历史是一种标志着神圣性根源之可能性的现象。然而,纽曼承认,只有对某
308 些已经相信有一个审判世界的上帝存在的人来说才是如此。然而,相信上帝和末日审判的首要原因是什么?在回答这一问题时,纽曼对良心见证的援引非常有名:

> 如果我们做了错事,伤害到一位母亲之时,我们就会感到同样一种饱含热泪的、撕心裂肺的悲伤;如果我们做了正确的事情,我们就会同样享受到一种阳光般的宁静,同样一种平静的、满意的快乐,它伴随着来自父亲的夸赞,我们的内心中当然会有某些人的形象,我们把自己的爱和尊敬的目光投向他们,在他们的微笑中,我们发现了自身的幸福,我们渴望他们,向他们发出请求,他们的愤怒让我们震颤和逃遁。我们内心中的这些情感是对一种知性存在作为其激发原因的要求。(*GA*76)。

对弗洛伊德之后一代人们来说,在阅读到这一段落时他们很难不产生一种尖锐的不适感。在纽曼看来,这不仅仅是作为上帝存在之暗示的良心存在,即判断道德正误的良心存在。正如许多基督教哲学家和功利主义者所解释的那样,这样的审判可以被解释为从自然理性和常识那里得到的结论。纽曼声称,良心的感情色彩是对最高法官所发警示的回音。他所雄辩地加以描述的情感或许只有当一位父亲在天上之时才是恰当的。但是,没有任何情感可以在理性缺席的情况下保证其自身的适当性。

我们在前面已经注意到纽曼对信念的解释与弗雷格的相似之处。弗雷格本人对宗教哲学没有太大的兴趣。不过,《数学基础》的一个段落却对任何一个对证明上帝存在之可能性感兴趣的人显得非常重要。弗雷格指出了存在与数字之间的相似性。他说(*FA* 65),“对存在的确认无外乎于否认数字零。”他的意思是说,对存在的确认[如“天使存在”或“存在着(诸如)天使的东西”]

是一个概念(如天使)归属于对它的确认。而说一个概念归属于它就意味着归属这一概念的数字不是零。

弗雷格说,正是因为存在是概念的一种属性而不是对象,所以对上帝存在
所做的本体论证明才归于破裂。这就是说,“有一位上帝在”既不是上帝这个
概念的一个成分,也不是“只有一位上帝在”这个概念的一个成分。假如有一 309
位也只有一位上帝在,那么这不是上帝而是上帝这个概念的一种属性。

弗雷格的论证被许多后世的哲学家——包括伯特兰·罗素在内——视为对本体论论证的致命一击。但事情并非如此简单。弗雷格并没有表示,我们根本不可能像本体论论证那样从一个概念的成分推导出其属质的结论。弗雷格本人便从等边直角三角形的概念成分中推导出后者拥有数字零的属性。或许有人可以论证存在着这样的情形,即从一个概念的成分特征推导出存在或者唯一性。此外,如某些后来的逻辑学家们所做的那样,假如一个人准备既把事实的又把可能的对象纳入到他的本体论当中,那么存在实际上就成为了对象的属性:这正是使某些对象成为事实的而非可能的因素。

上帝之死与宗教的存活

在弗雷格对本体论论证的批评发表两年之后,尼采在《快乐的科学》(*The Gay Science*)一书中宣告了上帝的死亡,宣告了基督教上帝信仰的不可靠性。不过,他不是以一位哲学家的口吻,而是以一位福音主义者的口吻做出这番宣告的;他没有提出反驳某种主张的论证,只是宣告了好消息中最大的一个。“地平线最终自由地展现在我们眼前,即便它还并不明晰;至少大海,我们的大海在眼前敞开。”自此之后,基督教的上帝及其戒条和禁忌变成了阻碍人类生活走向圆满的最大羁绊。正是由于它已经死去,我们才能够自由地表达我们的生命意志。

尼采对那些——特别是在英格兰——在拒绝基督教信仰的同时又企图保留基督教道德的思想家们没有什么耐心。他尤其讥讽了"教化小女人"的乔治·艾略特(*George Eilot*),她从神学中解放出来之后抱定责任不放。

尼采说,基督教是一套体系,是对事物一套一致的和完整的看法。假如你打破了其中的一个主要概念即上帝信仰,那么你就摧毁了整个事物;你将一无所
310 有。基督教预先设定人们不知道也不能知道究竟什么对人类是好的东西,什么对人类是坏的东西:它相信上帝,认为只有上帝才知道这些事情。基督教道德是一种律令;其根源是超越性的;它超越于一切批评和所有的批评权力之上;只有当上帝是真理时它才是真实的——它随上帝信仰的兴衰而兴衰(*TI* 45)。

没有立法者的道德律观念是空洞的。英国人相信他们能够通过直觉来引导善恶,仅此就已表明他们依然居于被他们所抛弃的基督教的潜在影响之下。尽管一种健康的道德可以满足"生活的律令",但传统的道德却是反自然的,它对抗我们的生存本能。"在'上帝注视着内心'中,它拒绝了最低的和最高的生命欲望,宣告上帝是生命的敌人……称颂上帝的圣人是理想的阉人歌手……在'上帝王国开始的地方,生命便终止了'"(*TI* 23)。

一个正视尼采对圣人的批评的人是威廉·詹姆士。他看到,对于尼采来说,圣人只代表渺小但狡猾和平庸。他是老于世故的残疾人、堕落的极致、一个缺乏生命力的人;其无所不在地置人类于危险之中。詹姆士说,虽然尼采可怜的厌恶之情病态实足,但他对于两种理想之间的冲突的描述则是真实和重要的。詹姆士写道,"弗洛伊德的整个学说基本上行走于两极之间:究竟可见的世界,还是不可见的世界才是我们所调节的主要领域呢?在这个可见的世界里,我们的调节手段必然是攻击性的,还是非反抗性的?"(*VRE* 361)。詹姆士在1902年通过五篇吉福德(Gifford)讲演对圣人的价值进行了辩护。然而这一辩护却是有限度的。詹姆士说,"抽象地讲,圣人是最高的类型,但它在目前的环境当中或许会失败,于是,我们在自身陷于危境之时把自身塑造成了圣人。"(*VRE* 10)。

《宗教经验种种》(*The Varieties of Religious Experience*)一书并非一部哲学著作,对其所展现出来的效力,詹姆士是怀疑的,它也并非一部人类学著作,因为它不是建立在实地考察而是建立在书写材料之上。与印度的爱经一样,它把我们引向那些在宗教中寻求释放和满足之人的种种经验。(詹姆士不喜欢任何把宗教与性加以同化的做法。他写道,“鲜有比把宗教重新解释为性倒错更为无聊的构想了”;*VRE* 33)

在圣人品质之外,詹姆士研究了诸如罪感、转化经验以及神秘状态之类的
宗教现象。但对圣人性和转化的处理没有回答以下问题,即“神圣感是否呈现 311
出对客观真实的感觉?”詹姆士的结论是,神秘主义过于私人化和多样化,它不能寻求任何普适的权威。在系列讲演的最后,他追问了哲学能否践踏任何信徒的神圣感之真实性保障这一问题。

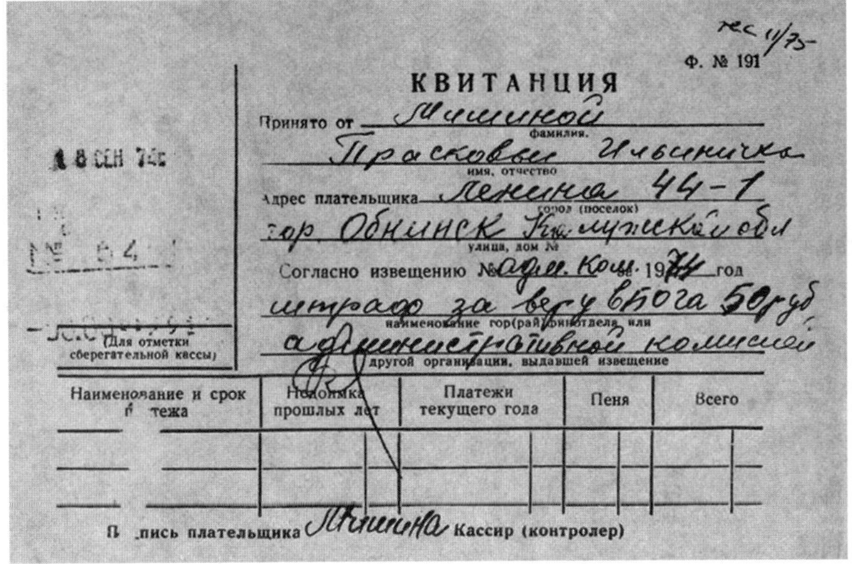

Ф. № 191

КВИТАНЦИЯ

Принято от Мишиной
фамилия.
Прасковьи Ильиничны
имя, отчество
Адрес плательщика Ленина 44-1
город (поселок)
гор. Обнинск Калужской обл
улица, дом №
Согласно извещению № адм. ком. 1974 год
штраф за веру в Бога 50 руб
наименование гор(рай)финотдела или
административной комиссии
другой организации, выдавшей извещение

(Для отметки сберегательной кассы)

Наименование и срок платежа	Недоимка прошлых лет	Платежи текущего года	Пеня	Всего

Подпись плательщика Мишина Кассир (контролер)

哲学家们长期以来就上帝存在的证据和反证进行讨论,但宗教的兴衰并不源于论证而是源于习惯与强制力。这是一张在苏联开具的因“信仰上帝”而受到处罚的罚金收据。

詹姆士在是否能从传统的上帝存在论证中汲取帮助这个问题上不抱希望,无论它是第一因论证、设计论证,还是从道德推导立法者的论证。他写道,"数千年来,对上帝存在的论证虽然不因经受了不信教者的批评风浪而完全失信于信教者,但从整体上来说,上述批评的风浪确实也渐渐地洗去了其连接点之间的黏合物"(*VRE* 420)。

詹姆士列举出神学家们在数世纪以来所努力建立的有关上帝的性质:源自自我的存在(自因性)、必要性、唯一性、精神性、形而上学的简单性、伟大性与无所不在性、全知全能性。詹姆士对待这些自然神学概念的方式是一种简洁的、并非无意义的实用主义者的方式。詹姆士怀着对皮尔士的敬意说,要展
312 开一种思想的意义,我们就需要决定什么是适于引发的行为,这种行为对我们来说是其唯一的意义所在。如果我们把这个原则应用于上帝的形而上学属性方面,我们便不得不承认它拆解了一切知性的含义。

> 以上帝的自因性为例;或其必要性;其非物质性;其"简单性"或其超越于我们在有限存在那里所发现的内在变化和连续性之上的优越性,其不可分割性,其缺乏介于存在与行为、实体与属性之间的区分,其可能性和现实性以及其他性质;其拒绝潜入一个天才那里;其现实化的无限性;其与自身具有的道德品质相分离的"位格",其与呈现为宽容而非正面的恶之间的关系;其自足、自爱、其蕴涵在自身之中的幸福——坦诚地讲,诸如此类的品质如何才能与我们的生活构成任何确定的联系?假如它们各自无需对我们的行为进行任何明显的调节,那么如何才能对一个人的宗教做出是真是假的本质区分呢?(*VRE* 428)

上帝的形而上学属性如此之多。然而,什么又是其道德品质如神圣、正义与仁慈呢?从实用主义的观点看来,它们的确拥有一种不同的根基:它们积极地决

定了恐惧、希望和期待，它们是神圣人生的基石。这些属性的确是有意义的；但独断论神学从来也没有做出过事实上从属于神的任何令人信服的论证。詹姆士认为，现代观念论永远地告别了独断论神学。

在结论部分，詹姆士坚持认为情感而非理性是宗教的起源。哲学的和神学的程式是次要的。哲学能做的一切是介入宗教经验的表述、比较其不同的表达方式，从这些表达中去除那些局部的和偶然性因素、在不同的信仰者中间充当中介、帮助他们达成观点的一致。神学家们对神圣属性的列举并非没有价值，但其价值是审美的，而非科学的。“属性赋予我们的献身以境遇和基调。它们就像一首赞美的圣歌和光荣的仪式一样，对于那些不可理解的东西来说，它们或许听起来更为崇高”（*VRE* 437—439）。

在科学和法律支配的世界里，还有祈祷者的余地吗？詹姆士区分了吁求的祈祷者和广义上的祈祷者。在吁求的祈祷者当中，他又进一步区分了祈求好天气的祈祷者和祈求病人恢复健康的祈祷者。前者是无用的，后者
不是必要的。“假如任何医学事实可以被认定为可靠的，那么祈祷者在特定 313
的情况下会有助于病人恢复健康，这应当被作为一种治疗方法加以鼓励”（*VRE* 443）。

从广义上说，祈祷者意为“与被视为神圣的力量进行内在的融合与交流”。詹姆士认为科学批评没有触及到它。事实上，其宗教经验研究得出的整体结果是“宗教在作为一种积极事物的任何地方都包含对理想在场的一种信仰，在我们以祈祷方式与之交融的过程当中，我们相信有某种工作被做了，有某种真实的东西发生了。”然而，这一信仰是真实的，或者它只是自前科学时代而来的一种过时的遗存？任何宗教的科学似乎对宗教本质是真实的这一主张既有敌意又有善意。

但是，詹姆士认为，科学不必成为最终的判断依据。宗教关怀个人及一己的命运，科学关注非人格和一般的命运。“科学承认的上帝必然只能是一位普

遍规律的上帝，是一位只做批发不做零售生意的上帝”（*VRE* 472）。但是，普遍的还是个别的，哪一个更为真实呢？按照詹姆士的看法，“只要我们在处理事关宇宙和普遍的事情，那么我们就只是在处理现实的符号而已，然而一旦我们处理私人的和切己的现象本身，那么我们就在处理最完全意义上的现实了”（*VRE* 476）。科学要求压制利己主义经验因素的主张是荒诞的。“关注个人的命运，由此与我们所了解的唯一绝对现实保持联系，宗教必须在人类历史当中扮演永恒的角色”（*VRE* 480）。

在结论部分，詹姆士愿意把宇宙的超级现实称为“上帝”。但他对上帝的正面解释非常含混；它类似于马修·阿诺德对上帝的定义，即“一切事物寻求满足其存在规律的潮流”或“一种造就正义的永恒力量，不是我们”。不过詹姆士的表述模糊性正是唯一需要期待的东西，因为他把宗教看成在本质上是关于情感的事情，它基本上不能得到表达。但是，这也使他的许多朋友感到失望，在这个话题上，他们把他看成是真诚与精确的模范。“他的愿望让他调暗了灯光”，他的老朋友奥利弗·温德尔·霍尔姆茨（Oliver Wendell Holmes）说，
314 “好给奇迹一个机会。”①

弗洛伊德论宗教幻觉

另一方面，弗洛伊德却想让这灯光照射到灵魂中那些黑暗的角落，以便为这个世界祛魅。他认为宗教是一种幻觉；他是在“幻觉”的准确意义上使用这个词的，即一种由人类愿望支配的信仰。对弗洛伊德来说，幻觉不必是错误的信仰，如欺骗一样，但它们是不受证据支配的信念，如果它们是真实的，那么这

①1910 年 9 月 1 日的信，转引自 Louis Menand, *The Metaphysical Club* (London: Flamingo, 2001), 436.

只不过纯属偶然而已。“举例来说，一个中产阶级的女孩总在幻想一位白马王子向她走来并与她成婚。这是可能的；也的确有不少这样的事情发生。”弗洛伊德的定义意味着，他能够主张宗教至少在理论上是一种幻觉，但它没有为宗教信仰的真值问题提供确定答案。他以为，这与弥赛亚终究会到来并建立一个黄金时代不同；然而宗教学说既不能被证伪也不能被证实。

在《一个幻觉的未来》(*The Future of an Illusion*) 中，弗洛伊德说宗教思想并非经验或逻辑推理的结果。

> 它们是幻觉，是最古老、最强烈和最迫切的人类愿望的满足。其力量的秘密在于那些愿望的力量……童年的无助所形成的可怕印象激发了受保护的需求——通过爱而得到保护——这种保护是由父亲提供的；对无助状况将会持续一生的认识使依赖父亲的存在成为必要，但这一次却是更为有力的认识。于是，出自神圣天道的一种仁慈统治抚平了我们对生活当中的危险的恐惧；一种道德世界秩序的建立会为正义要求的满足提供保障，而正义的需要在人类文明历程中往往得不到满足；世俗生存在未来人生中的延长为我们提供了这些愿望在其中得以满足的局部和暂时的框架。(*FI* 47—48)

弗洛伊德不承认他有任何拒斥宗教诉求的主张，他明确认为，人人都来关注宗教是否衰微的问题会更好一些。宗教在帮助驯化人类的本能方面做出了极大的贡献。但数千年以来，它步履蹒跚、进展甚微。没有证据表明人们在宗教学说被普遍接受时就会普遍感到更加幸福，而他们在道德方面也并不比今天的人们更好。科学精神的增长决定性地削弱了对宗教的坚守。“批评削减了宗教文献的证据价值，自然科学证实了其中的错误，比较研究惊异于我们所崇敬的宗教思想与原始人和原始时期的心灵产物二者之间致命的相似性。 315

(*FI* 63)”

弗洛伊德坚持认为,他对宗教的批评远没有借助于心理分析学说。但是,自《图腾与禁忌》(*Totem and Taboo*)在1913年发表以来,他就宗教道德的起源提出了一种心理分析叙述。他报道说,在洪荒时代,人们生活在部族当中,每一个部族均由奴役他人的原父所统治,他拥有所有的女人。直到有一天,人们聚在一起杀死了原父,并针对谋杀和乱伦设立了禁忌。原初的犯罪行为留下了罪责的遗传,于是,他们在想象中神化了被谋杀的原父,自此决心遵从于他的意志。从这个观点看来,宗教是普遍困扰着人类的精神疾病。

> 像困扰孩子们的精神病一样,它源自于俄狄浦斯情节以及和父亲的关系。如果这个观点是正确的,那么我们可以假定对宗教的一种背叛行为将伴随着不可避免的成长过程,可以假定我们发现自己正处在那一发展阶段中间的这个关节点上。(*FI* 71)

弗洛伊德告诉我们,现在应该是让智力理性运作的结果来替代压抑效应的时候了。但他所做的事情并非以科学替代宗教,而是以另一种神话代替了亚当堕落的神话,这种神话不比一种历史叙述更为可信。弗洛伊德晚年的著作降低而非增加了《图腾与禁忌》的可信度。在《摩西与一神教》(*Moses and Monotheism*)一书中,他主张发生在史前的原初谋杀在历史中重复出现过两次——一次是犹太人谋杀了摩西(他们现在这样做了吗?),另一次是他们谋杀了耶稣。于是,“在基督复活的故事中有一种真实的历史真理,因为他是复活了的摩西,其背后是归来的原始部族的原父,他被变形之后作为儿子被放在了父亲的位置上”(*SE* xxiii, 89—90)。

维特根斯坦之后的哲学神学

维特根斯坦在《逻辑—哲学论》中几乎没有提及上帝:无疑,这是对之必须保持沉默的事物当中的一个。维特根斯坦虽然在早期就放弃了天主教信仰,但他终生对待宗教的态度却非常严肃。在一战期间的一则笔记当中,他写道,"相信上帝,意味着看到生命拥有一种意义。"但相信上帝并非认同一种学说的 316
问题,福音书并没有为信仰提供一种历史基础。

> 基督教不是建立在一种历史真理基础上:它毋宁说是为我们提供了一种(历史的)叙述,并且说:现在请相信吧。不是以适宜于历史叙述的方式来相信这一历史叙述;而是无论深浅地去信,你只能把它当做是一种人生结果来相信。这里,你拥有一种历史叙述;不要以与你对待其他历史叙述相同的方式来对待它。在你的人生中为他留下一个非常不同的位置。(*CV* 32)

维特根斯坦最反对所谓宗教合理的想法,反对所谓其合理性是由被称之为自然神学的哲学门类所建立的思想。他认为,哲学不能给予人生以任何意义;它最好也只不过是提供了一种智慧形式而已。但是,与信仰的火热激情相比,智慧只是冷却的灰烬。

然而,尽管只有信仰而非哲学可以给予人生以意义,但这并非意味着哲学在信仰的领地中没有任何权力。信仰或许包含着说废话,哲学或许会指出这是废话。在《逻辑—哲学论》中,维特根斯坦敦促我们通过沉默规避废话,在返回哲学时,他这样说,"不要害怕说废话"(*CV* 56)。但是他也想附带说一句:

“你必须注意你所说的废话。”

逻辑实证主义者赞同宗教语言是废话的看法;然而他们却无法同意维特根斯坦给予它的那种悖论性的尊重。艾耶尔在《语言、真理与逻辑》中举出了一个尖锐的证据,说明宗教语言是无意义的,而且“上帝”也并非一个真正的称谓。他说,一个信教的人会说上帝是一种不能以任何经验性的显现加以定义的存在。但在此情形之下,“上帝”是一个形而上学术语:

> 说“上帝存在”是在进行一种形而上学的言说,它无所谓真假。以相同的标准来看,没有一个旨在描述一个超越性上帝的命题能够具有任何字面含义。
>
> 重要的是不要把宗教断言的观点与无神论者或不可知论者所采取的观点相混淆。一个不可知论者的特征是认为一个上帝的存在是一种可能性,其中不存在任何相信也好不相信也好的充足理由;一个无神论者的特征在于认为上帝的不存在至少是可能的。然而,我们就上帝本质所做的一
> 317 切言说是无意义的这个观点,就其远远无法与这些相似内容中的任何一条等同,或者甚至没有为其提供任何支持而言,实际上与它们是不相符的。因为假如有一个上帝存在的断言是无意义的,那么无神论者不存在上帝的断言则同样是没有意义的,因为只有针对一个有意义的命题,我们才可以进行有意义的反驳。(*LTL* 115)

多年以来,相信宗教的哲学家们不断受到反对宗教学说的证实主义论证的警告,他们在努力为宗教学说的意义进行辩护的同时并没有努力去揭示它们的真理。不过就在20世纪末期,一些自然神学家重新恢复了信心,其态度也不再那么戒备。这一阶段的代表人物是阿尔文·普兰丁格(Alvin Plantinga),他先后任教于大瀑布市的加尔文学院和诺特达姆大学。

举例来说,普兰丁格针就本体论论证提出了一套成熟的重述。在一个简本中,他的修正工作是这样做的:让我们从定义最优属性开始,即从一种包含全知全能和道德完善的属性开始。显而易见,假如上帝存在,那么他在现实世界里是最优的。然而,对上帝来说,最优并不充足:我们需考虑到在这个世界之外的世界。

> 膜拜上帝的人并不把他视为一种凑巧在这个世界上是最优的存在,而在另一个世界里则是无力的,或者是无知的,或者其道德品质是可疑的。我们可以在伟大和优秀之间做出区分;我们可以说一种居于某个给定世界W当中的存在是否优秀,仅仅取决于它在世界W当中的属性如何,而其在世界W当中的伟大则不仅仅取决于其在世界W中的优秀,而且还取决于它在其他世界当中是否优秀。因此,在一个给定的世界当中,伟大的限度只能为一种存在所享有,它既在世界W中,也在每一个其他可能的世界中拥有最大程度的优秀。①

因此,最大程度的伟大是在每一个可能的世界当中具备最大程度的优秀,而正是最大程度的伟人而非最大程度的优秀才与神圣性或上帝等同。任何拥有最大程度之伟大的东西必须存在于每一个可能的世界当中,因为在一个它不存在的世界当中,它不拥有任何属性。如果最大程度的伟大可能有实例,那么它在每一个世界里均有实例。果如此,那么它就可以在我们所生存的世界里,在
现实的世界里得到实例证实;这就是说,上帝被实例证实了,上帝存在。普兰 318
丁格的论证明显取决于可能世界这一工具的一致性,取决于为跨世界认同问题所寻求的一种解决方法。他认为自己找到了这样一种方法,他在自己的书

---

①Alvin Plantinga, *The Nature of Necessity* (Oxford:Clarendon Press, 1974),214.

中用相当长的篇幅来表述它。然而，我们也应当注意到，在一个可能的世界当中，而不是在一个可能的人那里，这个问题似乎并不那么迫切；向普兰丁格提出这样的问题似乎是愚蠢的："你所证明其存在的究竟是哪个上帝呢？"不过，正如普兰丁格本人指出的那样，整个论证取决下面这个前提的真实性，即最大程度的优秀可以被复制——这就是，用他的话来说，在某一可能的世界当中，它可以被复制。

伯特兰·罗素在《西方哲学史》中认为，曾经出现过哲学能够为核心问题提供确定答案的例证。他提出的一个例子是本体论论证。"这就是我们所看到的由安瑟伦发现，之后遭到托马斯·阿奎纳的拒绝，接着被笛卡尔接受，之后又受到康德的驳斥，最后由黑格尔加以重构的东西。我想，我们可以非常确定地说，作为对'存在'这个概念进行分析的结果，现代逻辑学已经证明这一论证是无效的"（p. 752）。普兰丁格通过运用比罗素更加现代的逻辑技术对这一论证的重构是一种充满敬意的警告，这是任何一位宣告一个哲学课题已经确定完结的逻辑史家都会面临的危险。

大事记年表

1757 Burke's *Enquiry into the Origin of our Ideas of the Sublime and Beautiful*

柏克的《关于崇高与优美思想之起源的哲学探讨》

1789 Bentham's *Introduction to the Principles of Morals and Legislation*

边沁的《道德与立法原则导论》

1790 Kant's *Critique of Judgement*

康德的《判断力批判》

1800 Wordsworth's *Preface to Lyrical Ballads*

华兹华斯的《抒情歌谣集序》

1841 Feuerbach's *Essence of Christianity*

费尔巴哈的《基督教的本质》

1843 Mill's *System of Logic*

密尔的《逻辑体系》

1844 Schopenhauer's *World as Will and Idea* (2nd edn.)

叔本华的《作为意志和表象的世界》(第二版)

1846 Kierkegaard's *Concluding Unscientific Postscript*

克尔凯郭尔的《总结性的非科学性附笔》

1848 Marx and Engels's *Communist Manifesto*

马克思与恩格斯的《共产党宣言》

1859 Mill's *On Liberty*; Darwin's *On the Origin of Species*

密尔的《论自由》;达尔文的《物种起源》

1867 Marx's *Capital*, vol. I

马克思的《资本论》第一卷

1870 Newman's *Essay in Aid of a Grammar of Assent*

纽曼的《同意的文法》

1872 Nietzsche's *Birth of Tragedy*

尼采的《悲剧的诞生》

1874 Sidgwick's *Methods of Ethics*

西季威克的《伦理学的方法》

1879 Frege's *Begriffsschrift*

弗雷格的《概念文字》

1884 Frege's *Grundlagen der Arithmetik*

弗雷格的《算术基础》

1887 Nietzsche's *Genealogy of Morals*

尼采的《道德系谱学》

1897 Tolstoy's *What is Art*?

托尔斯泰的《什么是艺术?》

1900 Freud's *Interpretation of Dreams*

弗洛伊德的《梦的释义》

1900—1901 Husserl's *Logical Investigations*

胡塞尔的《逻辑研究》

1905 Russell's *On Denoting*

罗素的《论指称》

1910 Russell and Whitehead's *Principia Mathematica*

罗素与怀特海的《数学原理》

1918 Wittgenstein's *Tractatus Logico-Philosophicus*

维特根斯坦的《逻辑—哲学论》

1927 Heidegger's *Sein und Zeit*

海德格尔的《存在与时间》

1929 *Wissenschaftliche Weltauffassung der Wiener Kreis*

《维也纳小组的科学世界观》

1936 Ayer's *Language, Truth and Logic*

艾耶尔的《语言、真理与逻辑》

1943 Sartre's *L'Être et le néant*

萨特的《存在与虚无》

1945 Popper's *Open Society and its Enemies*

波普尔的《开放的社会及其敌人》

1953 Wittgenstein's *Philosophical Investigations*

维特根斯坦的《哲学研究》

1957 Anscombe's *Intention*

安斯康姆的《意向》

1959 Strawson's *Individuals*

斯特劳森的《个体》

1960 Quine's *Word and Object*

奎因的《词语与对象》

1967 Derrida's *Grammatologie*

德里达的《论文字学》

1970 Davidson's '*Mental Events*'

戴维森的《心理事件》

1971 Rawls's *Theory of Justice*

罗尔斯的《正义论》

引用文献缩写

除非另外特别说明,著作是按页码征引的。

Anscombe(安斯康姆)

ERP *Ethics, Religion and Politics* (Oxford: Blackwell, 1981)《伦理学、宗教与政治》

Ayer(艾耶尔)

LTL *Language, Truth and Logic*, 2nd edn. (London: Gollancz, 1949)《语言、真理与逻辑》,第二版

Bentham(边沁)

B *The Works of Jeremy Bentham*, ed. John Bowring, 10 vols. (New York: Russell & Russell, 1962)《边沁著作集》

P *Introduction to the Principles of Morals and Legislation*, ed. J. H. Burns and H. L. A. Hart (London: Athlone, 1982); cited by chapter, section, and/or subsection《道德与立法原则导论》,按章节引用。

Brentano(布伦塔诺)

PES *Psychology from an Empirical Standpoint*, ed. Oskar Kraus, 2 vols. (Hamburg: Meiner, 1955)《从经验观点看心理学》

Collingwood（柯林武德）

PA *Principles of Art*（Oxford：Clarendon Press，1938）《艺术原理》

Darwin（达尔文）

OS *On the Origin of Species*，Oxford World's Classics（Oxford：Oxford University Press，1996）《物种起源》

Davidson（戴维森）

EA *Essays on Actions and Events*（Oxford：Oxford University Press，1980）《论行为与事件》

ITI *Inquiries into Truth and Interpretation*（Oxford：Oxford University Press，1984）《真理和阐释研究》

Derrida（德里达）

Diff. *Writing and Difference*，trans. Alan Bass（London：Routledge & Kegan Paul，1978）《书写与延异》

G *Of Grammatology*，trans. G. C. Spivak（Baltimore，Md.：Johns Hopkins University Press，1976）《论文字学》

P *Positions*，trans. A. Bass（Chicago：Chicago University Press，1981）《多重立场》

SP *Speech and Phenomena*（Evanston，III.：Northwestern University Press，1973）《声音与现象》

Engels（参看马克思）

Feuerbach（费尔巴哈）

EC *The Essence of Christianity*，trans. G. Eliot（New York：Harper，1957）《基督教的本质》

W *Sämtliche Werke*，12 vols.（Stuttgart：Bolin，1959—1960）《著作集》

Frege（弗雷格）

BLA *The Basic Laws of Arithmetic: Exposition of the System*, trans. Montgomery Furth (Berkeley: University of California Press, 1964)《算术的基本原理:体系论证》

CN *Conceptual Notation and Related Articles*, trans. T. W. Bynum (Oxford: Oxford University Press, 1972)《概念记号及其他论文》

CP *Collected Papers on Mathematics, Logic and Philosophy*, ed. B. McGuinness (Oxford: Blackwell, 1984)《数学、逻辑学和哲学论集》

FA *The Foundations of Arithmetic*, trans. J. L. Austin (Oxford: Oxford University Press, 1950, 1980)《算术基础》

PW *Posthumous Writings* (Oxford: Blackwell, 1979)《遗著集》

Freud（弗洛伊德）

EI *The Ego and the Id* (London: Hogarth Press, 1962)《自我与本我》

FI *The Future of an Illusion* (Garden City, NY: Doubleday, 1964)《一个幻觉的未来》

NIL *New Introductory Lectures on Psychoanalysis* (London: Hogarth Press, 1949)《新心理分析导论》

SE *The Standard Edition of the Complete Psychological Works of Sigmund Freud*, 24 vols. (London: Hogarth Press, 1981)《西格蒙特・弗洛伊德心理学著作全集标准版》

Husserl（胡塞尔）

CCH Barry Smith and David Woodruff Smith (eds.), *The Cambridge Companion to Husserl* (Cambridge: Cambridge University Press, 1995)《剑桥胡塞尔手册》

CM *Cartesian Meditations* (Dordrecht: Kluwer, 1988)《笛卡尔沉思》

Ideas *Ideas Pertaining to a Pure Phenomenology*, 3 vols. (Dordrecht: Kluwer, 1980, 1982, 1989)《纯粹现象学通论》

LI *Logical Investigations*, ed. J. N. Findlay, 2 vols. (London: Routledge, 2001)《逻辑研究》

James（詹姆士）

T *The Meaning of Truth* (New York: Prometheus Books, 1997)《真理的意义》

VRE *Varieties of Religious Experience* (London: Fontana, 1960)《宗教经验种种》

Kant（康德）

M *Critique of Judgement*, ed. J. C. Meredith (Oxford: Oxford University Press, 1978)《判断力批判》

Kierkegaard（克尔凯郭尔）

E/O *Either/Or*, trans. A. Hannay (Harmondsworth: Penguin, 1992)《非此即彼》

FT *Fear and Trembling*, trans. A. Hannay (Harmondsworth: Penguin, 1985)《恐惧与颤栗》

P *Papers and Journals: A Selection*, trans. A. Hannay (Harmondsworth: Penguin, 1996)《论文与日记选》

SD *Sickness unto Death*, trans. A. Hannay (Harmondsworth: Penguin, 1989)《致命的疾病》

Marx（马克思）

C *Capital*, ed. D. McLellan, Oxford World's Classics (Oxford: Oxford University Press, 1995)《资本论》

CM Karl Marx and Friedrich Engels, *The Communist Manifesto*, ed.

D. McLellan, Oxford World's Classics (Oxford: Oxford University Press, 1992)《共产党宣言》

CPE *Critique of Political Economy* (Moscow: Progress, 1971)《政治经济学批判》

EW *Early Writings* (Harmondsworth: Penguin, 1975)《早期著作集》

GI *The German Ideology*, ed. C. J. Allen (London: Lawrence & Wishart, 1920, 2004)《德意志意识形态》

TF *Thesis on Feuerbach* (New York: Prometheus Books, 1998)《论费尔巴哈》

VPP *Values, Price and Profit*, ed. E. M. Aveling (New York: International Publishers, 1935)《价值、价格与利润》

Mill（密尔）

3*E* *Three Essays* (London: Longman, 1887)《三篇论文》

A *Autobiography*, ed. J. Stillinger (Oxford: Oxford University Press, 1969)《自传》

CCM *The Cambridge Companion to Mill*, ed. J. Skorupski (Cambridge: Cambridge University Press, 1998)《剑桥密尔手册》

CW *The Collected Works of John Stuart Mill*, ed. John M. Robson, 33 vols. (Toronto: University of Toronto Press, 1963—1991)《约翰·斯图亚特·密尔选集》

L *On Liberty and Other Essays*, Oxford World's Classics (Oxford: Oxford University Press, 1991)《论自由及其他论文》

SL *A System of Logic*; many editions; cited by book and section number《逻辑体系》,多个版本,按卷次与章节引用。

U *Utilitarianism*, ed. M. Warnock (London: Collins, 1962)《功利主义》

Newman（纽曼）

GA *The Grammar of Assent*, ed. I. Ker (Oxford: Oxford University Press, 1985)《同意的文法》

US *University Sermons* (London: Rivington, 1844)《大学布道集》

Nietzsche（尼采）

BGE *Beyond Good and Evil*, trans. M. Faber, Oxford World's Classics (Oxford: Oxford University Press, 1998)《超越善恶》

BT *The Birth of Tragedy*, trans. S. Whiteside (Harmondsworth: Penguin1993, 2003)《悲剧的诞生》

GM *The Genealogy of Morals*, trans. D. Smith, Oxford World's Classics (Oxford: Oxford University Press, 1996)《道德系谱学》

TI *Twilight of the Idols*, trans. D. Langan, Oxford World's Classics (Oxford: Oxford University Press, 1998)《偶像的黄昏》

WP *The Will to Power* (New York: Vintage, 1968)《权力意志》

Z *Thus Spoke Zarathustra* (Harmondsworth: Penguin, 1961)《查拉图斯特拉如是说》

Peirce（皮尔士）

CP *Collected Papers of Charles Sanders Peirce*, 8 vols. (Cambridge, Mass.: Harvard University Press, 1931—1958)《查尔斯·桑德尔斯·皮尔士选集》

EWP *The Essential Writings of Charles Peirce*, ed. E. C. Moore (New York: Prometheus Books, 1998)《查尔斯·皮尔士基本著作集》

P *Pragmatism* (New York: Prometheus Books, 1997)《实用主义》

Popper（波普尔）

OSE *The Open Society and its Enemies*, 2 vols. (London, 1945)《开放的社

会及其敌人》

Quine

FLPV *From a Logical Point of View* (Cambridge, Mass.: Harvard University Press, 1953)《从逻辑的观点看》

WO *Word and Object* (Cambridge, Mass.: MIT Press, 1960)《词语与对象》

Rawls (罗尔斯)

TJ *A Theory of Justice* (Cambridge, Mass.: Harvard University Press, 1971)《正义论》

Russell (罗素)

A *The Autobiography of Bertrand Russell*, 1872—1916 (London: Allen & Unwin, 1967)《伯特兰·罗素自传》

AM *The Analysis of Mind* (London: Allen & Unwin, 1921)《心的分析》

IMP *Introduction to Mathematical Philosophy* (London: Allen & Unwin, 1917)《数理哲学导论》

PM *The Principles of Mathematics* (Cambridge: Cambridge University Press, 1903; 2nd edn., 1927)《数学原理》

PP *The Problems of Philosophy* (London: Oxford University Press, 1912)《哲学问题》

Ryle (莱尔)

CM *The Concept of Mind* (London: Hutchinson, 1949)《心的概念》

CP *Collected Papers*, 2 vols. (London: Hutchinson, 1949)《选集》

Sartre (萨特)

BN *Being and Nothingness*, trans. Hazel Barnes (London: Routledge, 1969)《存在与虚无》

EH　　*Existentialism and Humanism* (London: Methuen, 1947)《存在主义与人道主义》

Schopenhauer(叔本华)

EA　　*Essays and Aphorisms*, trans. R. J. Hollingdale (London: Penguin, 2004)《论文与格言集》

WWI　　*The World as Will and Representation*, trans. E. F. Payne, 2 vols. (NewYork: Dover, 1969); all quotations are from volume I.《作为意志和表象的世界》,所有引文出自第一卷。

Sidgwick(西季威克)

ME　　*Methods of Ethics* (London: Macmillan, 1901)《伦理学的方法》

Strawson(斯特劳森)

I　　*Individuals* (London: Methuen, 1959)《个体》

Tolstoy(托尔斯泰)

WA　　*What is Art*? (Oxford: Oxford University Press, 1966)《什么是艺术?》

Wittgenstein(维特根斯坦)

BB　　*The Blue and Brown Books* (Oxford: Blackwell, 1958)《蓝皮和棕皮笔记本》

CV　　*Culture and Value* (Oxford: Blackwell, 1980)《文化与价值》

NB　　*Notebooks* 1914—1916 (Oxford: Blackwell, 1961)《1914—1916 笔记》

OC　　*On Certainty* (Oxford: Blackwell, 1969)《论确定性》

PG　　*Philosophical Grammar*, trans. A. Kenny (Oxford: Blackwell, 1974)《哲学文法》

PI　　*Philosophical Investigations*, trans. G. E. M. Anscombe (Oxford: Blackwell, 1953, 1997); part Ⅰ cited by paragraph, part Ⅱ by page

《哲学研究》,第一部分按段落引用,第二部分按页码引用。

TLP *Tractatus Logico-Philosophicus* (London: Routledge, 1921, 1961); cited by paragraph《逻辑—哲学论》

Z *Zettel* (Oxford: Blackwell, 1967)《字条集》

参考文献

一般性文献

Routledge History of Philosophy (《劳特里奇哲学史》)包含了与本卷所描述时期相重叠的五卷,它们分别是 volume VI, *The Age of German Idealism*, ed. Robert Solomon and Kathleen Higgins(《德国唯心主义》); VII, *The Nineteenth Century*, ed. C. L. Ten(《十九世纪》); VIII, *Continental Philosophy in the 20th Century*, ed. Richard Kearney(《二十世纪大陆哲学》); IX, *Philosophy of Science, Logic and Mathematics in the 20th Century*, ed. S. G. Shanker(《二十世纪科学哲学、逻辑学与数学》); X, *Philosophy of Meaning, Knowledge and Value in the 20th Century* (《二十世纪意义哲学、知识与价值》); *Routledge Encyclopaedia of Philosophy* (《劳特里奇哲学百科学书》)也包含着本书在这里所处理的人物与话题的文章。

标有"AP"的著作出现在劳特里奇系列"哲学家们的论证"之中,标有"PM"的著作出现在牛津系列的"过去的大师"部分当中。

Copleston, F. C., *A History of Philosophy*, vols. vii-ix (London: Burnes Oates, 1963—1975)《哲学史》

Kenny, A., *A Brief History of Western Philosophy* (Oxford: Blackwell, 1998)《西方哲学简史》

——(ed.), *The Oxford Illustrated History of Western Philosophy* (Oxford: Oxford University Press, 1994)《插图本牛津西方哲学史》

Kneale, W. and M., *The Development of Logic* (Oxford: Oxford University Press, 1962)《逻辑的发展》

MacIntyre, Alasdair, *A Short History of Ethics* (London: Macmillan, 1966)《伦理学简史》

—— *After Virtue: A Study in Moral Theory* (London: Duckworth, 1981)《追求美德:道德理论研究》

Bentham (边沁)

The Collected Works of Jeremy Bentham, ed. J. H. Burns, J. R. Dinwiddy, and F. Rosen (London: Athlone, 1968—)《耶利米·边沁著作选集》

Introduction to the Principles of Morals and Legislation, ed. J. H. Burns and H. L. A. Hart (London: Oxford University Press, 1982)《道德与立法原则导论》

Dinwiddy, J. R., *Bentham* (Oxford: Oxford University Press, 1989)《边沁》

Harrison, Ross, *Bentham* (London: 1983) (AP)《边沁》

Hart, H. L. A., *Essays on Jurisprudence and Political Theory* (Oxford: 1982)《司法与政治理论论集》

Mill and Sidgwick (密尔和西季威克)

The Collected Works of John Stuart Mill, ed. John M. Robson, 33 vols. (Toronto: University of Toronto Press, 1963—1991)《约翰·斯图亚特·密尔选集》

Mill, *On Liberty*, Oxford World's Classics (Oxford: Oxford University Press, 1991)《论自由》

Mill, *Principles of Political Economy*, Oxford World's Classics (Oxford: Oxford

UniversityPress, 1994)《政治经济学原理》

The Cambridge Companion to Mill, ed. J. Skorupski (Cambridge: Cambridge University Press, 1998)《剑桥密尔手册》

Sidgwick, *Methods of Ethics* (1874); the most convenient edition is (London: Macmillan, 1901)《伦理学的方法》

Alexander, Edward, *Matthew Arnold and John Stuart Mill* (London: Routledge & Kegan Paul, 1965)《马修·阿诺德与约翰·斯图亚特·密尔》

Berlin, Isaiah, *Four Essays on Liberty* (London: Oxford University Press, 1969)《自由四论》

Crisp, Roger, *A Guidebook to J. S. Mill's Utilitarianism* (London: Routledge, 1997)《J. S. 密尔的功利主义指南》

Mackie, J. L., *The Cement of the Universe* (Oxford: Oxford University Press, 1973)《宇宙的凝聚》

Ryan, Alan, *The Philosophy of John Stuart Mill*, 2nd edn. (New York: Macmillan, 1988)《约翰·斯图亚特·密尔的哲学》

Schultz, Bart, *Henry Sidgwick*, *Eye of the Universe* (Cambridge: Cambridge University Press, 2004)《亨利·西季威克,宇宙的眼睛》

Skorupski, John, *John Stuart Mill* (London: Routledge, 1989) (AP)《约翰·斯图亚特·密尔》

Schopenhauer(叔本华)

叔本华的著作有多个德文版本,最新出版的是 *Werke in fünf Banden* , *Nach den Ausgaben letzter Hand*, ed. Ludger Lütkehaus,5 vols. (Zurich: Haffmans Verlag, 1988)《著作集五卷本,根据手稿整理》

其著作最常用的英译版本是 *The World as Will and Representation*, trans. E. F.

Payne, 2 vols. (New York: Dover, 1969)《作为意志和表象的世界》.

其他著作的英译本包括：

Essays and Aphorisms, trans. R. J. Hollingdale (London: Penguin, 2004)《论文与格言集》

Essay on the Freedom of the Will, trans. K. Kolenda (Indianapolis: Bobbs-Merrill, 1960)《论意志自由》

On the Fourfold Root of the Principle of Sufficient Reason, trans. E. F. Payne (La Salle, Ill.: Open Court, 1974)《论充足理由的四重根》

The Cambridge Companion to Schopenhauer, ed. Christopher Janaway (Cambridge: Cambridge University Press, 1999)《剑桥叔本华手册》

Gardiner, Patrick, *Schopenhauer* (Bristol: Thoemmes Press, 1997)《叔本华》

Hamlyn, D. W., *Schopenhauer* (London: Routledge & Kegan Paul, 1980) (AP)《叔本华》

Magee, Bryan, *The Philosophy of Schopenhauer* (Oxford: Clarendon Press, 1997)《叔本华的哲学》

Tanner, Michael, *Schopenhauer: Metaphysics and Art* (London: Phoenix, 1998)《叔本华:形而上学与艺术》

Kierkegaard（克尔凯郭尔）

丹麦语的克尔凯郭尔著作共有二十卷,前后共出过三版。由 Howard V. Hong 等人翻译的完整英译本分二十六卷由 Princeton University Press 出版。在英国, Penguin 出版社曾经出版过由 Alastair Hannay 翻译的多部克尔凯郭尔著作[*Fear and Trembling* (1985); *The Sickness unto Death* (1989); *Either/Or* (1992); *Papers and Journals: A Selection* (1996)]《恐惧与颤栗》(1985);《致

命的疾病》(1989);《非此即彼》(1992);《论文与日记选》(1996)

The Cambridge Companion to Kierkegaard, ed. Alastair Hannay and Gordon D. Marino (Cambridge: Cambridge University Press, 1998)《剑桥克尔凯郭尔手册》

Gardiner, Patrick, *Kierkegaard* (Oxford: Oxford University Press, 1998) (PM)《克尔凯郭尔》

Hannay, Alastair, *Kierkegaard* (London: Routledge, 1991) (AP)《克尔凯郭尔》

Pojman, Louis, *The Logic of Subjectivity: Kierkegaard's Philosophy of Religion* (Tuscaloosa:University of Alabama Press, 1984)《主体性的逻辑:克尔凯郭尔的宗教哲学》

Rudd, A., *Kierkegaard and the Limits of the Ethical* (Oxford: Oxford University Press, 1993)《克尔凯郭尔与伦理的界限》

Marx (马克思)

第一部完整的马恩全集是由东德政府在 1968 年组织出版的(*Marx-Engels Werke*)。这部全集的英文版由伦敦 Lawrence & Wishart 出版社开始出版,主要著作的英译本在 1974 至 1984 年出现在 Marx Library (New York: Random House; Harmondsworth: Penguin) (《马克思系列丛书》)中。

《资本论》的精简版本由 David McLellan 编辑,1995 年出现在 Oxford World's Classics (《牛津经典丛书》)中。

The Cambridge Companion to Marx, ed. Terrell Carver (Cambridge: Cambridge University Press, 1991)《剑桥马克思手册》

Berlin, Isaiah, *Karl Marx*, 4th edn. (Oxford: Oxford University Press, 1978)《卡

尔·马克思》

Kolakowski, Leszek, *Main Currents in Marxism*, trans. P. S. Falla, 3 vols. (Oxford: Oxford University Press, 1978)《马克思主义思潮》

Mclellan, David, *Karl Marx: His Life and Thought* (New York: Harper & Row, 1973)《卡尔·马克思:其生平和思想》

Singer, Peter, *Marx* (Oxford: Oxford University Press, 1980) (PM)《马克思》

Wheen, Francis, *Karl Marx* (London: Fourth Estate, 1999)《卡尔·马克思》

Darwin(达尔文)

On the Origin of Species 有多种版本,最著名的是 World's Classics《牛津世界经典丛书》和 Penguin Classics(《企鹅经典丛书》)版。近期对达尔文著作的哲学讨论出现在下列著作当中:

Ruse, M., *Taking Darwin Seriously: A Naturalistic Approach to Philosophy* (Oxford: Oxford University Press, 1986)《认真对待达尔文:哲学的自然主义方法》

Sober, Elliott, *Philosophy of Biology* (Oxford: Oxford University Press, 1993)《生物哲学》

Newman(纽曼)

纽曼的主要著作是 *An Essay in Aid of a Grammar of Assent* [ed. I. Ker(Oxford: Oxford University Press, 1985)](《同意的文法》)。还有一本由 Owen Chadwick 写得甚好的 *Past Masters biography* (Oxford: Oxford University Press, 1983)(《过往大师们的传记》)。

Grave, S. A., *Conscience in Newman's Thought* (Oxford: Oxford University

Press, 1989)《纽曼思想中的“良心”》

Nietzsche（尼采）

尼采著作的考订版本是由 G. Colli 和 M. Montinari 编辑的 *Kritische Gesamtausgabe Werke*（Berlin: de Gruyter, 1967— ）（《尼采全集考订版》）共分 8 部三十卷。一个更为简便的德文版本是由 Karl Schlechta 编辑的 *Werke in Drei Bänden*（Munich: Carl Hansers, 1965）（《三卷本尼采著作集》）。以下著作由 Walter Kaufmann 译为英文在 New York 的 Random House 出版：*Beyond Good and Evil*（1966）, *The Birth of Tragedy*（1967）, *On the Genealogy of Morals*（1967）, *The Gay Science*（1974）《超越善恶》（1966）；《悲剧的诞生》（1967）；《道德系谱学》（1967）；《快乐的知识》（1974）。包括 *Thus Spake Zarathustra*（《查拉图斯特拉如是说》）在内的其他尼采著作也出现在牛津古典丛书和企鹅古典丛书当中。

Danto, Arthur, *Nietzsche as Philosopher: An Original Study*（New York: Columbia University Press, 1965）《尼采作为哲学家》

Hollingdale, R. J., *Nietzsche*（London: Routledge & Kegan Paul, 1973）《尼采》

Schacht, R., *Nietzsche*（London: Routledge & Kegan Paul, 1983）《尼采》

Peirce（皮尔士）

皮尔士的八卷本论文集在 1931 至 1958 年间由 Harvard University Press 出版，编年体版本的编辑工作开始于 1982 年，由 Indiana University Press 出版。与此同时有两卷本论文集 *The Essential Peirce*, edited by N. Houser and C. Kloesel（Bloomington: Indiana University Press, 1992—4）（《皮尔士基本著作集》）和一卷本的 *The Essential Writings*, edited by E. C. Moore（NewYork: Prometheus Books, 1998）（《基本著作》）行世。

Brent, J., *Charles Sanders Peirce: A Life* (Bloomington: Indiana University Press, 1993)《查尔斯·桑德尔斯·皮尔士生平》

Hookway, Christopher, *Peirce* (London: Routledge, 1985) (AP)《皮尔士》

Frege（弗雷格）

最流行的弗雷格著作英文版为：

Conceptual Notation and Related Articles, trans. T. W. Bynum (Oxford: Oxford University Press, 1972)《概念记号及其他论文》

The Foundations of Arithmetic, trans. J. L. Austin (Oxford: Oxford University Press, 1950,1980)《算术基础》

Collected Papers on Mathematics, Logic and Philosophy, ed. B. McGuinness (Oxford: Blackwell,1984)《数学、逻辑学和哲学论集》

The Basic Laws of Arithmetic: Exposition of the System, trans. Montgomery Furth (Berkeley:University of California Press, 1964)《算术的基本原理:体系论证》

Dummett, Michael, *Frege: Philosophy of Language* (London: Duckworth, 1973)《弗雷格的语言哲学》

—— *The Interpretation of Frege's Philosophy* (London: Duckworth, 1981)《弗雷格哲学的解释》

—— *Frege: Philosophy of Mathematics* (London: Duckworth, 1991)《弗雷格的数学哲学》

Kenny, A., *Frege* (London: Penguin, 1995; Oxford: Blackwell, 2000)《弗雷格》

James（詹姆士）

The Principles of Psychology（1890）(《心理学原理》)曾经再版过多次。一个便捷的重印本是 Dover 出版的纸版本（2 vols. in 1; New York, 1950）. *Varieties of Religious Experience*（《宗教经验种种》）有多个版本行世，包括 1961 年由伦敦 Collier Macmillan 出版的本子。

Ayer, A. J., *The Origins of Pragmatism*（London: Macmillan, 1968）《实用主义诸起源》

Bird, G., *William James*（London: Routledge & Kegan Paul, 1987）（AP）《威廉·詹姆士》

British Idealists and Critics（英国观念论者与批评家）

Ayer, A. J., *Language, Truth and Logic*, 2nd edn.（London: Gollancz, 1949）《语言、真理与逻辑》

Bradley, F. H., *Appearance and Reality*（Oxford: Oxford University Press, 1893）《表象与现实》

—— *Ethical Studies*, 2nd edn.（Oxford: Oxford University Press, 1927）《伦理研究》

Green, T. H., *Prolegomena to Ethics*（Oxford: Oxford University Press, 1883）《伦理学导论》

McTaggart, *The Nature of Existence*（Cambridge: Cambridge University Press, 1910,1927）《存在的本质》

Moore, G. E., *Principia Ethica*（Cambridge: Cambridge University Press, 1903）《伦理学原理》

Baldwin, Thomas, *G. E. Moore*（London: Routledge, 1990）《摩尔》

Geach, Peter, *Truth, Love, and Immortality: An Introduction to McTaggart's Philosophy* (London: Methuen, 1979)《真理、爱和不朽:麦克塔戈特哲学导论》
Wollheim, Richard, *F. H. Bradley* (Harmondsworth: Penguin, 1959)《布拉德利》

Russell(罗素)

罗素大量著作中最重要的莫过于 *The Principles of Mathematics* (Cambridge: Cambridge University Press, 1903; 2nd edn., 1927)(《数学原理》); 'On Denoting', Mind, 14 (1905) (《论指称》常常重印); *The Problems of Philosophy* (Oxford: Oxford University Press, 1912) (《哲学问题》); *Our Knowledge of the External World* (London: Allen & Unwin, 1914) (《我们关于外部世界的知识》); *Introduction to Mathematical Philosophy* (London: Methuen, 1917) (《数理哲学导论》); *The Analysis of Mind* (London: Allen & Unwin, 1921) (《心的分析》); *Human Knowledge: Its Scope and Limits* (London: Allen & Unwin, 1948) (《人类知识:其范围与限度》)。

Ayer, A. J., *Bertrand Russell* (Chicago: University of Chicago Press, 1988)《罗素》
Pears, D. F., *Bertrand Russell and the British Tradition in Philosophy* (London: Fontana, 1967)《罗素与英国哲学传统》
Sainsbury, Mark, *Russell* (London: Routledge, 1979) (AP)《罗素》

Wittgenstein(维特根斯坦)

维特根斯坦的全部遗著均有电子版本,其组织者和出版者分别为 University of Bergen 和 Oxford University Press (Oxford, 1998). *Tractatus Logico-Philosophicus* (《逻辑—哲学论》)由 伦敦 Routledge& Kegan Paul 出版于 1921 年; D. F.

Pears and Brian McGuinness 的新译本发表于 1961 年. Wittgenstein 的其他著作在其死后均由牛津的 Blackwell 出版,其中包括 *Notebooks* 1914—1916（1961）(《1914—1916 笔记》); *Philosophical Investigations*（1953, 1997）(《哲学研究》); *Philosophical Remarks*（1966）(《哲学评论》); *Philosophical Grammar*（1974）(《哲学语法》); *Culture and Value*（1980）(《文化与价值》); *Remarks on the Philosophy of Psychology*（1980）(《心理学哲学评论》); *Last Writings on the Philosophy of Psychology*（1982, 1992）(《晚期心理哲学著作》); *On Certainty*（1969）(《论确定性》)。对其 *Philosophical Investigations* 的全面评注是由 G. P. Baker 和 P. M. S. Hacker 在 1980 至 1996 年间完成的。1994 年,他本人在 Blackwell 发表了以 *The Wittgenstein Reader*（《维特根斯坦读本》)为题的选集,该书的第二版在 2006 印行。

Anscombe, G. E. M., *An Introduction to Wittgenstein's 'Tractatus'*（London: Hutchinson, 1959)《维特根斯坦〈逻辑—哲学论〉导论》

Kenny, A., *Wittgenstein*（Harmondsworth: Penguin, 1973; Oxford: Blackwell, 2006)《维特根斯坦》

Kripke, Saul, *Wittgenstein on Rules and Private Language*（Oxford: Blackwell, 1982)《维特根斯坦论规则和私人语言》

Pears, David, *The False Prison*（Oxford: Oxford University Press, 1997, 1998）《错置的监狱》

Rundle, Bede, *Wittgenstein and Contemporary Philosophy of Language*（Oxford: Blackwell, 1990)《维特根斯坦与当代语言哲学》

Analytic Philosophy（分析哲学）

P. M. S. Hacker 在 *Wittgenstein's Place in Twentieth Century Analytic Philosophy*

(Oxford: Blackwell, 1996)(《维特根斯坦在20世纪分析哲学中的位置》)一书中做了精彩的概述。单个分析哲学家的重要著作列举如下:

Anscombe, G. E. M., *Intention* (Oxford: Blackwell, 1957)《意向》

Austin, J. L., *How to Do Things with Words* (Oxford: Oxford University Press, 1961)《如何用词语做事》

Davidson, Donald, *Essays on Actions and Events* (Oxford: Oxford University Press, 1980)《论行为与事件》

—— *Inquiries into Truth and Interpretation* (Oxford: Oxford University Press, 1984)《真理和阐释研究》

Føllesdal, Dagfinn, *Referential Opacity and Modal Logic* (London: Routledge, 2004)《指称的模糊性与模态逻辑》

Geach, Peter, *Mental Acts* (London: Routledge & Kegan Paul, 1958)《心理事件》

Quine, W. V. O., *From a Logical Point of View* (Cambridge, Mass.: Harvard University Press, 1953)《从逻辑的观点看》

—— *Word and Object* (Cambridge, Mass.: MIT Press, 1960)《词语与对象》

Rawls, John, *A Theory of Justice* (Cambridge, Mass.: Harvard University Press, 1971)《正义论》

Ryle, Gilbert, *The Concept of Mind* (London: Hutchinson, 1949)《心的概念》

—— *Collected Papers* (London: Hutchinson, 1949)《论文集》

Strawson, P. F., *Individuals* (London: Methuen, 1959)《个体》

Freud(弗洛伊德)

弗洛伊德的著作收入了由 A. Freud 等人编辑的德文版 *Gesammelte Werke*, (Frankfurt am Main: S. Fischer Verlag, 1960—87)(《全集》)中。英文版有 *The*

Standard Edition of the Complete Psychological Works of Sigmund Freud, 24 vols. (London:Hogarth Press, 1981)(《弗洛伊德心理学著作全集标准版》)。其最重要的著作收入由 A. Richards 和 A. Dickson 编辑的 *The Penguin Freud Library*《企鹅弗洛伊德丛书》。

The Cambridge Companion to Freud, ed. J. Neu (Cambridge: Cambridge University Press,1991)《剑桥弗洛伊德手册》

Gay, P. , Freud: *A Life for our Time* (New York: Norton, 1988)《为我们时代的一生》

Lear, Jonathan, *Freud* (London: Routledge, 2005)《弗洛伊德》

Rieff, P. , Freud: *The Mind of the Moralist* (Chicago: Chicago University Press, 1979)《道德论者的心智》

Wollheim, R. , *Sigmund Freud* (Cambridge: Cambridge University Press, 1971)《弗洛伊德》

—— and Hopkins, J. (eds.), *Philosophical Essays on Freud* (Cambridge: Cambridge University Press, 1982)《弗洛伊德哲学论集》

Husserl (胡塞尔)

胡塞尔著作考订版的编辑工作始于 1950 年 *Cartesianische Meditationen*(《笛卡尔沉思》)一书的出版,迄今已出了二十八卷,其编者最初是 Leo van Breda,后来改为 Samuel Ijsseling,现由 Kluwer (Dordrecht)出版。最有用的英译本是 *Logical Investigations*,trans. J. N. Findlay, 2nd edn. (London: Routledge, 2001)(《逻辑研究》); *Ideas Pertaining to a Pure Phenomenology and to a Phenomenological Philosophy*, First Book, trans. F. Kersten (The Hague: Nijhoff, 1982)

(《纯粹现象学通论·第一卷》); Second Book, trans. R. Rojcewicz and A. Schuwer (Dordrecht: Kluwer, 1989) (《纯粹现象学通论·第二卷》); Third Book, trans. T. E. Klein and W. E. Phol (Dordrecht: Kluwer, 1980) (《纯粹现象学通论·第三卷》); *Husserl, Shorter Works*, ed. and trans. P. McCormick and F. Elliston (Notre Dame, Ind.: University of Notre Dame Press, 1981) (《短论集》)。

The Cambridge Companion to Husserl, ed. Barry Smith and David Woodruff Smith (Cambridge: Cambridge University Press, 1995)《剑桥胡塞尔读本》.

Bell, David, *Husserl* (London: Routledge, 1989) (AP)《胡塞尔》

Dreyfus, H. L. (ed.), *Husserl, Intentionality and Cognitive Science* (Cambridge, Mass.: MIT Press, 1982)《胡塞尔、意向性与认识科学》

Mohanty, J. N., and McKenna, W. R. (eds.), *Husserl's Phenomenology: A Textbook* (Lanham, Md.: Centre for Advanced Research in Phenomenology, 1989)《胡塞尔现象学教材》

Simons, Peter, *Philosophy and Logic in Central Europe from Bolzano to Tarski* (Dordrecht: Kluwer, 1992)《从布伦塔诺到塔斯基的中欧哲学与逻辑学》

Heidegger(海德格尔)

计划中的 *Gesamtausgabe*(《全集》)约有一百卷。其中约七十卷已由 Klostermann (Frankfurt am Main)出版。其主要著作的英译本包括:*Being and Time*, trans J. Stambaugh (Albany, NY: SUNY Press, 1996)(《存在与时间》); *Basic Writings*, ed. D. F. Krell (New York: Harper & Row, 1977)(《基本著作集》); *What is Philosophy?*, trans. W. Kluback and J. T. Wilde (New Haven, Conn.: College & University Press, 1958)(《什么是哲学》)。

The Cambridge Companion to Heidegger, ed. C. Guignon (Cambridge: Cambridge University Press, 1993)《剑桥海德格尔手册》

Dreyfus, H. L., *Being-in-the-World: A Commentary on Heidegger's 'Being and Time'* Division I (Cambridge, Mass.: MIT Press, 1991)《在世界之中存在:海德格尔〈存在与时间〉评注》

Mulhall, Stephen, *On Being in the World: Wittgenstein and Heidegger on Seeing Aspects* (London: Routledge, 1990)《论在世界之中存在:维特根斯坦和海德格尔论视觉方面》

Pöggler, Otto, *Martin Heidegger's Path of Thinking*, trans. D. Magurshak and S. Barber (Atlantic Highlands, NJ: Humanities Press, 1987)《海德格尔的思想之路》

Steiner, George, *Martin Heidegger* (Chicago: University of Chicago Press, 1987)《海德格尔》

Sartre (萨特)

La Nausée (Paris, 1938), trans. Robert Baldick as *Nausea* (Harmondsworth: Penguin, 1965)《恶心》

L'Être et le néant (Paris, 1943), trans. Hazel Barnes as *Being and Nothingness* (London: Routledge, 1969)《存在与虚无》

L'Existentialisme est un humanisme (Paris, 1946), trans. Philip Mairet as *Existentialism and Humanism* (London: Methuen, 1948)《存在主义是一种人道主义》

Caws, P., *Sartre* (London: Routledge, 1979) (AP)《萨特》

Cooper, David, *Existentialism, a Reconstruction* (Oxford: Blackwell, 1990)《重构存在主义》

Warnock, Mary, *The Philosophy of Sartre* (London: Hutchinson, 1965)《萨特的哲学》

Derrida (德里达)

De la grammatologie (Paris, 1967), trans. G. C. Spivak as *Of Grammatology* (Baltimore: Johns Hopkins University Press, 1976)《论文字学》

L'Écriture et la différence (Paris, 1967), trans. Alan Bass as Writing and Difference (London: Routledge & Kegan Paul, 1978)《书写与延异》

Positions, trans. Alan Bass (Chicago: University of Chicago Press, 1981)《多重立场》

Norris, Christopher, *Derrida* (London: Routledge, 1987) (AP)《德里达》

Royle, Nicholas, *Jacques Derrida* (London: Routledge, 2003)《德里达》

插图目录

原著页码

49 The hall of Trinity College Cambridge

剑桥大学三一学院大厅

Wim Swaan Photographic Collection

Research Library, The Getty Research Institute, Los Angeles, California (96. P. 21)

61 A. J. Ayer

艾耶尔

Suzanne Bernard/Camera Press, London

73 Gilbert Ryle's conference, Christ Church Oxford c. 1970

吉尔伯特·赖尔召集的会议,牛津基督堂,约摄于 1970 年

84 Martin Heidegger

马丁·海德格尔

akg-images

95 Jacques Derrida

雅克·德里达

Steve Pyke/Getty Images

102 Lady Glencora Palliser

柯朗克拉·巴里瑟女士

The Syndics of Cambridge University Library, from Anthony Trollope 'Phineas Finn' 1869, W. 18. 10

108 Frege's symbolism

弗雷格的符号体系

125 A letter from Frege to Husserl

弗雷格致胡塞尔的一封信

138 Wittgenstein's house

213 Wittgenstein in the period when he was working out his final philosophy of mind

维特根斯坦在提出其最后的心灵哲学时期

Anthony Kenny

217 A mosaic from S. Marco in Venice showing God infusing a soul into Adam

威尼斯圣马可教堂的一幅马赛克图画描绘了上帝将一个灵魂注入亚当体中的形象

229 A portrait photo of Schopenhauer taken about 1850

叔本华的一幅肖像,摄于1850年左右

akg-images

240 Supermen as represented on the jacket of a Nietzschean book

尼采一本书封面上的超人形象

akg-images

247 Elizabeth Anscombe and Peter Geach

伊丽莎白·安斯康姆和彼德·盖奇

Steve Pyke/Getty Images

260 A paybill for the Prague premiere of Don Giovanni

一张《唐·乔凡尼》在布拉格首演时的门票

akg-images

272 Jeremy Bentham's "auto-icon"

边沁的"自我形象"

University College, London

276 *Punch* cartoon of 1867 satirising Mill's crusade for equality between the sexes

《潘趣》杂志刊出的一幅漫画,讽刺密尔为两性平等而奋斗的漫长历程

Getty Images

少数几幅插图在本书出版之前尚未觅得其版权所有者,如果获知,出版社将于再版时致谢。

索　引

注：本索引中的数字均代表原著页码。

A

B

C

D

E

F

G

H

J

K

L

M

O

P

Q

R

S

T

Z